LA GRANGE D'EN HAUT
1. FAUT MARIER HÉLÉNA

MICHELINE DALPÉ

Roman

Couverture et conception : Jessica Papineau-Lapierre
Révision, correction : Pierre-Yves Villeneuve, Olivier Rolko, Élaine Parisien

© Les Éditions Goélette, Micheline Dalpé, 2013

www.editionsgoelette.com
www.facebook.com/EditionsGoelette

Dépôt légal : 3e trimestre 2013
Bibliothèque et Archives nationales du Québec
Bibliothèque et Archives Canada

Les Éditions Goélette bénéficient du soutien financier de la SODEC
pour son programme d'aide à l'édition et à la promotion.

Nous remercions le gouvernement du Québec de l'aide financière
accordée par l'entremise du Programme de crédit d'impôt pour
l'édition de livres, administré par la SODEC.

 Patrimoine    Canadian
canadien      Heritage

Nous reconnaissons l'aide financière du gouvernement du Canada par
l'entremise du Fonds du livre du Canada pour nos activités d'édition.

 Membre de l'Association nationale des éditeurs de livres

Imprimé au Canada

ISBN : 978-2-89690-583-6

# Micheline Dalpé

# La
# GRANGE
## ❧ d'en haut ❧

## 1. Faut marier Héléna

Les éditions Goélette

# DE LA MÊME AUTEURE

*Les Batissette*, roman, Éditions Au Pied de la Lettre, 1998 (réédition Les Éditions Coup d'œil, 2013).

*Charles à Moïse à Batissette*, roman, Éditions Au Pied de la Lettre, 1999 (réédition Les Éditions Coup d'œil, 2013).

*La Fille du sacristain*, roman, Éditions Au Pied de la Lettre, 2002 (réédition Les Éditions Coup d'œil, 2012).

*Joséphine Jobé, Mendiante*, Éditions au Pied de la Lettre, 2003 (réédition Les Éditions Coup d'œil, 2012).

*La chambre en mansarde, Mendiante T. 2*, Éditions Au Pied de la Lettre, 2005 (réédition Les Éditions Coup d'œil, 2012).

*L'affaire Brien, 23 mars 1834*, roman, Éditions Au Pied de la Lettre, 2007 (réédition Les Éditions Coup d'œil, 2012).

*Marie Labasque*, roman, Éditions Au Pied de la Lettre, 2008.

*Évelyne et Sarah, Les soeurs Beaudry T. 1*, roman, Les Éditions Goélette, 2012.

*Les violons se sont tus, Les soeurs Beaudry T. 2*, roman, Les Éditions Goélette, 2012.

*À Raymonde et Nelson,*
*toute mon amitié et ma reconnaissance*

# I

La Plaine , 5 décembre 1910

La petite école du rang Sainte-Claire ne comptait qu'une seule classe éclairée par cinq hautes fenêtres dont les vitres du bas étaient peintes en blanc afin d'éviter les distractions aux élèves trop curieux. Pourtant, les inattentions devaient être rares ; très peu d'attelages fréquentaient ce rang pauvre qui ressemblait à une petite route de vaches.

C'était un vendredi en plein cours de dessin. L'horloge étirait ses minutes d'éternité.

L'institutrice, mademoiselle Héléna Pelletier, se promenait entre les rangées de pupitres. Le plancher craquait sous ses pas. Elle se penchait sur les croquis de ses élèves. Certains d'entre eux, les plus doués, y mettaient toute leur application, tels de véritables tâcherons, et les moins talentueux chuchotaient d'un pupitre à l'autre. La maîtresse devait sans cesse les rappeler à l'ordre.

— Bernadette, silence !

— Je demandais juste une craie verte à Jacqueline pour colorier mon sapin, expliqua Bernadette ; j'ai prêté la mienne à Victoire pis...

— J'ai dit silence, insista la maîtresse, pis garde les yeux sur ton travail.

Bernadette avançait une lippe boudeuse.

— Je veux ma craie verte. Victoire veut pas me la remettre ; elle dit que c'est la sienne, mais c'est pas vrai.

— Bernadette, je t'ai dit de te taire ! Veux-tu une croix sur ton bulletin ?

— Non, mademoiselle.

Bernadette, dépitée, baissa des yeux boudeurs sur ses mains et ajouta tout bas :

— Je vais le dire à m'man, pis vous allez voir !

Héléna entendit la riposte agressive de sa nièce. Elle n'acceptait pas que ses élèves répliquent quand elle les reprenait et encore moins qu'ils la menacent.

— La porte immédiatement, Bernadette ! Va réfléchir chez toi.

Bernadette serra les mâchoires. Elle saisit ses effets brusquement, les flanqua sans précaution dans son sac d'école, claqua le couvercle de son pupitre et sortit sans un bonjour, sans se retourner.

Sitôt dit, Héléna regretta sa rigueur, mais elle ne pouvait revenir sur sa décision, elle avait une autorité à faire respecter, et ce, même si Bernadette était sa nièce. Maintenant, que dirait sa sœur Olivine de voir arriver sa fille en plein cœur de l'après-midi ? Elle lui en voudrait sûrement.

Cette journée mouvementée n'en finissait plus. Depuis le matin, Héléna ressentait un vague à l'âme et il lui fallait tenir le coup jusqu'à quatre heures ; elle devait surtout refouler son envie de pleurer devant ses élèves. Elle surveillait l'horloge pour s'encourager, mais, ce vendredi après-midi, l'aiguille des minutes traînassait et Héléna sentait un nœud se resserrer dans sa gorge.

Dans la rangée des garçons, quelques gamins, désœuvrés par ce qu'ils considéraient être un cours dépourvu d'intérêt, ne savaient comment tuer le temps ; ils bâillaient d'ennui, sauf Germain Gauthier. Ce vif-argent dérangeait toute la classe avec ses pitreries. Il s'amusait à étendre une jambe dans l'allée dans l'intention de faire trébucher les plus jeunes. Mademoiselle Héléna entendait des rires étouffés dans son dos. Elle fit demi-tour.

— Qu'est-ce qu'il y a de drôle, Germain ?

— Rien, mademoiselle, c'est juste une mouche qui m'agaçait.

— Une mouche en hiver ?

Mademoiselle Héléna jeta un regard chargé aux voisins de pupitre du garçon.

— Pis vous autres, ça vous fait rire ! Si vous continuez d'être aussi dissipés, je vais vous garder en retenue après quatre heures. Tenez-vous-le pour dit.

La classe retrouva son calme, mais pour peu de temps ; l'horloge marquait trois heures cinquante.

Mademoiselle Héléna récita une courte prière suivie du chant *Ô Canada*.

À quatre heures tapantes, la clochette sonna la fin des classes. Suivit aussitôt un grand tapage : les pupitres s'ouvraient et se fermaient avec fracas et les chaises se déplaçaient en grinçant sur le plancher. Un coup de claquette ramena le calme dans la classe.

C'était un jour de gros vent.

Avant le départ des élèves, mademoiselle Héléna prit soin d'attacher les manteaux et d'enfoncer les tuques sur les oreilles. Elle enroula les foulards autour des têtes des plus jeunes, ne laissant que leurs yeux à découvert.

— Allez, et avec le temps qu'y fait, ne flânez pas en chemin.

Les écoliers, le sac en bandoulière, quittèrent l'école, sauf Anne-Marie, une élève de cinquième qui attendait, debout derrière son pupitre.

— Mademoiselle, je peux-tu rester pour laver le tableau pis secouer les brosses?

Héléna arrivait mal à dissimuler son émotion, sa lèvre du bas tremblotait.

— Non, Anne-Marie, dit-elle. T'es bien gentille, mais je vais m'arranger avec tout ça. Sauve-toi vite et va retrouver tes compagnes.

Héléna n'arrivait pas à contrôler sa bouche qui se tordait quand elle parlait, ce qui ne passa pas inaperçu de son élève.

— Vous avez l'air fâché, mademoiselle, lui dit Anne-Marie.

— Mais non, c'est juste un peu de fatigue, ça ne paraîtra plus lundi.

Héléna lui adressa un sourire forcé et lui donna une tape amicale dans le dos.

— Va, ma grande!

Anne-Marie partie, Héléna Pelletier put enfin apprécier le calme d'une classe vide. Elle fit couler un verre d'eau à la pompe et but à petites gorgées pour faire passer le motton en travers de sa gorge. Sans se presser, elle bourra le poêle de gros quartiers de bois d'érable et, comme elle entrebâillait une des cinq fenêtres afin d'aérer la pièce, le vent, qui soufflait en bourrasques, s'engouffra dans la classe et éparpilla les feuilles de dessin qui voltigèrent d'un pupitre à l'autre avant de s'affaisser au sol. Héléna repoussa vivement le battant et tourna l'espagnolette. Elle récupéra les feuilles volantes, replaça ses manuels scolaires entre les appuie-livres et vida l'aiguisoir à crayons.

Pour contrer son envie de pleurer toujours présente, Héléna s'affairait dans sa classe.

Elle effaça les devoirs écrits au tableau noir, puis secoua fortement les plis de sa longue robe noire pour en détacher les résidus de craie blanche.

Héléna Pelletier, la neuvième d'une famille de douze enfants, était une longue fille aux cheveux noirs attachés en toque et aux yeux bleus si transparents qu'on pouvait y lire une bonté et une sensibilité à fleur de peau. Son visage étroit se terminait par une bouche un peu railleuse, mais Héléna, de nature douce et réservée, était bien trop tendre pour être moqueuse.

Elle s'activait pour oublier son vague à l'âme.

Tout en surveillant l'arrivée de son père, elle jucha les chaises à l'envers sur les pupitres, sortit le balai et s'attela à la tâche.

Sa classe propre, Héléna, harassée, s'assit et posa les mains sur son bureau en échappant un «ouf!» de soulagement.

C'était le jour anniversaire de ses trente ans et la conscience de sa vie manquée lui donnait un air morose. Tour à tour, ses sœurs et ses cousines avaient pris mari, comme si la chance courait après elles. Aujourd'hui, elles étaient toutes mères de huit ou dix enfants, dont plusieurs comptaient parmi ses élèves et, pendant tout ce temps, elle, Héléna Pelletier, était toujours seule à se demander ce qu'elle allait faire de sa minable vie.

Elle restait là, les joues appuyées sur ses mains ouvertes à attendre l'arrivée de son père, à penser à ses années de jeunesse, surtout à Émilien, qui avait été son unique amour il y avait de cela une bonne douzaine d'années, mais, pour elle, c'était comme si les événements s'étaient passés la veille.

*  *  *

Elle avait dix-sept ans et, comme chaque année, le jour des Rois, les Pelletier étaient conviés au fricot de la tante Hermance. Celle-ci recevait sa famille et celle de son mari, les Thériault, et, à cette occasion, les cousins des cousins, qui se trouvaient être des étrangers pour Héléna, comptaient parmi les invités. Souvent, à ces fricots des fêtes, des amours naissaient. Héléna était à l'âge où le cœur est prêt à aimer.

Le matin, chez les Pelletier, on allait tuer le cochon. Sa mère, Blandine, aurait préféré remettre cette besogne à plus tard, mais on devait faire boucherie dans le croissant de la lune – on disait que la lune qui croît retarde le rancissement du lard.

Dans la grange, trois hommes tenaient par les pattes un porc bien engraissé qui hurlait parce qu'il sentait sa mort approcher, ce qui ne prendrait que l'espace d'une seconde parce que Jules connaissait la façon d'enfoncer sa lame au bon endroit.

Les filles, Héléna, Céline et Blanche couraient à la maison, les mains sur les oreilles, pour se soustraire aux cris insupportables de la bête. Leur mère, la taille serrée dans un long tablier à bavette, approchait avec un grand récipient pour recueillir le sang qui servirait à préparer le boudin.

À midi, la longue table était encore remplie de pièces de viande. Blandine passait des morceaux de porc dans un petit hachoir à manivelle.

— Les filles, mettez vos tabliers pis savonnez vos mains ben comme y faut. Vous allez rouler des boulettes à ragoût. Vite! Dépêchez-vous! Y faut se débarrasser de tout ça avant d'aller chez votre tante Hermance.

Héléna dévisagea sa mère.

— Y reste ben trop d'ouvrage, on pourra jamais finir pour le fricot.

— Ben on restera icitte!

— Ce serait dommage de manquer une si belle invitation.

— Ben grouillez-vous, c'est juste une bourrée à donner.

Au fond, Blandine ne cherchait qu'à stimuler ses filles afin de se débarrasser au plus tôt des cochonnailles qui encombraient la cuisine. Elle ne manquerait pas un fricot de famille pour tout l'or du monde. Après avoir réservé une quantité de porc haché pour les cretons, Blandine reprit la manivelle.

– Pis là, dit-elle, allez pas botcher votre travail pis me faire des grosses boulettes difformes rien que pour finir plus vite. Je les veux de la grosseur d'un œuf de poulette.

Héléna et Céline saupoudraient leurs mains de farine et façonnaient des boules rondes comme des balles. Tout en roulant, Héléna regardait sa mère tourner la manivelle et, à tout moment, celle-ci changeait de main.

– Jean-Guy, viens prendre ma place, dit-elle, j'ai les bras morts.

À l'autre bout de la longue table, le père coupait des carrés de lard qu'il disposait l'un sur l'autre dans la saumure, dans un saloir en chêne.

Les filles n'en finissaient plus de rouler des boulettes. Héléna venait d'en compter deux cent soixante-dix et il en restait encore autant à façonner. Céline laissa échapper un long soupir.

– M'man, dites donc à Blanche de nous aider, ça irait plus vite à trois. Elle est là qui sait pas quoi faire de ses dix doigts.

À treize ans, Blanche, une fille tout en bras et en jambes, avait l'air d'une bicyclette. Elle riposta aussitôt :

– Je serais pas capable de les rouler égales.

– Avec un peu de pratique, tu y arriveras, insista Céline. Ce sera pas pire que nous autres au début. Quand les boulettes étaient pas au goût de m'man, y fallait les recommencer. Envoye, dépêche-toé !

– Vous êtes assez de deux. Je serais dans vos jambes pis je nuirais plus que j'aiderais.

– Vous l'entendez, m'man ? Blanche se trouve toujours une bonne raison pour pas aider. Celle-là, la paresse la ronge.

– C'est pas vrai, ça ! C'est toujours moé qui mets la table ici-dedans. Quand on pense que je suis la plus jeune dans cette maison !

Blandine avait peine à se retenir de sourire. À treize ans, Blanche était restée son bébé et elle pliait devant tous ses caprices, mais ses sœurs n'étaient pas dupes.

– Vous la voyez pas vieillir, celle-là, ajouta Céline. Nous autres, à son âge, on vous aidait, qu'on le veuille ou non, pis on n'avait pas le droit de rouspéter. Vous auriez pas enduré ça. Je me demande ben comment elle va s'arranger, celle-là, quand elle aura une douzaine d'enfants.

– Les miens, je les ferai pas travailler. Pis j'ai ben hâte d'en avoir, ajouta Blanche, rêveuse.

Sa mère intervint :

– Profite de tes treize ans, le reste viendra ben assez vite.

– Treize et demi, la corrigea Blanche.

Elle ajoutait les demis, comme si elle était pressée de vieillir.

– Dans cette maison, dit-elle, le travail prend toujours le dessus. Mais le malheur dans tout ça, c'est que je suis pas forte. Moé, comme je suis la dernière de la famille, j'ai été faite avec des restes.

– T'as pas honte, Blanche Pelletier, de parler de même ? rétorqua sa mère. Grouille un peu, tu vois pas l'ouvrage ? Va porter les plats de boulettes au froid dans le garde-manger de la cuisine d'été, pis prends ben garde de pas les échapper.

En hiver, la cuisine d'été, érigée du côté nord de la maison, se maintenait sous le point de congélation, ce qui permettait de conserver les viandes pendant toute la saison froide.

Blanche semblait sourde. Devant le petit miroir ovale qui dominait le poêle à bois, elle léchait le bout de son index et humectait de salive ses longs cils pour leur donner un bel arrondi. Blanche avait l'âge des premières émotions et, comme toute jeune fille, le goût de plaire l'occupait tout entière. Sa mère se demandait bien ce qu'il adviendrait d'elle. Blanche se pavanait devant le miroir, soignait ses ongles et n'en finissait plus de peigner ses cheveux. Elle avait une peau fine, de trop beaux yeux, et elle en était consciente, ce qui était inquiétant pour une mère.

Celle-ci insista :

— Arrête de bretter, Blanche, pis occupe-toé plutôt d'aider comme je t'ai demandé tantôt.

Sa mère devait sans cesse lui répéter les mêmes ordres pour finalement démissionner et abattre le travail elle-même. Par chance, elle pouvait compter sur Héléna et Céline, deux filles vaillantes, qui ne se faisaient pas prier pour rendre service. Tout en besognant, Blandine faisait ses recommandations à ses enfants.

— Au fricot, je veux pas en voir un s'exciter ni parler trop fort, surtout toé, Blanche, avec ta petite voix criarde qui enterre tout le monde. Pis aussi, vous attendrez pour vous assire à la table qu'on vous dise d'approcher. Toé, Jean-Guy, pas d'obstinations ni de tiraillages avec tes cousins, pis ben défendu de toucher au piano.

— Pourquoi ? demanda Blanche en faisant la moue.

– Pour pas casser les oreilles de tout le monde. Vous laisserez les berçantes aux vieux, quitte à vous assire dans l'escalier. Autre chose aussi, à la table, j'veux pas en voir un demander une deuxième assiettée, pis même chose pour le dessert. Compris ?

Héléna et Céline se regardèrent, l'air ennuyé. Les mêmes recommandations revenaient à chaque sortie et les jeunes les connaissaient par cœur comme leurs réponses de catéchisme. Malheur à qui passerait outre ! À la prochaine sortie, il serait confiné à la maison.

– Pis si on a encore faim ? osa Jean-Guy, un joyeux vivant qui aimait la nourriture, le rire et les filles.

– Vous vous retiendrez jusqu'à tant qu'on revienne icitte.

Jean-Guy, manger avec modération ? Héléna en doutait fort. Celui-là, le jeûne ne faisait pas partie de ses priorités. L'adolescent, tout en longueur, avait toujours un creux au ventre, comme s'il n'avait pas de fond. Sitôt sorti de table, il passait son temps à chaparder dans le garde-manger.

Une fois les charcuteries au froid et la cuisine en ordre, Blandine lava le hachoir pendant que Jules et Jean-Guy descendaient le lourd saloir de chêne à la cave.

C'était l'heure du train. Jules revêtit sa canadienne, chaussa ses bottes de grange et, avant de disparaître, il pinça la fesse de sa femme, ce qui avait le don de l'exaspérer.

– Arrête donc tes folies, Jules Pelletier, tu vois pas comme je suis pressée ?

Jean-Guy s'amusait de voir son père taquiner sa mère. Celle-ci avait beau faire semblant de se fâcher, les taquineries de son homme l'émoustillaient et mettaient de la bonne humeur dans la cuisine.

Jules alluma son fanal et sortit. Il n'avait pas besoin d'inviter Jean-Guy à le suivre à l'étable, celui-ci se faisait un plaisir de partager les tâches avec son père. Jules trouvait toujours des moyens pour l'attirer, que ce soit des gestes, des mimiques ou encore des farces.

Jules Pelletier était un boute-en-train qui amusait les siens. C'était un homme qui voyait tout en rose. Chaque jour, il chantait des chants liturgiques en trayant ses vaches ; c'était sa prière du matin. Il terminait toujours son train par une chanson légère, une chanson à couplets dont Jean-Guy reprenait le refrain.

Ce jour-là, Jean-Guy se pressait de soigner les bêtes. Il referma la porte de l'étable, tout heureux que la tante Hermance les attende pour son fricot.

Une grosse neige tourbillonnait autour de la grange, comme un début de poudrerie, mais le gros temps n'empêcherait pas les colons de sortir.

* * *

Dans la cuisine, Céline nattait les cheveux de Blanche. Elle en faisait deux tresses blondes qu'elle retenait ensemble par un cordon plat. Blanche portait bien son nom ; elle avait le teint clair et des yeux bleus pétillants.

— T'es ben belle, Blanche !

— On dit propre, rectifia sa mère. Va pas me la rendre orgueilleuse avec tes vantardises. Et pis presse-toé un peu, bon sang, si on veut partir !

Héléna se hâtait. Toute joyeuse, elle accrocha son tablier au clou et courut à sa chambre brosser sa lourde jupe brune qu'elle portait à longueur de semaine – ses parents étaient trop pauvres pour lui payer une robe du dimanche. Dans cette maison, l'argent passait d'abord aux nécessités. Le cœur déjà à la fête, Héléna libéra ses cheveux attachés en toque en tirant l'élastique qui se brisa sous ses doigts. Ses frisettes retombaient mollement en valsant sur son dos. Ce soir, elle s'en allait danser et chanter avec les cousines. Elle enfila un manteau rouge vif, enroula autour de sa tête un long foulard multicolore qu'elle noua sous son collet de mouton gris et chaussa en vitesse ses bottes de neige.

* * *

Son train terminé, Jules Pelletier attela Samson au bobsleigh. Le gros percheron savait faire face aux pires tempêtes.

– Jean-Guy, lui dit son père, viens m'aider à décrocher un siège du berlot. J'ai dit à Agathe pis Antoine qu'on ferait un crochet par chez eux. Ça va nous rallonger un peu, mais ça exemptera Antoine d'atteler.

La présence de la petite famille d'Agathe exigeait davantage d'espace au fond du berlot.

– T'apporteras les deux robes de carriole dans la voiture, s'écria Jules.

Il colla l'attelage au perron. Les adolescents s'assirent au fond du traîneau, sous les peaux de fourrure où ils se sentaient comme dans une petite maison en marche.

Jules chantait et les grelots tintaient au rythme du trot, instants d'harmonie, de poésie inoubliable.

Quelques minutes plus tard, la famille d'Agathe et Antoine Branchaud se joignit à eux.

– Montez, les invita Jules, pis tassez-vous au fond du berlot.

Le temps de s'asseoir, tout le monde disparut sous les robes de carriole.

Blandine, la joie au cœur, avait hâte de retrouver la chaleur d'un bon repas partagé avec la parenté. Elle se tenait bien droite sur la banquette avant, mais comme la poudrerie l'étouffait et l'empêchait de reprendre son souffle, elle remonta la peau de buffle sur son visage.

La neige courait en basse fumée et moutonnait entre les congères. Tout était tellement blanc que le chemin se fondait dans le paysage.

On n'arrivait plus. Tout au long du trajet, les jeunes chantaient à tue-tête des chansons à répondre qui se mariaient à la sonnerie des grelots et que les bourrasques de vent charriaient au diable vauvert. Entre chaque chanson, Blanche, impatiente, demandait :

– Où cé qu'on est rendus ?

Jean-Guy soulevait le coin de la peau de buffle et répondait :

– On voit rien.

Bercés par les défauts du chemin, les jeunes, serrés les uns contre les autres, se remettaient à chanter.

\* \* \*

Chez les Thériault, les clochettes, attachées aux limons du traîneau, annoncèrent gaiement l'arrivée des Pelletier. Jules tendit une main à chacun des siens pour les aider à descendre de voiture.

— Jean-Guy, dit-il, dételle le cheval pis mène-le à l'étable. Là-bas, tu y donneras un picotin d'avoine.

La porte de la cuisine s'ouvrit toute grande et les arrivants entrèrent, entourés d'une vapeur blanche qui courut sur le plancher pour se dissiper aussitôt.

— Allez! Avancez tout le monde, restez pas sus le tapis! cria la tante Hermance soudée à son poêle. Pis enlevez une pelure, on crève de chaleur ici-dedans. Allez porter votre butin sur le lit de la chambre du bas.

Après avoir installé le cheval à l'abri des intempéries, Jean-Guy entra dans la maison les cheveux et les épaules chargés de cristaux de neige qui fondaient à la chaleur de la cuisine.

Des odeurs de dinde rôtie embaumaient toutes les pièces de la maison. La huche à pain était chargée de tourtières, de tartes au suif, aux pommes et aux raisins. Jean-Guy passait devant les desserts en les dévorant des yeux. Le repas promettait. Les portes s'ouvrirent de nouveau pour laisser passer deux grands garçons qui charriaient des madriers et des tréteaux devant servir de tables.

Au souper, Héléna prit place entre sa sœur Blanche et son frère Jean-Guy. Des cousins s'assoyaient en face d'eux quand, subitement, Émilien Thibodeau vint se frayer une place là où il n'y en avait pas. Héléna le regarda passer un pied par-dessus le banc et poussailler deux adolescents à coups de hanche jusqu'à ce qu'au bout de la file le cousin

Odilon tombe assis par terre. Des éclats de rires fusaient. Autour de la table, les jeunes parlaient et riaient plus fort qu'à l'accoutumée.

Tout le temps du repas, Émilien ne lâcha pas Héléna des yeux, ce qui n'échappa pas à toute la tablée. Comme elle en était à ses premières émotions, Héléna sentit le sang lui monter au visage. Émilien allait sûrement voir son front rougir de gêne et trahir ses états d'âme, et l'énervement la faisait rougir davantage. Pour ajouter à son trouble, sa sœur Blanche, qui vit son malaise, la poussa du pied sous la table. Héléna répondit par une ruade. Elle aurait préféré vivre sans témoin ses premières émotions, mais, dans les familles nombreuses, pas moyen d'avoir ses petits secrets ; tout le monde vivait si serré qu'on entendait même les pensées des autres.

Au dessert, Jean-Guy se fit servir deux pointes de tarte : une au raisin et une au suif, le tout nappé de crème fouettée. À la vue de son assiette archipleine, Héléna ne put s'empêcher de sourire. Elle poussa son frère du coude.

— Cré Jean-Guy, dit-elle, je savais ben que tu serais pas raisonnable.

Jean-Guy, courbé au-dessus de son dessert, plaça ses bras en paravent, comme s'il craignait qu'on lui vole son assiette.

— Ben quoi, dit-il, comme m'man veut pas qu'on en redemande, j'ai tout pris d'un coup. Pas un mot à m'man là-dessus, hein ?

— Crains pas.

Le repas terminé, les femmes lavèrent la vaisselle pendant que deux ménétriers juchaient leur chaise sur la table et ajustaient leur violon. Les garçons choisissaient une fille et formaient des groupes de huit danseurs. Héléna s'approcha de la cuvette et, comme elle allait saisir un linge à essuyer, une main prit la sienne. Émilien l'entraîna dans la danse.

Au beau milieu de la place, Jules câla gaiement un set carré :

— Les hommes à gauche, les femmes à droite, swingez votre compagnie !

Émilien gardait les mains sur la taille frémissante d'Héléna, qui tournait et tournait dans ses bras, légère comme une plume, jusqu'à s'étourdir. Après chaque rigodon, il s'inclinait légèrement devant elle et se retirait dans un coin du salon où se tenait un groupe de garçons.

Héléna rejoignit Blanche, qui s'informa :

— Émilien Thibodeau a l'air de te trouver de son goût, hein ! Y a pas lâché de te regarder tout le temps du souper, pis en plus, y te fait danser. Toé, comment tu le trouves ?

— Mêle-toé pas de ça, Blanche.

— Comme tu veux, mais je vous regardais tourner tantôt, pis je t'ai pas vu y dire un mot. Tu y parles pas ?

— Je suis ben trop gênée.

— Ben voyons donc, Héléna ! Émilien Thibodeau, c'est pas le bon Dieu.

— Je sais pas quoi y dire. Ça fait que tant qu'à être insignifiante, j'aime mieux me taire.

— T'es pas une vraie Pelletier. Je saurais quoi y dire, moé, à ton petit Thibodeau.

— Toé, c'est sûr, la pie t'arrête pas. Ah pis laisse, mêle-toé pas de ça. Tu sais pas de quoi tu parles.

– Ça va, mais au train où tu vas, tu vas te retrouver vieille fille.

– Parle moins fort, tout le monde a pas besoin de savoir.

Héléna était heureuse; Émilien était séduisant et il s'intéressait à elle. C'était tout ce qui comptait.

La veillée fut des plus merveilleuses. Des sentiments amoureux naissaient. Déjà Émilien faisait battre le cœur d'Héléna.

\* \* \*

Pendant que toute la jeunesse s'amusait chez les Thériault, les hommes levaient le coude. Jules surtout.

Blandine fit signe à Jean-Guy de s'approcher d'elle et lui dit, mine de rien:

– Ton père tient pus deboutte. Va le mener à la maison, pis ensuite, tu reviendras nous chercher.

Jean-Guy refusait de quitter la fête alors que le plaisir commençait.

– Avec la tempête, je ferai pas la route deux fois.

Blandine, mécontente, pinça le bec.

– Ben occupe-toé de lui, dit-elle. Regarde-le, y lâche pas de boire.

Jean-Guy prit la bière des mains de son père et la déposa sur la table.

Peu de temps après, Jules vomissait sur le plancher. Blandine se pressa de nettoyer les vomissures. Elle détestait que la famille voie son mari en état d'ébriété.

L'aiguille des heures tournait, les femmes jasaient, les jeunes sautaient. Le bonheur régnait au sein de la grande maison en fête jusqu'à ce que le jour se lève.

Les ménétriers déposèrent enfin leur archet. Les jeunes, exténués, se laissèrent tomber sur les chaises en bâillant. Les garçons poussaient des chansons à répondre pendant que la tante Hermance dressait de nouveau la table.

— Approchez et servez-vous, tout le monde, dit-elle. Vous dormirez mieux le ventre plein.

Blandine s'approcha de Jules et, discrètement, elle lui chuchota à l'oreille :

— On s'en va, Jules. T'as assez bu ; tu tiens pus deboutte.

— Pas tout de suite, la veillée fait rien que commencer.

Jules se leva de sa chaise en caracolant et il jeta un œil à la fenêtre.

— La poudrerie lâche pas, pis le vent gronde, on dirait le tonnerre. On va attendre que la tempéte achève pour s'en aller.

— Ben non, on s'en va, trancha Blandine.

— Ce serait pas prudent de partir, insista la tante Hermance. Jules a raison. Attendez que la tempête finisse. Si y en a qui veulent coucher icitte, on peut se tasser.

— Ben sûr, dit Jules.

Blandine trancha net :

— Non merci, Hermance. On a la petite famille d'Agathe à ramener. Et pis, y a les vaches à traire, comme Jules file mal, Jean-Guy va devoir se taper le travail tout seul, y va en avoir pour au moins deux heures.

\*\*\*

Les Pelletier et les Branchaud s'engouffrèrent sous les robes de carriole et le frémissement des grelots reprit sa musique. Samson tournait la tête au vent pour ne pas étouffer. La grosse bête devait lutter ferme contre les rafales qui lui cinglaient le nez.

Les maisons du rang étaient ensevelies sous la neige. Des amoncellements comme des vagues faisaient pencher dangereusement le traîneau. Les enfants s'agrippaient les uns aux autres et criaient tantôt de joie, tantôt de frousse, et leur père s'en amusait. Seule Héléna demeurait étrangère à la tempête. Pour la première fois, elle était amoureuse et toutes ses émotions rejoignaient Émilien Thibodeau. Elle sentait encore ses mains chaudes sur sa taille. Pourtant, ils n'avaient pas échangé une seule parole ; ce n'était que partie remise, Émilien allait sans doute frapper chez elle le dimanche suivant.

Jules chantait dans la tempête. Ça l'amusait de braver les obstacles, mais Blandine le modéra. Cette année, il fallait user de prudence. Agathe tenait dans ses bras un bébé d'à peine un mois. Blandine souleva la peau de buffle et appela :

— Jean-Guy, viens prendre les guides à la place de ton père, sinon, on va verser.

Jules tint tête.

— Ben non ! Inquiète-toé pas, Blandine. Samson sait tenir le chemin.

Blandine dut abdiquer.

L'attelage s'arrêta chez Antoine Branchaud, où la jeune famille descendit de voiture. Avec son bébé dans les bras, Agathe avança péniblement dans la neige jusqu'aux genoux et Antoine, avec deux autres enfants dans les bras, suivit sa femme à grandes enjambées.

Jules commandait sa bête en secouant les rênes sur sa croupe. Il chantait à tue-tête une chanson qu'il s'amusait à déformer : « Le bon vin m'endort et l'amour me travaille le corps. »

Jules ne perdait rien pour attendre. Blandine attendait d'être à la maison pour lui faire des remontrances bien méritées. Ses enfants n'avaient pas à être témoins de leur mésentente ; ils en avaient eu assez de voir leur père vomir.

– Hue, Samson ! Allez, hue !

Le cheval hâta le pas, il devait sentir l'odeur de sa crèche.

Arrivé chez lui, Jules tira les rênes et colla le traîneau au perron.

– Wooo, Samson ! Wo bèque !

Tout le monde sauta de voiture et se pressa d'entrer. Pendant leur absence, la maison s'était refroidie. Les filles jetèrent leur manteau sur un dossier de chaise et coururent à leur chambre pendant que leur mère rallumait le poêle.

En haut, les filles frissonnaient en échangeant leur robe contre de vieilles jaquettes rapiécées. Héléna se glissa rapidement sous les couvertures de laine qu'elle remonta sur son cou, les poings sous le menton. Elle claquait des dents.

– Je viens de passer la plus belle soirée de ma vie. J'aurais voulu qu'elle finisse jamais.

– Pas besoin de me dire que t'es amoureuse d'Émilien Thibodeau, lui dit Céline, ça se voit comme le nez au milieu du visage.

– L'amour, quelle belle chose! Ça fait se sentir belle et importante pour quelqu'un.

– Tu penses qu'y t'aime lui itou?

– Je pense que oui.

– Y te l'a dit?

– Non, mais l'amour, c'est quelque chose qui se sent, qui se devine.

– Tu le revois quand?

– Je sais pas. J'y ai pas demandé.

– T'as ben fait. Laisse-le courir un peu. Les gars aiment pas les filles qui leur tombent dans les bras trop facilement.

– C'est ben beau l'indépendance, reprit Blanche, mais c'est une chance à prendre. Si le gars se tanne pis qu'y revire de bord, c'en est fini de la belle histoire d'amour.

– C'est que ce serait pas le sien, rétorqua Céline.

– Je sens qu'Émilien est le mien, dit Héléna.

– T'es vite en affaires, Héléna. Laisse-toé un peu de temps pour réfléchir.

– Comme si tu connaissais la vie plus que moé, Céline Pelletier!

– Tu sais, moé, je fais juste te mettre en garde.

– T'as beau faire ta grande, répliqua Héléna, t'es plus jeune que moé, pis t'es pas ma mère.

La voix de leur père monta jusqu'à elles.

– Taisez-vous en haut! La nuit, c'est fait pour dormir.

– Pour dormir et rêver, murmura Héléna avec un sourire béat.

– Ferme la porte pour couper le son, suggéra Blanche, que la vie amoureuse de sa sœur captivait.

– Non, ça va empêcher la chaleur d'entrer. La chambre est déjà assez frette comme ça!

– Pis toé, ajouta Héléna, avec ton Alexis, ça se passe comment?

– Alexis pis moé, c'est pas pareil. C'est pas un coup de foudre. Nous deux, comme on est nés dans le même rang, on se connaît depuis les bancs d'école.

– Vous pensez à vous marier?

– Plus tard, quand y sera établi. Là, on a juste seize ans. Disons qu'on s'est promis, mais va pas parler de ça à personne; y faudrait surtout pas que ça vienne aux oreilles de m'man.

Jean-Guy se joignit aux filles. Il s'assit sur le coffre en cèdre placé au pied du lit. Céline tenta de s'en débarrasser.

– Va-t'en dans ta chambre, Jean-Guy Pelletier! Y est presque six heures du matin. Pis tantôt, p'pa nous a crié de nous taire.

– Y a ben beau parler, lui, vous l'entendez pas? Ça gueule fort en bas.

Les filles tendirent l'oreille.

Dans la cuisine, le ton montait et les adolescents entendirent leur mère s'écrier: «À l'avenir, on restera icitte! C'est-y assez clair?»

– Qu'est-ce qui se passe en bas? s'informa Héléna.

– M'man est de mauvaise humeur parce que p'pa a un peu trop levé le coude. Écoute-les se disputer.

En bas, Blandine tempêtait :

— Tu le sais qu'après deux verres tu tiens pus deboutte. Quelle honte d'aller vomir chez Hermance devant toute ma famille !

— Tu vas pas encore me faire la baboune ? J'ai pris juste deux bières.

— Ben, c'était deux de trop !

— C'est-y de ma faute si le ciel a mis le meilleur au fond de la bouteille ?

Jean-Guy riait de la riposte de son père, mais Céline n'y trouvait rien de drôle.

— M'man a pas à chialer. Avant de se marier, p'pa crachait pas dans la bouteille, pis elle l'a marié quand même. Ça fait qu'asteure, qu'elle l'endure !

— Où t'as pris ça ? C'était avant que tu viennes au monde.

— À soir, comme j'entrais dans la chambre prendre mon manteau, j'ai entendu ma tante Hermance dire ça à ma tante Rose-Alma. Quand elle m'a vu, elle a mis la main sur sa bouche, mais trop tard, c'était dit et j'avais entendu.

Jean-Guy voulait tout savoir des amours de ses sœurs.

— Pis vous deux, de quoi vous parliez avant que j'arrive ?

— Va-t'en ! M'man veut pas que tu viennes dans la chambre des filles.

— Vous parliez des garçons ? C'est ça, hein ?

Après une nuit mouvementée, les filles bâillaient à s'en décrocher la mâchoire. Pour se débarrasser de Jean-Guy, Céline souffla la lampe et se tourna sur le côté. Héléna bâilla, Blanche dormait.

— Bon! Moé, j'ai pas le temps de dormir avant le train. Je file à l'étable.

Les conversations éteintes, Jean-Guy descendit l'escalier à pas feutrés.

\* \* \*

Le dimanche suivant, alors que Céline et Héléna desservaient la table du souper, Blanche les attendait en brassant un jeu de cartes.

Sitôt la cuisine en ordre, Héléna regarda l'heure. Elle enleva son tablier et se rendit à la fenêtre du salon surveiller le chemin. L'heure passait et personne ne venait sur la route. Héléna, les yeux humides, allait et venait de la fenêtre à la porte, qui semblaient exercer une fascination sur elle. Sa mère voyait bien qu'elle attendait la venue du jeune Thibodeau. Au fricot d'Hermance, elle avait remarqué sa fille qui, les yeux brillants, avait dansé toute la veillée avec le garçon. Et ce soir, le souper terminé, elle avait vu Héléna se pomponner, se parfumer et passer son temps à se mirer dans la vitre de la porte qui séparait le salon de la cuisine. Blandine pensa: «Comme moé, trente ans plus tôt, quand j'attendais mon Jules. »

— Arrête de te morfondre à attendre, Héléna. Tu sais, si c'est pas le gars à Germain Thibodeau, c'en sera un autre. À ton âge, t'as ben le temps, tu sais.

— J'en veux pas d'autres. J'aurais ben dû l'inviter à venir veiller au salon. Si c'était à refaire…

— Si ce garçon tient à toé, y saura ben te trouver. Accroche-toé pas trop vite. Y a des filles qui s'amourachent pis qu'y attendent toute leur vie le même garçon. Celles-là, souvent, elles restent sur le carreau.

Héléna, déçue, prit le conseil de sa mère comme une prémonition. Dire qu'elle comptait sur son encouragement et sa consolation. Elle regrettait maintenant d'avoir ouvert la porte aux confidences. Leur mère leur avait toujours répété de se méfier des garçons. Héléna monta à sa chambre, préférant être seule pour digérer sa déception. Elle se jeta sur son lit et resta là, immobile, les yeux au plafond, à se demander où pouvait bien être Émilien et pourquoi il ne venait pas la voir au salon. L'heure passait et Héléna lui cherchait des excuses. Peut-être avait-il un autre fricot dans sa famille ou encore lui en voulait-il de ne pas l'avoir invité? Il viendrait sans doute le dimanche suivant.

De son lit, Héléna entendit des pas dans l'escalier.

C'était Jean-Guy. Il s'assit à son côté et posa une main sur son bras pour la réconforter, comme s'il sentait son désarroi.

— Si j'étais toé, Héléna, je compterais pas trop sur Émilien Thibodeau. Ce gars-là, y est pas sérieux pour deux cennes; y fait de la façon à toutes les filles. Y va te faire brailler.

— Qu'est-ce que t'en sais, toé, le jeune?

— J'en sais ce que j'entends, pas plus, pas moins. Les gars parlent entre eux, pis y disent que Thibodeau se vante d'avoir toutes les filles à ses pieds. C'est un frais chié, ce gars-là. Y tient pas à toé, c'est clair! Moé, si j'aimais une fille, j'saurais où la trouver, pis aussi y demander la permission d'aller la voir au salon.

– Toé, tu peux pas parler. Tu sais pas ce que veut dire aimer.

Jean-Guy bomba le torse.

– J'te ferai remarquer, Héléna, que je pogne avec les filles, pis si je m'en vante pas, c'est parce que je suis pas un vantard comme ton Thibodeau.

– C'est pas vrai ce que tu dis. T'as juste quinze ans, pis t'as jamais eu de blonde.

Jean-Guy s'amusait à laisser planer un doute. Avec ses sœurs, il restait discret sur ses fréquentations précoces, même si Héléna, Céline et lui avaient pris l'habitude de se retrouver en haut, chaque soir au coucher.

– Si je parlais, tu serais peut-être surprise.

– Ça serait-y que t'aurais une fille en vue?

– Laisse-moé un peu de temps pis je te reviendrai là-dessus.

Deux ans plus tôt, il était allé voir Yolande Lauzon au salon et le père Lauzon l'avait avisé: «À treize ans, ma fille est trop jeune pour les fréquentations. Tu reviendras dans quelques années.» À la suite de cet avertissement, les tourtereaux avaient continué de se voir secrètement.

– T'essayes pas juste de m'en faire accroire pour te faire valoir, toé?

Héléna regarda son frère d'une façon différente. Leurs amours d'adolescents les rapprochaient au point qu'ils en oubliaient leur écart d'âge. Ces élans de complicité se répétèrent régulièrement chez les Pelletier, comme si ces échanges répondaient à un besoin vital chez les adolescents.

En bas, sa mère appelait:

– Héléna, Jean-Guy, descendez, c'est l'heure du chapelet.

Héléna sauta sur ses pieds.

– Tu reviendras jaser, Jean-Guy.

– Compte sur moé.

Après le chapelet récité en famille suivaient les litanies des saints et la prière à la sainte Famille.

Avant d'aller au lit, tous trempaient les doigts dans le petit bénitier accroché à l'entrée de chaque chambre et se signaient en disant : « Eau bénite, je te prends et si cette nuit la mort me surprend, tu me serviras de saint sacrement. »

\* \* \*

Après une année qui n'en finissait plus de s'étirer, une année où Héléna avait rêvé et alimenté ses sentiments pour Émilien Thibodeau, le temps des fêtes était revenu et Héléna, fébrile, comptait sur le fricot de sa tante Hermance pour se rapprocher d'Émilien. Elle espérait de tout son cœur qu'il soit présent.

Ce jour-là, les invités entraient à pleines portes et Émilien apparut dans toute sa grandeur, vêtu du même complet bleu acier qu'il portait un an plus tôt. Le cœur d'Héléna reprit son rythme fou. Mais ce soir-là, quelle déveine, le garçon prit place à une autre table. Il agissait comme s'il ne la connaissait pas. Héléna ne comprenait pas la cause de son indifférence. Blanche avait beau lui conseiller d'aller s'asseoir à son côté, Héléna était trop réservée pour se mettre en évidence.

– Je vais avoir l'air de courir après lui, dit-elle.

– Et pis ? C'est ça aussi !

– Ben, ça se fait pas ! Ça revient aux garçons de faire des avances aux filles.

Héléna comptait sur la danse pour se rapprocher d'Émilien, mais Henri Beaudoin le devança et, mal à l'aise de lui refuser un rigodon, Héléna accepta son invitation à contrecœur. Cette danse fut une torture pour Héléna ; son cœur s'emballait chaque fois qu'elle frôlait Émilien.

De toute la veillée, Henri Beaudoin ne la quitta plus d'une semelle. Mais Héléna ne voyait que l'autre.

De retour à la maison, Blanche ne se gêna pas pour comparer les deux garçons.

– Je trouve Henri Beaudoin ben plus beau qu'Émilien Thibodeau, dit-elle. J'ai jamais vu des yeux aussi bleus, on dirait des yeux de velours. Pis y a des traits parfaits qu'on croirait dessinés par une main d'artiste. En plus, y a une belle instruction.

Et Blanche ajouta sans aucune pudeur :

– En tout cas, moé, je mettrais ben mes pantoufles en dessous son lit.

Blandine, offusquée de ses propos grossiers, lui roula de gros yeux.

– Blanche, cesse tes grossièretés.

Blanche compara les garçons. Émilien était un gai luron dégagé de sentiments, tandis qu'Henri était sensible et attachant, et il était à sa dernière année du cours classique.

Malgré toutes ses qualités, Héléna restait complètement indifférente aux charmes d'Henri.

*　*　*

Rien n'arrêtait la course du temps. Héléna revoyait Émilien à de rares occasions, comme à la messe du dimanche et à la neuvaine à la croix du chemin, chez les Lafortune.

Ces soirs-là étaient légers et remplis d'espoir. Émilien arrivait chaque fois à pied. Avant le chapelet, les garçons entouraient le vicaire et le suppliaient de jouer à kick la canne avec eux. Le prêtre se laissait un peu prier, sans doute pour ne pas avoir l'air ridicule de courir en soutane, mais il finissait toujours par accepter. Les jeunes filles les voyaient courir se cacher sous le perron, dans les voitures, dans les bâtiments, et, en secret, elles dénonçaient les participants. Quand les jeux prenaient fin, les jeunes chantaient un cantique à la Vierge, et ensuite, une personne âgée récitait le chapelet. Après les dévotions, les colons restaient sur place à placoter entre eux de leurs tâches et de leurs ennuis quotidiens. Quelques couples de jouvenceaux se promenaient main dans la main. Émilien faisait partie d'un groupe de garçons qui se tenaient assis sur l'herbe rase, à l'ombre d'un grand chêne. C'était à qui raconterait l'histoire la plus drôle. Les filles plus timides, les laissées-pour-compte, s'assoyaient sur le perron, les pieds pendants, et causaient à voix basse en choisissant de l'œil des prétendants qui n'en faisaient pas de cas. Héléna était de celles-là. Elle n'attendait qu'un signe d'Émilien pour le rejoindre, un signe qui ne venait pas. Héléna ne perdait pas confiance, la neuvaine durait neuf soirs. « Ça prendrait une bonne pluie, pensait-elle, pour réunir tout le monde sur le perron. Mine de rien, je me glisserais près d'Émilien, et cette fois, après avoir échangé quelques mots, je l'inviterais à venir veiller au salon. Je verrais ben si y tient à moé. »

Le lendemain, Héléna se fit encore plus belle pour Émilien. Elle laissa flotter ses cheveux sur ses épaules, noua un fichu à pois autour de son cou puis farda ses joues, ses yeux et ses lèvres. Émilien ne pourrait pas l'ignorer. Elle se rendit à la croix du chemin un peu en avance, son chapelet à la main. Avant la neuvaine, elle offrirait à madame Lafortune de désherber les fleurs qui ornaient la croix et ainsi, elle surveillerait discrètement l'arrivée d'Émilien.

Ils étaient sept qui venaient à pied ; ils prenaient toute la largeur du chemin. Héléna reconnut les frères Therrien, Louis Martin et sa sœur Maria, Alexis Bolduc et Émilien Thibodeau, qui tenait la main de Suzanne Chaumont. Ce fut un choc pour Héléna. Elle jouait l'indifférente, mais, intérieurement, elle était toute triste.

À leur tour, des familles complètes approchaient, mais Héléna ne les voyait pas, elle ne voyait que l'autre.

Le lendemain, Héléna refusa de se rendre à la neuvaine. Sa mère insista :

— Arrive, Héléna, c'est l'heure.

— J'y vais pas.

— Pourquoi tu viendrais pas prier avec les autres ?

— Parce que c'est comme ça !

— Toé, je te comprendrai jamais. Au début, t'étais toujours pressée. C'était toé qui tirait sur nous autres pour partir en avance. Pis aujourd'hui, comme ça, pour rien, mademoiselle s'entête.

— Je reste icitte.

— T'entends ça, Jules? dit-elle. Notre fille refuse de nous accompagner à la neuvaine.

— Elle est pas obligée, dit-il, c'est pas écrit dans les commandements de Dieu.

* * *

Les saisons faisaient la ronde comme une contredanse avec ses sauts et ses saluts. Cette année, le printemps envoya promener l'hiver plus tôt et avril frappa tout joyeux aux portes des maisons de campagne. Avec ses odeurs printanières et ses fleurs nouvelles, la nature allumait des espoirs, unissait des cœurs.

C'était jour de fête chez les Pelletier, Céline épousait Alexis Bolduc. Héléna ressentait une certaine tristesse. Pendant qu'elle attendait désespérément le retour d'Émilien Thibodeau, sa sœur, Céline, d'un an sa cadette, mariait l'amour de sa vie.

Henri Beaudoin, un cousin du marié, se trouvait parmi les invités. Sur le perron de l'église, il aperçut Héléna qui, à son grand plaisir, se trouvait seule aussi. Il se faufila jusqu'à elle.

— Bonjour, mademoiselle Héléna.

— Vous, ici? dit-elle.

— Me permettez-vous de vous tenir compagnie?

« Après tout, se dit Héléna, plutôt que rester seule dans mon coin toute la journée comme une codinde, au moins j'aurai quelqu'un pour danser. »

Héléna accepta et Henri la conduisit du coude jusqu'au banc numéro trente-deux.

\* \* \*

Au sortir de l'église, comme le voulait la tradition, le violoneux occupait la troisième voiture. Ce dernier s'était acheté un violon fait maison. Il était petit et massif et avait un mauvais son. Il disait que les cordes étaient en tripes de chat, son archet, en crin de cheval, et que son violon faisait entendre des hennissements.

Tout le monde descendit de voiture en même temps. La basse-cour était remplie d'attelages garnis de choux et de rubans blancs.

Les Pelletier n'étaient pas riches, mais, chez ces gens, la nourriture ne manquait pas avec le lait, les œufs et les produits de la ferme.

Des fleurs de pommiers ornaient la table de la mariée et des coupes de vin de cerise contrastaient avec le blanc des nappes. Les femmes déposaient des cadeaux sur une table installée à l'entrée du salon : des pièces tissées, un set de vaisselle, un pot à lait et six verres, des serviettes et un beau cendrier sur colonne, fabriqué des mains de son père – Jules avait un talent spécial pour travailler le bois.

Deux ménétriers s'ajoutèrent au premier. Tour à tour, les cordes vibrèrent, les clés tournèrent en grinçant. Jules leur payait la traite, histoire de leur donner de l'huile de bras et, sans crier gare, les violoneux attaquèrent une pièce musicale vive et entraînante. Il n'en fallut pas plus pour que la sauterie commence. Les jeunes se mirent à danser. Henri et Héléna s'en donnaient à cœur joie et les musiciens tapaient du pied afin que les danseurs soient plus soutenus.

— Envoyez, la gang! Y a encore de l'huile dans le fanal.

Entre chaque rigodon, Jules chantait: «Buvons tous, que le vin est bon!»

Les danses étaient suivies de chansons dont les refrains étaient repris en chœur, ce qui accordait un repos aux violoneux avant qu'ils reprennent l'archet.

Après avoir dansé avec Héléna tout l'après-midi, Henri nageait en plein bonheur. Il parlait à la jeune fille de ses études au collège et de sa hâte de terminer son cours.

— Qu'est-ce que vous ferez ensuite? s'informa Héléna.

— J'aimerais bien enseigner, dit-il, je rêve de m'acheter un jour une maison confortable où j'élèverais ma famille. Mais tout ça est un peu loin, il me faut d'abord terminer mon cours classique, gagner des sous et me trouver une amie de cœur.

— La fille que vous choisirez sera comblée, s'exclama Héléna.

— Je l'espère bien. En ce moment, la place est libre et, si vous le voulez bien, cette fille pourrait être vous, Héléna. Vous seriez ma princesse et moi, votre prince charmant.

Tout en parlant, Henri fit une révérence et éclata de rire pour donner un peu de légèreté à son propos.

Héléna ne parlait plus. Elle pensait : «Plus tôt, j'aurais été ravie de cette demande flatteuse qui, aujourd'hui, me laisse indifférente.»

— J'ai rien d'une princesse, dit-elle, pis je serais pas de bonne compagnie. Y faut de l'amour pour vivre à deux, pis moé, j'ai pour vous que de l'estime.

— L'estime, c'est déjà beaucoup, les sentiments viennent avec le temps quand les amis se connaissent mieux.

— Et si vous vous trompiez? Pour nous, les filles, l'amour a une coche de plus que l'estime.

— Et si nous nous donnions la chance d'essayer? Accepteriez-vous de me recevoir au salon, dimanche?

La belle Héléna, mal à l'aise d'éconduire Henri, accepta sa proposition à contrecœur. Le souvenir d'Émilien lui revenait. Henri n'avait qu'à être là pour que, dans sa tête, l'image d'Émilien vienne se superposer à la sienne.

Henri misait sur le temps. Il espérait qu'avec un peu de patience il gagnerait le cœur d'Héléna.

Assis au bout de la table, Jules se donnait en spectacle. Il résistait au sommeil. Ses yeux caillaient et il levait de nouveau sa tasse.

— Buvons, mes frères! Le meilleur est au fond de la bouteille.

Après quelques rasades, Jules, les sentiments à fleur de peau, réalisa qu'il perdait sa fille Céline. Au bord des larmes, le bras lourd, le père souleva encore sa chope et, la bouche pâteuse, il marmonna :

— Vive les mariés!

Puis il baissa le bras.

– On a des filles, on les nourrit, on les soigne, on les éduque, et après les avoir tricotées maille par maille, sitôt atteint l'âge de voler de leurs propres ailes, bang! Elles cassent le fil pour se marier.

Blandine cherchait Jean-Guy, qu'elle trouva au salon. Elle tira sa manche et chuchota à son oreille:

– Ton père est un peu pompette, va le reconduire à son lit avant qu'il nous fasse honte.

Jean-Guy tira son père par le bras, mais celui-ci résista.

– Lâche-moé, je suis dans ma maison, icitte, pis j'irai me coucher quand je voudrai, quand toute ma visite sera partie. Pas avant!

– Jean-Guy, lui dit sa mère, arrange-toé pour que ton père arrête de boire.

\* \* \*

Une fois les invités partis et la maison en ordre, Jules se retira à sa chambre en titubant. Blandine retint Héléna.

– J'ai besoin de m'asseoir un peu. Mes pieds sont enflés à force d'avoir piétiné à servir tout le monde, mais je suis satisfaite de ma journée, ben satisfaite.

– Vous avez raison, m'man. Céline pourra dire qu'elle a eu une belle noce. C'est toute une chance de marier l'amour de sa vie. Bon! Moé, je monte. Demain, si vous voulez faire la grasse matinée, je me lèverai à votre place pour le déjeuner.

– Je pourrai pas dormir ben longtemps, j'ai invité les voisins à venir manger les restes de la noce.

Héléna se leva en frottant ses yeux pleins de sommeil.

— Attends un peu, Héléna. Je peux te parler un peu avant de monter ?

— Me parler ? Ben oui ! J'ai t'y fait quelque chose de pas correct ?

Ce n'était pas tant la fatigue qui retenait Blandine. Celle-ci cherchait seulement l'occasion d'être seule avec Héléna pour lui parler sans que personne ne vienne ajouter son grain de sel à leur conversation. Elle approcha une chaise de la sienne et se mit à causer à voix basse.

— Je te regardais de temps en temps, t'avais l'air de ben t'amuser.

— Oh oui ! J'ai dansé et sauté toute la journée, pis là, je suis au boutte du rouleau.

— Ce garçon, le fils à Josaphat Beaudoin, c'est un bon parti, plutôt joli, avec de belles manières et un avenir prometteur. La fille qui mettra le grappin dessus vivra comme une dame.

— Peut-être ! Mais cette fille-là, ce sera pas moé.

Blandine posa une main affectueuse sur l'épaule d'Héléna et pencha son visage vers le sien pour mieux scruter son regard.

— Y t'intéresse pas ? Si tu veux, on peut en causer un peu avant que tu renonces complètement.

— Je voudrais pas vous contrarier, m'man, mais c'est non ! Henri Beaudoin, y est rien pantoute pour moé.

Blandine regarda à nouveau sa fille droit dans les yeux, comme si elle cherchait à lire dans son cœur.

— Je te trouve un peu prime en affaires, Héléna. Je peux-tu savoir qu'est-cé que tu y trouves de pas correct à ce garçon ?

– Rien. Y m'a même presque fait une demande en mariage. Mais je l'aime pas, un point c'est toute!

– Tu y as dit ça?

– C'est pas une chose facile à dire, mais j'y ai quand même fait sentir. Asteure, j'aimerais ben qu'il le devine.

– Prends donc quelques jours pour y réfléchir sérieusement. Ensuite, si tu t'entêtes toujours dans ton idée, tu feras peut-être mieux d'y dire clairement que de le laisser s'amouracher.

– J'aimerais ben le garder comme copain pour m'accompagner aux soirées.

– Et lui dans tout ça? On joue pas avec les sentiments, Héléna.

– Je peux pas y dire ça le jour de sa fête, mais c'est non et ça restera non!

– Dommage, ma fille! J'espère seulement que tu le regretteras pas. Mais comme tu me connais, c'est pas moé qui va décider à ta place, pas plus que je l'ai fait pour tes sœurs. Seulement, une mère a le droit de dire à sa fille ce qu'elle pense de ses fréquentations. Y me semble que tu lèves le nez sur un bon parti. Tu sais, des garçons de même, y en a pas deux dans une paroisse.

– Je sais tout ça.

– Bon! Asteure, tu peux monter.

– Bonne nuit, m'man!

Blandine resta assise à réfléchir. Héléna n'avait pas oublié le jeune Thibodeau. Sa blessure saignait encore, c'était évident. «Peut-être devrais-je pousser plus loin mon autorité sur Héléna, qui est douce et obéissante?

Jamais ma fille ne rencontrera un parti aussi intéressant que le garçon à Josaphat Beaudoin. »

Blandine sentait la fatigue de la journée de noce peser lourd sur ses épaules. Elle fila à sa chambre où son Jules ronflait à pleins poumons.

\* \* \*

Les jours passaient, tous plus ennuyants les uns que les autres pour Héléna, puis, un dimanche à la grand-messe, le curé publia les bans.

— Il y a promesse de mariage entre Émilien Thibodeau et Suzanne Chaumont de cette paroisse…

Héléna figea. Son cœur cessa de battre. Au sanctus, la clochette sonnait le glas de ses amours.

Jusqu'à la fin de l'office religieux, Héléna sentit une boule de feu dans son ventre. Elle tentait d'assimiler la mauvaise nouvelle, mais ce n'était pas facile. Sa tête débordait de pensées pour Émilien, même si celui-ci n'avait jamais encouragé ses sentiments. Tant de fois, elle avait imaginé qu'il la serrait dans ses bras et qu'il lui murmurait des mots doux, tellement qu'elle y avait cru dur comme fer. Elle avait même poussé la naïveté jusqu'à croire qu'un jour il la demanderait en mariage et, aujourd'hui, il lui fallait couper court à ses rêves, à ses espoirs.

À la sortie de l'église, l'orgue pleurait, ses soupirs s'enflaient. Héléna quitta le saint lieu le regard amer.

Arrivée chez elle, la jeune fille monta en flèche dans sa chambre et se roula sur son lit, en proie à une grande déception.

Émilien allait se marier sans se douter qu'une fille de la place l'aimait à la folie. Arriverait-elle à l'oublier maintenant qu'elle n'avait plus le droit de penser à lui?

* * *

Les filles du rang se mariaient et Héléna Pelletier stagnait. Son cœur s'épuisait à battre inutilement pour Émilien. Il suffit de ne plus vouloir penser à quelqu'un pour qu'on y pense jour et nuit.

Après des mois d'abattement qui avaient cerné ses beaux yeux, Héléna comprit qu'il lui serait impossible d'entretenir des sentiments pour un autre garçon, comme si elle devait à Émilien une fidélité éternelle. Le rejet de son plus grand amour la menait au bord du désespoir. Émilien lui avait laissé une blessure inguérissable. Désormais, sa souffrance serait sa seule vocation.

Henri Beaudoin la fréquentait assidûment pendant ses congés de collège, mais Héléna ne ressentait que de l'amitié pour lui. Elle était incapable de lui dire qu'Émilien avait pris toute la place dans son cœur.

Maintenant, il lui fallait se décider et elle hésitait entre deux choix: le célibat ou la vie religieuse. Chaque soir, au coucher, une bataille s'engageait dans son âme.

Les sœurs de la Passion recrutaient par centaines des candidates, pour la plupart des filles de médecins, de notaires ou d'autres aristocrates de la société canadienne. Deux des tantes d'Héléna étaient déjà dames de cette congrégation.

Blandine ayant transmis à sa fille de solides principes religieux, Héléna décida donc de consacrer sa vie au service de Dieu et de prolonger la lignée de cette famille de religieuses.

C'est ainsi qu'Héléna prit la décision de se faire religieuse, sans le moindre attrait pour la vie en communauté. « Me languir à la maison ou au couvent, se dit-elle, au moins, là-bas, je n'aurai plus Émilien Thibodeau et Suzanne Chaumont sous les yeux chaque dimanche. »

Après avoir bien mûri son projet, Héléna décida de faire connaître son choix de vie uniquement à ses parents. Ceux-ci ne devraient pas être surpris. Beaucoup de familles comptaient une ou plusieurs religieuses. Elle leur annoncerait sa décision par lettre pour ainsi se soustraire aux taquineries de ses frères et sœurs.

Elle se retira au cabinet de toilette avec un crayon entre les dents et une tablette à la main. Elle ne désirait rien d'autre que de se retrouver seule derrière une porte bien close, à l'abri des regards indiscrets. Elle annoncerait à ses parents son intention d'entrer en communauté sans en spécifier la raison, évidemment. C'était précisément le jour de l'Annonciation. Héléna plia soigneusement la petite page et la déposa sur l'oreiller de sa mère.

Au coucher, Jules, en apprenant le choix d'Héléna, se leva d'un bond. Il se rendit à la cuisine avec un pincement au cœur. Il se promena de long en large afin d'assimiler l'étonnante nouvelle. Tout se bousculait dans sa tête. Pour lui, le départ prochain d'Héléna signifiait la perte de sa fille, ce qui lui demandait un énorme sacrifice auquel il n'était pas du tout préparé. Il avait toujours imaginé ses filles avec une douzaine d'enfants. Son égoïsme prenait le dessus. Par contre, étant fervent catholique, il avait appris à la petite Héléna comment prier et il lui avait montré le chemin de l'église, sans savoir jusqu'où sa dévotion pourrait la conduire. Maintenant, il se voyait dans l'obligation de respecter son choix. Il se sentait incapable de retourner à sa chambre, de parler avec sa femme sans éclater en sanglots!

Blandine, elle, était contente. Elle voyait plus de bonheur pour sa fille dans la vie religieuse que dans le mariage. Toutefois, elle doutait de cette vocation soudaine. Elle ne retrouvait pas chez sa fille cet engouement pour la vie religieuse que ressentaient autrefois ses sœurs avant d'entrer au noviciat. Une mère sent les émotions de son enfant. Héléna avait-elle vraiment la vocation? Avait-elle complètement oublié le jeune Thibodeau maintenant que ce garçon n'était plus libre? L'avait-elle seulement aimé? Il était passé en coup de vent dans sa vie. Depuis le mariage de ce dernier, Héléna, taciturne, ne rigolait plus avec ses frères et sœurs. Ce garçon l'avait-il séduite? Sa fille n'en parlait pas, mais allez savoir ce qui se passe dans le cœur d'une amoureuse. Et pourquoi avait-elle repoussé les avances du gars à Josaphat Beaudoin, un garçon très bien? Héléna agissait-elle par dépit ou la vie religieuse était-elle vraiment sa vocation?

Quand elle crut tout le monde endormi, Blandine se rendit au pied de l'escalier et appela:

— Héléna! Descends donc.

— Oui, j'arrive.

Héléna prenait tout son temps. Ses parents avaient certainement lu sa lettre et ils devaient attendre des explications de sa part. Elle se demandait bien comment ils réagiraient. En passant dans la cuisine, elle vit son père, planté dans la porte à regarder dehors en pleine noirceur. Il ne lui accorda pas un regard. Elle l'entendit renifler. Elle fila à la chambre de ses parents, s'assit au pied du lit et attendit. Sa mère s'adossa à deux oreillers.

— T'es certaine de ton choix, Héléna?

— Ben oui, m'man!

— Si tu crois avoir la vocation, vas-y, ma fille, mais penses-y par deux fois avant de t'engager pour la vie.

— C'est déjà tout pensé, dit Héléna. Pis vous, arriverez-vous à vous débrouiller seule avec toute la besogne?

— Si c'est un choix ben arrêté, ma fille, tu peux y aller, Blanche m'aidera.

— Je vais vous causer des dépenses, y me faudra un trousseau et peut-être une dot. Avec les besoins de la famille, pourrez-vous suffire?

— Un trousseau de mariage ou un trousseau de sœur, l'un doit pas être plus coûteux que l'autre. Pour la dot, c'est une autre affaire. On en parlera avec tes tantes. Quand tu seras ben décidée, nous irons leur rendre visite et nous tirerons les choses au clair avec elles.

— M'man, si je vous ai annoncé ma décision par écrit, c'est que je veux pas que les autres le sachent pis qu'y en profitent pour m'agacer. Y a des taquineries qui me blesseraient plus qu'elles m'amuseraient. Vous direz à p'pa qu'y aille pas s'échapper devant les autres. On leur annoncera la nouvelle seulement une semaine avant mon départ.

— Je peux-tu te demander ce qui a influencé ta décision ?

— Je veux juste faire quelque chose de ma vie plutôt que de rester au crochet des autres à attendre je sais pas trop quoi. Je désire rien de plus que de vivre en union avec Dieu.

Sa mère s'inclina devant son choix.

* * *

Cinq jours avant le départ d'Héléna pour le couvent, Blandine plaça des effets dans la grosse valise aux coins de fer.

Blanche, à genoux devant le poêle, enfournait les pains et refermait la porte. Maintenant, il ne lui restait qu'à attendre la fin de la cuisson. Pour tuer le temps, Blanche, qui ne pensait qu'à taquiner les siens, passa en coup de vent près de la valise d'Héléna, saisit la capeline noire de postulante, s'en couvrit la tête et l'attacha à son menton. Pour pousser la plaisanterie plus loin, elle joignit les mains dans une attitude de prière. Héléna chercha à reprendre sa coiffe, mais Blanche se mit à courir autour de la table. Elle riait, la figure toute rouge, la tête échevelée, encouragée par les éclats de rire de Jean-Guy. Héléna, insultée, s'arrêta net, le regard amer.

— Vous la voyez pas, m'man ? Dites-y donc d'arrêter.

— Tenez-vous tranquilles, vous deux !

— Je le savais ben que Blanche en viendrait là.

– Pis toé, Jean-Guy, lui ordonna sa mère, va remplir le coin à bois qui est encore vide, sinon, le pain cuira pas pis vous vous passerez de souper.

Blanche n'arrêtait pas d'asticoter sa sœur.

– Je veux essayer ta robe de novice pour voir comment elle me ferait si un jour je me fais sœur, moé itou.

– Encore pour rire à mes dépens ? Ben tu l'essaieras pas parce que tu la trouveras pas.

Comme ses parents étaient pauvres, la communauté s'engageait à fournir à Héléna une robe usagée. On lui refilerait celle d'une sœur décédée.

Sa mère ajouta avant d'oublier.

– Toé, Héléna, quand t'auras revêtu ta robe de postulante, tu me remettras celle que tu portes, elle pourra encore servir à ta sœur.

– Qu'est-ce que vous voulez faire avec ? C'est une robe finie avec ses effilochures au col et aux poignets. Elle est tout juste bonne à jeter au feu.

– Mais non. J'ai quelques retailles de coton, je remplacerai le col pis les poignets par une couleur contrastante, pis Blanche la portera.

Blanche grimaça.

– Moé, porter cette guenille ? Jamais !

– Une fois raccommodée, elle sera encore bonne pour quelques années, lui dit sa mère, on est trop pauvres pour se permettre de gaspiller du bon butin.

– Héléna peut la garder, rétorqua Blanche, si un jour elle sort de communauté, elle en aura besoin.

– Ah ! Arrête, Blanche, bougonnait Héléna, je trouve ça tannant à la longue.

Blanche persistait. Elle cherchait à faire rire les siens pour alléger l'atmosphère et peut-être aussi pour cacher son vague à l'âme qu'elle ne savait exprimer devant le départ de sa grande sœur. Céline était mariée depuis un an, Héléna s'en allait à son tour, il ne resterait plus qu'elle et Jean-Guy à la maison. Bientôt, elle se retrouverait seule avec des vieux et elle n'aurait plus personne pour partager ses rires. Autant y aller gaiement. Elle s'en prit encore à Héléna.

— Tu sais, ton beau Henri, je l'aurais pas haï comme beau-frère.

Sa mère leva le ton.

— Tais-toé, Blanche! Ta sœur a eu du temps en masse pour penser à son affaire, asteure, y est trop tard pour changer d'idée.

— Tant que ses vœux sont pas prononcés, y est pas trop tard. Dites-y, p'pa, que le beau Henri vous a demandé de ses nouvelles, dimanche passé sur le perron de l'église.

— C'est vrai ça, p'pa, demanda Héléna, ou Blanche en invente?

— Ben oui, c'est vrai.

— Y est venu à la messe par icitte? Y est pas de la place pourtant.

Blanche insista:

— Y doit être venu pour toé. Tu connais pas ta chance. Un jour, quand t'en auras assez de ton couvent, y sera peut-être trop tard.

Et Blanche ajouta, le ton chantant:

— Pis tu t'en mordras les doigts.

— Tais-toé, trancha sa mère, pis vois plutôt à ton feu. Si la température du four baisse trop, ton pain lèvera pas.

— Y a pus de bûches dans le coin à bois.

— Où est passé Jean-Guy? Y était icitte, y a deux minutes. Celui-là, y est jamais là quand on en a besoin.

Un attelage entra dans la cour. Blandine étira le cou, mais le soleil du midi l'aveuglait et l'empêchait de bien voir.

— Ah ben! Un homme avec un chapeau de paille noir. J'me demande ben qui c'est.

Comme il descendait de voiture, Blandine vit sa soutane.

— Bonté divine! La visite de monsieur le curé en pleine semaine. Je me demande ben ce qu'y peut nous vouloir.

Jean-Guy sortit du hangar. Il laissa tomber sa brassée de bois et courut attacher le cheval du curé au piquet.

Blandine supposait que le curé venait féliciter Héléna avant son départ pour le couvent. Sa cuisine était sens dessus dessous et elle s'énerva.

— Vite, les filles, dit-elle, dépêchez-vous de mettre de l'ordre ici-dedans. Toé, Héléna, va serrer le rouleau à pâte. Pis regardez-moé donc ça, y a de la farine partout. J'me demande quand cé que vous serez capables de boulanger sans tout enfariner; y en a jusque sur le plancher. Héléna, lave la table, pis toé, Blanche, passe le balai.

Blanche quitta lentement la berçante.

— Arrêtez de vous en faire, m'man; c'est juste le curé, pis le curé, c'est pas le bon Dieu.

— Presque!

— Si vous faites une syncope, vous serez pas plus avancée. Par contre, c'est vrai que monsieur le curé serait là pour vous administrer les derniers sacrements.

À l'extérieur, le curé s'entretenait avec Jean-Guy, ce qui donna le temps aux filles de mettre de l'ordre dans la cuisine. Blandine, nerveuse, tortillait le coin de son tablier, le défroissait aussitôt de la main et replaçait ses cheveux.

— Qu'est-cé qu'y brette, dehors? Je me demande ce qu'y ont tant à se raconter. Y pourrait pas se décider à entrer?

— Vous avez ben l'air nerveuse, m'man, lui dit Héléna, qui, elle aussi, se posait des questions.

Le curé entrait et ouvrait largement les narines pour mieux humer l'odeur qui s'échappait du four.

— Ça sent le bon pain de ménage jusque dehors.

Le curé serrait les mains et félicitait Héléna pour son nouveau choix de vie. Il loua aussi les mérites de sa mère.

— J'ai pas de mérite pantoute, monsieur le curé. Héléna marche dans la voie tracée par ses tantes sœurs.

— Non, madame. Pour former l'âme d'une jeune fille, y a pas une religieuse au monde qui égale une mère.

Blandine reçut ces paroles comme un compliment. L'émotion lui serrait la gorge.

Le curé semblait pressé.

— Monsieur et madame Pelletier, je peux vous parler dans le particulier?

Blandine, le front soucieux, traitait le curé avec tout le respect dû à un dignitaire de l'Église.

— Passez au salon, monsieur le curé.

Elle prit soin de fermer la porte sur ses talons. Elle approcha trois chaises et les plaça en un triangle serré.

Jules trouvait cette mise en scène un peu étrange.

— Y a-t-y quelque chose de grave, monsieur le curé? À ma connaissance, les curés se dérangent pas pour rien.

— En effet, en effet!

— Parlez, monsieur le curé; faites-nous pas pâtir.

— Votre fils, Jean-Guy, se conduit d'une manière honteuse. Il a été découvert dans la grange à foin à Roméo Lauzon, où il s'en donnait à cœur joie avec sa fille. Je ne sais pas depuis combien de temps durent leurs galipettes, mais la petite est enceinte.

Blandine blêmit. Elle prit sa tête à deux mains puis elle tira un mouchoir de la poche de son tablier et se moucha.

— Vous dites « la petite ». Elle a quel âge?

— Quinze ans!

— Mais c'est une enfant! s'exclama Blandine. Elle a même pas l'âge de ma Blanche. Celui-là, y va me faire mourir.

Jules avait l'étoffe d'un joyeux vivant; il aimait la nourriture, le rire et l'amour. Il prit la défense de son fils.

— Qu'est-ce que tu veux, ma femme, la nature commande. On peut pas empêcher les fleurs d'être attirées par le soleil.

— Vous n'allez pas l'excuser? intervint le curé. Vous semblez prendre son comportement à la légère. Un père doit tenir ses enfants en bride, comme des chevaux rétifs.

— C'était aux Lauzon de surveiller leur fille. Y en ont une qu'est partie se cacher à la ville y a une couple d'années, pis là, c'est au tour de l'autre. À ce que je vois, les parents leur laissent la bride sur le cou. Avec ça, c'est notre garçon qui paie pour.

— Parle pas de même, Jules, notre Jean-Guy a ses torts. Un enfant, ça se fait à deux. Les gens peuvent dire la même chose de nous autres. Sans compter qu'y nous reste encore une fille. Qui sait ce que la vie nous réserve ?

— Moé, j'y faisais confiance, dit Jules. J'y laissais la pouliche pis la voiture pour aller au village le soir. Si j'avais su… Asteure que c'est fait, y est trop tard pour reculer.

Le curé intervint :

— Assez chercher à qui attribuer la faute ! Ce serait plus sage de les marier. C'est ce que les Lauzon souhaitent pour sauver l'honneur des familles. Comme ils étaient un peu mal à l'aise de vous en parler, ils m'ont prié d'intervenir pour eux.

Jules regarda dans le vide.

— Y sont pas un peu jeunes pour se marier ?

Blandine se leva.

— Je vais chercher Jean-Guy. C'est lui que ça regarde et c'est à lui de décider de sa vie. Attendez-moé icitte, je reviens dans la minute.

De l'autre côté du mur, Blanche, l'oreille collée à la porte, entendit des pas. Elle s'éclipsa aussitôt pour ne pas être surprise à écornifler. Elle chuchota :

— Qu'est-cé qu'y vous veut, m'man, monsieur le curé ?

— Ça te regarde pas !

Blanche se demandait ce qui se passait. Le matin même, leur mère chantait et, maintenant, elle levait le ton avec une grosse voix.

– Pourquoi vous me parlez sur ce ton-là, m'man, dit-elle, ça me fait mal.

– C'est bon, c'est bon! Mais pousse-toé un peu que je passe.

Héléna et Blanche flairaient quelque chose de grave, mais quoi? Jean-Guy avait-il fait un mauvais coup? Lequel? Peut-être avait-il volé? Ce n'était pas son genre, mais qui sait si, avec des mauvais amis, il ne se serait pas laissé entraîner? Les filles se regardaient, silencieuses.

Blandine se rendit à l'extrémité du perron et appela Jean-Guy en criant son nom de toutes ses forces.

Blanche sortit à son tour.

– Attendez, m'man, je vais aller voir où y se trouve.

Blanche trouva son frère dans la laiterie, accroupi derrière le centrifugeur, les coudes sur les genoux, la tête dans les mains, comme s'il méditait. Il savait que le curé était là pour lui, qu'il venait le dénoncer à ses parents; le pasteur l'avait mis au courant de son intervention juste avant d'entrer.

– M'man t'appelle en dedans, dit-elle.

– Tu y diras que tu m'as pas trouvé.

– Ce serait une menterie. C'est quoi, tout ce branle-bas? On dirait que tu te caches. Aurais-tu fait un mauvais coup?

– Ça te regarde pas, lui répondit Jean-Guy.

Son frère lui donnait la même réponse que sa mère. Blanche leur en voulait d'être tenue à l'écart de leurs confidences.

– Je le saurai ben quand même, va.

– Le curé est-y parti?

— Non! Y t'attend dans le salon, répondit Blanche. Vas-y, pis après, tu me diras ce qu'y est venu faire icitte.

— Cré moé! rétorqua Jean-Guy, d'un ton hostile.

Jean-Guy se dirigea vers la maison, la tête basse, escorté de Blanche qui, à ses côtés, sautillait sur un pied et sur l'autre. Maintenant que le pot aux roses était découvert, il devait faire face à la musique. Comment allaient réagir ses parents et comment peut-on se justifier quand on est coupable?

Il se rendit au salon en traînant les pieds puis, honteux de sa conduite, il resta sur le seuil à fixer le coin de la pièce.

— Avance, pis ferme la porte derrière toé, lui ordonna son père.

Le coupable avança d'un pas.

— T'en as fait une belle, mon garçon, lui reprocha son père. Ça fait longtemps que ça dure, ce petit jeu?

Jean-Guy ne répondit pas. Il ne savait pas quoi inventer pour sa défense. Il n'allait pas dire qu'ils forniquaient depuis au moins un an, ce serait se rabaisser davantage aux yeux du curé et de ses parents.

— Quand on pose des gestes d'adulte, intervint sa mère, on doit prendre les responsabilités qui vont avec. Asteure, les Lauzon s'attendent à ce que tu maries leur fille. Tu t'es mis dans de beaux draps, hein?

— Je regrette de vous causer du trouble.

Le curé leva une main apaisante.

— Ce qui est fait est irréversible et vous devrez en assumer les conséquences.

Le prêtre dévisagea Jean-Guy.

– Vous l'aimez, cette petite? demanda-t-il.

S'il l'aimait? Il en était amoureux fou! Yolande, la belle blonde qu'il surnommait «mon ange», avait des petits yeux en amande brillants, comme si le soleil l'aveuglait, et un sourire charmeur qui entrouvrait sa bouche et laissait voir deux rangées de belles dents blanches. Sauf que ces derniers temps, son sourire s'estompait et ses yeux trahissaient une vive inquiétude.

– Euh, oui! dit Jean-Guy, mal à l'aise d'afficher ses sentiments.

– Assez pour la marier?

– J'ai jamais pensé à ça, vu qu'on est un peu jeunes pis que j'aurais pas une cenne pour la faire vivre.

Son père ajouta:

– Tu te trouveras un travail, parce que les Lauzon s'attendent à ce que tu prennes tes responsabilités vis-à-vis leur fille, pis moé, j'ai pas les moyens de t'aider.

– On pourrais-tu rester icitte avec vous autres en attendant que je me trouve un travail à l'extérieur? Y a la chambre d'Héléna qui va être libre dans quelques jours.

– On en parlera ta mère pis moé, pis on te reviendra là-dessus.

– Surtout, ajouta Blandine, pas un mot de cette histoire devant personne, t'entends?

– Ouais!

Le curé se leva.

– Maintenant, je dois passer faire une courte visite aux parents de la petite. Vous, Jean-Guy, vous allez m'accompagner. On va régler cette affaire sans tarder.

— Comme y me faudra revenir, j'attelle la pouliche pis je vous rejoins.

— Ne traînez pas.

En fait, Jean-Guy redoutait d'entrer chez les Lauzon. Il voulait justement traîner, histoire de laisser aux parents de Yolande le temps de se calmer avant d'entrer en scène. Il profiterait de l'occasion pour passer la veillée avec Yolande afin de parler de tout ça en tête-à-tête. Elle devait, comme lui, être soulagée que ses parents connaissent sa condition. Depuis qu'elle se savait enceinte, leur réaction la préoccupait tellement qu'elle ne dormait plus.

Jean-Guy menait sa pouliche au pas ; il avait besoin d'un peu de temps pour réfléchir en paix à ce que l'avenir lui réservait. Tout se bousculait dans sa tête : trouver un travail, un logement, acheter un ménage, faire vivre une femme et un enfant. Il avait l'impression de vieillir de dix ans en un jour. Il se demandait qui, au village, pourrait bien l'engager. Il irait frapper chez le forgeron, au moulin à scie, chez l'épicier. Il trouverait plus facilement du boulot à la ville, mais avec la distance entre La Plaine et Montréal, c'était impensable. Lui, se marier ! Il laisserait aux parents de Yolande le soin de choisir une date de mariage. Après avoir mis les deux familles dans le pétrin, il lui fallait filer doux. Il trouvait cependant certains avantages à sa condition. Une fois en ménage, il pourrait aimer Yolande sans avoir à se cacher, ils pourraient garder leur enfant et Yolande retrouverait son adorable sourire.

# II

Le jour du départ, dans ses draps encore chauds du matin, Héléna, toute molle, paressait. Avec le mystère qui flottait dans l'air, les derniers jours chez ses parents avaient été plutôt silencieux.

Héléna s'assit sur le bord du lit. Ses yeux firent lentement le tour de la pièce qu'elle allait quitter définitivement. Elle chaussa ses souliers et se leva. Le regard nostalgique, elle toucha les murs comme pour mieux imprégner son souvenir des petites fleurs mauves de la tapisserie et des fous rires qui se rattachaient à sa chambre. Cette maison, elle l'aimait et elle la chérissait depuis son enfance.

En bas, les siens l'attendaient pour le déjeuner. Son père, les yeux rougis par la tristesse de son départ, mangeait le nez dans son assiette. Sa belle Héléna, travaillante, bien taillée et toute douce, allait bientôt s'enfermer derrière les grands murs d'un couvent. Blanche et Jean-Guy étaient muets et leur mère suivait les moindres faits et gestes d'Héléna, comme si elle voyait sa fille pour la dernière fois. Héléna réalisait qu'elle faisait souffrir les siens, et pourtant, une force irrésistible l'entraînait, comme une plume dans un tourbillon.

Personne ne savait quel grand chagrin la jeune fille s'en allait cacher derrière les grands murs d'un couvent.

Elle allait étouffer sa jeunesse, ses sentiments vrais. C'était terrible.

\* \* \*

Les Sœurs de la Passion étaient des femmes qui admiraient sans discernement les modes et les goûts en usage dans les milieux distingués, ce qui n'empêchait pas cette institution d'être d'une moralité rigide.

Dès l'arrivée des nouvelles postulantes, on assignait à chacune une novice accompagnatrice qui devait les initier au règlement.

Héléna, douce et obéissante de nature, se plia aux exigences de sa nouvelle vie.

Après le souper, les postulantes se réunissaient à la salle de communauté. Dans cette pièce, toutes les chaises étaient placées du même côté, comme les sièges d'un théâtre. Une fois chaque novice à sa place, la surveillante les invitait à tour de rôle en avant et celles-ci devaient accuser leurs fautes ouvertement devant leurs semblables.

Héléna se demandait bien ce qu'elle allait confesser, elle qui ne commettait pas de péchés graves. Son tour venu, elle resta sur place, comme paralysée, incapable de dire un mot. Son accompagnatrice vint la rejoindre et lui souffla à l'oreille :

— Accusez un manquement.

Héléna, muette, se mit à pleurer. La surveillante intervint.

— C'est de l'orgueil, sœur Héléna. Pour votre pénitence, embrassez le plancher.

Héléna, les yeux éteints sous son voile de postulante, était au supplice. Ses jambes mollissaient, ses yeux s'embrouillaient. Elle s'agenouilla et embrassa le plancher frais ciré.

\* \* \*

Héléna Pelletier, de condition modeste, s'empressait auprès de ses consœurs. Elle allait jusqu'à abattre leurs travaux ennuyeux pour leur être agréable et ainsi créer avec elles une relation chaleureuse.

Ce matin-là, elle devançait la sœur sacristine. Elle éteignait les cierges, replaçait les vêtements sacerdotaux dans la penderie et, comme elle allait quitter la chapelle, sœur Jésuette, la responsable de la sacristie, s'en prit à elle.

— Vous laissez des traces de cire et de poussière partout où vous passez le torchon.

Héléna ne les voyait pas.

— Où ça? dit-elle. Je vais recommencer.

— Non, allez-vous-en! Le travail mal fait va passer sur mon dos, et ensuite, ce sera moi qui encaisserai les reproches.

Héléna, attristée, s'assit dans le dernier banc, mais elle n'arrivait pas à prier. Elle réfléchissait en tentant inutilement de couper la cuticule de son index à l'aide de ses dents. Pourquoi lui en voulait-on? Un fait semblable lui était arrivé alors qu'elle rendait service à la cuisine. C'était trois jours plus tôt. Elle vidait les poubelles, nettoyait les comptoirs, lavait les lavabos et, comme reconnaissance, on la traitait de malpropre parce que son tablier était taché.

Deux sœurs de son postulat avaient ri en la regardant avec dédain. Jamais aucune compassion à son égard, et ce, d'aucune religieuse. Héléna ignorait malheureusement que l'excès de son zèle lui attirait la disgrâce des autres religieuses. À force de s'abaisser au rang de servante, on considérait la nouvelle venue comme une esclave.

Enfin, la cuticule s'arracha de son ongle et une goutte de sang apparut. Héléna l'essuya de son mouchoir et continua à gruger son index avec ses dents, comme si ça l'aidait à mieux réfléchir.

\* \* \*

Avec le temps, Héléna se fermait à son entourage et pourtant, jamais elle ne songeait à quitter le couvent.

Dans cette institution, on donnait le cours d'école normale qui consistait à former des religieuses enseignantes.

Héléna comprenait et retenait facilement tout ce qu'on lui enseignait, ce qui lui valait des notes élevées et des résultats inespérés. Elle étudiait le nez collé à son livre ; il lui fallait travailler davantage que ses consœurs à cause de sa vue déficiente.

Après le souper, toutes les postulantes se réunissaient à la salle commune où la responsable distribuait le courrier.

– Sœur Héléna, une lettre pour vous.

On lui tendait une petite enveloppe blanche, décachetée.

Héléna s'assit dans un coin et regarda la signature. C'était de Jean-Guy. Elle lut.

Son frère lui annonçait la venue au monde d'une petite nièce, Charlotte. Héléna échappa tout haut : « Jean-Guy, papa ? » Chaque naissance l'émouvait. Elle sourit et deux larmes coulèrent de ses beaux yeux humides. Héléna se rappelait le jour où le curé leur avait fait une visite mystérieuse, six mois plus tôt. C'était donc ça ! Sa mère ne lui en avait pas parlé dans ses lettres, mais est-ce qu'on parle de ces choses à une religieuse ? Elle glissa la missive dans la poche de sa robe.

Comme elle allait partager sa joie avec ses compagnes, celles-ci l'évitèrent. Héléna se retira dans un coin tranquille et répondit à la lettre de Jean-Guy.

Dans cette congrégation, même les novices regardaient les plus humbles de haut, ce qui n'était pas du tout le genre d'Héléna Pelletier, si bien que la petite fille du trécarré se sentait inférieure, rejetée, malheureuse. Pour comble, la vue d'Héléna était si faible que, de son pupitre, l'écriture au tableau lui paraissait un gribouillis illisible et cette déficience lui valait souvent des reproches de ses supérieures.

Sœur Jésuette et mère Camilla, des compagnes qu'elle côtoyait régulièrement, levaient le nez sur elle, mais Héléna offrait ses souffrances morales au bon Dieu. Elle avait choisi de se donner à la communauté et elle y resterait. Toutefois, elle s'isolait de plus en plus. Héléna, issue d'une famille nombreuse, sentait le poids de la solitude.

Les premiers mois furent très difficiles. Héléna était prête à supporter patiemment l'insupportable pour pouvoir enseigner plus tard. Depuis son entrée en religion, elle s'ennuyait terriblement des repas du dimanche, où toute la famille se rassemblait autour de la grande table, où son père traçait une croix sur le pain avant de l'entamer, et où les taquineries et les répliques fusaient. Mais elle ne devait pas être la seule à avoir le cafard ; l'ennui était sûrement le lot de toutes ses consœurs religieuses. Les enfants lui manquaient, surtout ceux d'Agathe qu'elle avait l'habitude de bercer sans se lasser. Elle souffrait de ne plus les serrer dans ses bras, de ne pas les voir grandir.

Un bruit de pas dérangea ses pensées.

— Sœur Héléna, on vous demande au parloir.

— Moi, au parloir ?

— Oui, vous ! C'est votre frère, un beau jeune homme.

Enfin un compliment qui lui allait droit au cœur. Mais chose curieuse, ses frères n'étaient plus des jeunes hommes. Il y avait bien Jean-Guy, mais il venait tout juste de lui écrire et, sur sa lettre, il n'était pas question de visite. Il avait sans doute décidé à la dernière minute de venir lui présenter sa jeune femme, qu'elle ne connaissait pas.

Héléna, aussi surprise que si une grenade venait d'éclater, freina sec à l'entrée du parloir.

Henri Beaudoin, beau comme un dieu, attendait sur le pas de la porte. Il enleva avec émotion son chapeau, qu'il posa sur son cœur, et il lui dit d'une voix à peine audible :

— Bonjour, Héléna.

— Sœur Héléna, le corrigea-t-elle. Prenez un siège, monsieur Beaudoin.

— J'ai décidé de venir prendre de vos nouvelles. Je me suis fait passer pour votre frère pour ne pas vous causer d'ennuis. Vous n'embrassez pas votre frère ? Vous allez semer le doute aux yeux de la surveillante, lui dit Henri, d'un ton taquin.

Tout en parlant, Henri la pressa légèrement contre lui et l'embrassa sur les lèvres. Sœur Héléna, les sens en éveil, le repoussa doucement. Elle trouva dans cet élan un déchirement et un réconfort. Elle aurait aimé se laisser aller contre Henri, mais cet abandon n'aurait été que de la sensualité : elle ne l'aimait pas d'amour. Comment pouvait-elle nourrir de si mauvaises pensées, elle, une religieuse ? Elle était en train de souiller son couvent et toute la communauté avec.

Henri, tout de grâce et de simplicité, souriait de son audace.

Héléna ne parlait pas, elle attendait les explications d'Henri, qui la relançait jusque dans son couvent.

— Je suis venu, dit-il, voir si vous vous plaisez ici, si vous êtes heureuse.

Henri pencha le front vers elle, prit sa main et la serra affectueusement. Héléna la retira brusquement.

— Vous rongez vos ongles, Héléna. Ces gestes incohérents trahissent votre fébrilité, votre mal-être. Si vous étiez heureuse ici, vous ne rongeriez pas vos ongles. Vous n'êtes pas heureuse. Je me trompe, Héléna ?

— Heureuse ou pas, j'y reste ! Le noviciat est un temps d'épreuves qui n'est que temporaire.

Deux beaux yeux bleus en arcades, comme des fenêtres ouvertes sur son âme, fixaient amoureusement la petite religieuse.

— Prenez garde, Héléna. En communauté, toute la pensée ne pouvant s'épancher, s'approfondir et s'épanouir, elle se replie sur elle-même et se creuse. Dans ces sombres et secrètes maisons, les passions s'étouffent dès que la grille est franchie. Le couvent est une compression du cœur humain. La preuve, vous avez même oublié votre nom. Accrochez votre défroque de religieuse et venez avec moi. Chez moi aussi il y a une grille, mais elle est ouverte sur la rue.

Henri sentait que d'un côté quelque chose se construisait et que de l'autre quelque chose s'écroulait.

Héléna ne savait quel nom donner aux sentiments qu'elle éprouvait pour cet éloquent garçon, mais ce n'était pas de l'amour. Pour elle, l'amour devait être un coup de foudre pour un garçon à qui on pensait jour et nuit, comme Émilien Thibodeau.

— Vous êtes convaincant, monsieur Henri, dit-elle, mais c'est non !

Henri la reprit en souriant.

— Surtout, pas de monsieur avec moi, Héléna. Rappelez-vous qu'ici je passe pour votre frère.

— Alors, conduisez-vous comme un frère.

— Si jamais vous changez d'idée, sachez que je suis toujours là, Héléna, et que je nourris de profonds sentiments à votre endroit, plus que vous ne pourriez l'imaginer. Si je suis ici aujourd'hui, c'est que je n'en peux plus de m'en tenir au rêve.

Héléna avait mal pour lui. Henri devait éprouver la même peine qu'elle avait autrefois ressentie face au rejet d'Émilien. Mais le couvent était pour elle un cocon où elle enfermait intactes ses folles chimères.

— Ne m'attendez pas, monsieur Henri. Vous vous feriez du mal inutilement.

Et elle se leva et le raccompagna à la sortie.

Henri lui glissa un papier dans la main et sortit.

Héléna regarda du côté où il était reparti. Il trottinait en descendant le grand escalier et, bien droit, bien d'aplomb sur ses longues jambes, il traversa le mur de pierres grises qui coupait le soleil et disparut au bout de la rue. Blanche et sa mère avaient raison : Henri Beaudoin avait de l'élégance dans son maintien et de la classe dans son habillement, mais elle ne ressentait pas pour ce beau garçon cette passion qu'elle avait connue pour Émilien. Elle déplia le petit papier laissé dans sa main et lut. Henri lui avait laissé son adresse, qu'elle chiffonna l'instant d'après.

\* \* \*

Un soir d'août, dans sa cellule blanche, une jeune sœur frappait son oreiller à coups de poing, comme au pensionnat, et pleurait sans bruit. La surveillante souleva le coin de son rideau.

— Ça va, petite ? demanda-t-elle.

Sœur Mathilde ne répondit pas, elle en était incapable ; une boule bloquait sa gorge. La surveillante s'en retourna en disant :

— L'ennui, c'est juste au début. Avec le temps, ça vous passera.

La petite sœur Mathilde entendit ses pas s'éloigner sur le plancher froid. Elle s'endormit, épuisée de pleurer, le visage enfoui dans son oreiller mouillé.

Le lendemain, sœur Héléna enlevait sa coiffe quand le rideau, qui séparait les chambrettes, fut tiré brusquement.

La nouvelle postulante, qu'elle avait entendue pleurer la veille, lui demanda :

— C'est quoi votre nom ?

— Sœur Héléna, et vous ?

— Sœur Mathilde.

— D'où venez-vous, sœur Héléna ?

— De La Plaine.

Et elle ajouta :

— Vous savez qu'un silence rigoureux est exigé dans le dortoir, sœur Mathilde ?

— D'abord, on se reparlera demain à la récréation.

— Ça me fera plaisir. Bonne nuit !

Ce soir-là, Héléna se coucha plus heureuse.

Chaque soir par la suite, la petite religieuse qui occupait la cellule voisine de la sienne tirait le rideau blanc qui servait de cloison et toutes deux chuchotaient avant de s'endormir. La vie devenait plus agréable pour Héléna. Les deux voisines de cellule se racontaient leur vie.

— Je suis fille unique, disait sœur Mathilde, et je n'ai jamais connu le plaisir de jaser avec une fille comme je le fais avec vous.

— Moi, reprit sœur Héléna, je fais partie d'une famille de douze enfants et je m'ennuie terriblement des miens, de mes neveux et nièces surtout.

Sœur Héléna en vint à lui parler de l'amour qu'elle portait à un garçon inaccessible.

— Il a traversé ma vie plus vite qu'un éclair.

La petite postulante, à peine plongée dans la brume du couvent, ressentait comme une enfant toutes les peurs des nouvelles religieuses. Elle écoutait les confidences de sœur Héléna comme on écoute une belle histoire d'amour qui se termine mal. À son tour, sœur Mathilde confia ses peines à sœur Héléna.

— Depuis mon enfance, j'ai vécu de pensionnat en pensionnat et, comme j'allais commencer une vie plus agréable chez mes parents, ceux-ci m'ont forcée à me faire sœur. Je ne veux pas me plier au règlement. Hier, je me suis fait prendre avec une pomme et un morceau de fromage apportés dans ma cellule. La surveillante a trouvé le cœur de pomme dans ma poubelle et j'ai eu droit à un avertissement sévère.

— Il faut obéir à la règle, ici. Nous sommes dans un couvent.

— Je veux me faire mettre à la porte. Je suis comme en prison dans ce couvent qui sent le saint habit et le plancher ciré à plein nez. Vous voyez, je ne me suis pas fait raser la tête; je garde mes cheveux longs et je les attache en toque pour le jour où je vais déguerpir d'ici. Avec ma capeline, ça ne se voit pas.

— Pourquoi n'en parlez-vous pas à votre directeur de conscience, un prêtre pourrait sans doute raisonner vos parents.

— Je l'ai déjà fait. L'aumônier m'a expliqué qu'il n'y a pas de sacrifice facile et que de donner sa vie à Dieu est le plus beau cadeau qu'on puisse Lui faire.

La petite religieuse ravala.

— Je vais m'échapper d'ici.

À son tour, sœur Héléna était au bord des larmes.

— Ne faites pas ça, sœur Mathilde. Si vous quittez le couvent, arrangez-vous pour que ce soit la tête haute, pas comme une voleuse.

— Je ne sais pas où aller ni qui me nourrirait et me logerait ; mes parents refuseront de le faire.

— Ce serait dommage que vous partiez d'ici, vous êtes ma seule amie. Avant vous, je me sentais seule parmi les nombreuses novices et la solitude me pesait. On s'y fait, vous savez. À la longue, on s'habitue à tout. Prenez-moi, par exemple, au début, c'était comme si aucun chemin ne s'ouvrait devant moi et quand il n'y a plus de chemin, on s'égare. Pourtant, aujourd'hui, je sens que j'ai choisi la bonne voie.

— On s'égare ou bien on prend le large. Vous êtes trop résignée, sœur Héléna, foncez un peu. Et si nous partions ensemble, toutes les deux ?

— Non, moi, j'ai choisi volontairement de consacrer ma vie à Dieu et je ne me vois pas ailleurs.

— Vous non plus vous n'êtes pas heureuse ici, pas plus que moi.

— Qu'est-ce qui vous fait penser de la sorte ?

— Vous venez de me dire qu'on vous rejette.

— J'accepte tout dans la vie religieuse, même ses austérités et ses humiliations. Vous verrez, on s'habitue à la peine comme à la joie.

— Cette manie de ronger vos ongles dénote un malaise intérieur.

Sœur Héléna tirait inutilement les manches de sa jaquette qui s'arrêtaient à ses poignets et laissaient voir ses mains. Les manches de sa robe noire étaient plus longues et plus commodes. Elle ferma les poings. Sœur Mathilde lui tenait les mêmes propos qu'Henri Beaudoin.

– Chut!

Elles entendirent la maîtresse de discipline approcher par le bruissement du chapelet qui était accroché à sa taille. Le rideau blanc retomba en douceur, mais, trop tard, la surveillante les avait entendues.

– Silence, mes sœurs! ordonna-t-elle d'un ton sévère. Le mal cherche à troubler vos cellules aux trois vœux: obéissance, chasteté, pauvreté.

Aussitôt, les bruits de pas s'éloignèrent et on n'entendit plus que le bruissement du chapelet qui se perdit dans le dortoir.

# III

Les mois s'en allaient cahin-caha.

Sœur Mathilde dépérissait et personne d'autre que sœur Héléna ne semblait s'apercevoir de sa souffrance morale. Depuis quelque temps, aux récréations, sœur Héléna l'évitait, à la suite de la jalousie d'une certaine novice qui disait que les nièces étaient les privilégiées des tantes religieuses. Pourtant, ses tantes ne prenaient pas parti en sa faveur.

Ce jour-là, sœur Héléna pliait le linge à la buanderie quand elle entendit sonner trois coups. Elle leva la tête. « Trois coups, c'est pour moi. » Qui peut bien m'appeler ? La responsable venait vers elle.

– On vous demande au parloir.

Sœur Héléna traversa le long corridor d'un pas léger ; ses parents devaient l'attendre impatiemment.

Arrivée à la porte du parloir, sœur Héléna se trouva nez à nez avec Henri Beaudoin. « Encore lui », se dit-elle, un peu triste de sa désillusion.

Le garçon était l'élégance même, frais rasé, droit comme une barre, avec son veston marine et son pantalon gris. Tous les regards des visiteurs étaient rivés sur ce beau grand garçon brun aux yeux bleus.

La surveillante referma la porte vitrée sur ses talons. Trois petits groupes se partageaient le parloir.

– Bonjour, Héléna! dit-il avec un sourire charmeur.

– Sœur Héléna! le corrigea aussitôt la jeune novice. Vous excuserez ma surprise, je m'attendais si peu à vous revoir, surtout après avoir eu une conversation franche avec vous à votre première visite. Prenez un siège. En quoi puis-je vous être utile?

Cette fois, Henri colla sa chaise tout contre celle d'Héléna de manière à ce que son regard bleu lise dans les yeux de la religieuse.

– Je suis venu m'assurer que vous êtes toujours heureuse dans votre communauté, que vous vous y plaisez.

Henri Beaudoin était bien la seule personne à se préoccuper de son bonheur.

– Pourquoi cette question? J'ai pourtant été assez claire à ce sujet.

– Justement, si je suis venu vous relancer ici une deuxième fois, c'est qu'à ma première visite, nous n'avons fait qu'évoquer le problème. Vos réponses imprécises et contradictoires m'ont laissé dans le doute.

L'audace d'Henri désarma Héléna, qui évitait son regard direct. Henri osa relever son menton.

– Pourquoi fuyez-vous mon regard, Héléna?

– Mon nom est sœur Héléna.

Henri évitait le mot «sœur» qui, pour lui, signifiait rivalité.

– Que craignez-vous, Héléna? Mes sentiments à votre égard n'ont pas changé, si ce n'est qu'ils ont évolué. La vie est courte et, comme tout le monde, vous avez le droit d'en profiter au maximum. Et comprenez que de votre bonheur dépend le mien.

Le bonheur, pour Héléna, c'était Émilien, mais celui-ci lui avait préféré Suzanne Chaumont.

Héléna répondit, le regard amer :

— Je suis venue ici pour y rester.

— Et moi, je suis venu pour vous empêcher de prononcer vos vœux. Ce voile ne vous va pas du tout, Héléna, pas plus que ce saint habit. Moi, je ne cesse de vous voir, tantôt à mon bras, tantôt entourée d'enfants, dans une grande cuisine. Vous savez que je vous aime éperdument ? Aujourd'hui, je viens vous supplier d'être ma femme.

« Si cette demande était d'Émilien, pensa Héléna, je crierais de joie, mais je ne me vois pas m'abandonner dans les bras d'un autre. »

— Je suis désolée pour vous, mais ma place est ici, dit-elle.

Henri éloigna un peu sa chaise. Il rêvait de serrer Héléna dans ses bras, mais elle n'était faite que de vertu.

— Si vous êtes heureuse ici, je m'avoue vaincu.

Il se leva.

— Je m'excuse d'avoir abusé de votre temps, dit-il, mais il fallait que je m'assure de vos sentiments avant de m'attacher à quelqu'un d'autre. À l'avenir, je ne vous importunerai plus. Mes respects, sœur Héléna.

Henri sortit prestement.

Le lendemain, à la récréation, sœur Mathilde et sœur Héléna marchaient côte à côte sur le terrain de la communauté.

— Vous avez un frère très séduisant. Les postulantes s'excitaient et jasaient tout bas au souper. Si la mère supérieure entendait leurs conversations d'adolescentes, elle les trouverait indignes de porter le voile.

— À vous, je peux le dire, ce garçon n'est pas mon frère. Monsieur Henri est cet ancien prétendant dont je vous parlais. Il ne reviendra plus.

— Comment pouvez-vous repousser les avances d'un si séduisant jeune homme? Vous êtes une sainte, sœur Héléna.

— Je n'ai aucun mérite puisque je n'éprouve aucun sentiment pour ce garçon.

Sœur Mathilde regardait dans le vide.

— Incroyable!

Sœur Mathilde observait sœur Héléna comme une personne qui n'avait pas de sentiments.

— Ce n'est pas à moi que des choses de même arriveraient!

Les rires sonnants des deux amies se perdirent sous les grands arbres. La cloche annonçait la fin de la récréation.

* * *

Après avoir créé des liens solides avec sœur Héléna, la petite sœur Mathilde tomba malade. On la fit transporter à l'infirmerie où elle prit le lit. Sœur Héléna profitait des récréations pour se rendre à l'infirmerie et lui tenir compagnie. Elle remontait ses oreillers et lui lisait des passages de la Bible.

Sœur Mathilde grimaçait, les mains sur le ventre.

— Vous souffrez, sœur Mathilde?

— Je veux voir maman.

— Vous savez bien que je n'y peux rien. Mais je peux appeler l'infirmière, elle pourrait vous administrer un calmant.

— Ce serait pour rien. Elle dit que c'est à cause de l'eau, que je n'y suis pas habituée, comme les sœurs missionnaires dans les pays chauds, et que ce serait ce qui me cause des crampes abdominales.

— Nous buvons toutes la même eau. Je trouve plutôt curieux que vous soyez la seule religieuse à en souffrir. Est-ce que le médecin est passé vous voir ? Peut-être qu'il saurait vous guérir ou du moins vous soulager.

— Ce n'est pas moi qui décide ici, c'est la sœur infirmière. Et puis, pourquoi guérir si c'est pour vivre emprisonnée dans un couvent ?

— Voyons ! Vous ne pensez pas ce que vous dites, sœur Mathilde.

— S'il vous plaît, donnez-moi un peu d'eau.

Sitôt le verre sur ses lèvres, la malade le repoussait.

— Buvez ! Vous êtes brûlante de fièvre.

Sœur Mathilde gémissait.

— Tenez ma main, sœur Héléna.

Sœur Mathilde s'endormit.

La mère infirmière entra. Sœur Héléna était au chevet de la malade depuis une demi-heure. Elle attendait que sœur Mathilde se réveille.

— Sœur Héléna, allez retrouver vos compagnes au réfectoire.

Sœur Héléna respira profondément.

— Oui, ma mère. Je cherchais à gagner des indulgences en visitant les malades. Sœur Mathilde ne se rétablit pas.

La fièvre la fait délirer. Peut-être devriez-vous demander un médecin qui la soulagerait ? Je sais que ça ne me regarde pas, c'est seulement une suggestion, comme ça.

— En effet, sœur Héléna, ça ne vous regarde pas. Allez, hâtez-vous de partir et fermez la porte derrière vous.

Sœur Héléna fila directement à la salle de récréation.

\* \* \*

Ce mardi, il y avait du mystère dans l'air. Sœur Héléna sentait qu'il se passait des choses étranges dans ce couvent ; les sœurs allaient et venaient d'un pas pressé et parlaient bas, la main devant la bouche.

Tôt après le dîner, sœur Héléna s'échappa de nouveau avec l'intention de visiter sa compagne. Après s'être assurée que l'infirmière était absente, elle se glissa en douce vers l'infirmerie où elle trouva un crêpe noir sur la porte verrouillée. Elle se rendit chez la mère supérieure qui lui apprit l'affreuse nouvelle du décès de sœur Mathilde. La cause était une appendicite aiguë.

Sœur Héléna éclata en sanglots. La petite Mathilde était partie à dix-huit ans, presque une enfant, elle aurait dû avoir toute la vie devant elle.

Sœur Héléna était inconsolable. Elle se demandait bien pourquoi le médecin n'était jamais passé lui rendre visite. Est-ce qu'on laissait mourir les religieuses dans cette institution ?

Comme la jeune sœur n'avait pas prononcé ses vœux perpétuels, on remit le corps à sa famille. Au pied de sa tombe était déposé le contrat signé de force à son arrivée.

Après la prière du soir, sœur Héléna quitta la salle de communauté le cœur en charpie. Elle s'empressa d'écrire une lettre aux siens pour leur annoncer le décès de sa voisine de cellule.

\* \* \*

Trois semaines plus tard, la mère supérieure invita sœur Héléna à passer dans son bureau.

Depuis le décès de sœur Mathilde, sœur Héléna se sentait vidée, amère, sans aucun intérêt. Elle s'en allait d'un pas traînant en pensant à ce que lui avait dit sœur Mathilde : « Vous non plus, vous n'êtes pas heureuse ici. » Pas heureuse ! Comment peut-on trouver le bonheur si ce n'est en donnant sa vie à Dieu ? Qu'est-ce que la mère supérieure lui voulait cette fois encore, des réprimandes sur ses vêtements tachés ou un travail mal fait ? Pour la première fois depuis son entrée au noviciat, sœur Héléna se fichait d'être là ou ailleurs. Depuis le décès de son amie, plus rien ne pouvait l'atteindre.

Elle frappa deux coups à la vitre givrée et la porte s'ouvrit grande devant elle.

— Vous m'avez demandée ? Me voici, ma mère.

— Prenez le temps de vous asseoir, sœur Héléna.

Elle s'assit sur une chaise au dossier haut et droit et glissa ses mains dans ses larges manches.

La supérieure, postée devant la fenêtre, lui tournait le dos.

— J'ai le regret de vous annoncer que vous ne prononcerez pas vos vœux perpétuels cette année.

Sœur Héléna, atterrée, restait bouche bée. Comme ses années de noviciat étaient écoulées, elle était en droit de prononcer ses vœux, c'était écrit noir sur blanc sur le contrat qu'on lui avait fait signer à son arrivée.

— Mais ma mère, est-ce que j'ai failli à mon rôle de novice ?

— Votre conduite n'est pas en cause, ma fille.

— Est-ce que je peux en connaître la raison ?

— Je ne vous sens pas prête pour prononcer des vœux.

— Si c'est votre volonté…

— En sortant d'ici, vous ramasserez vos effets. Vous êtes transférée au couvent de Pointe-aux-Trembles, où vous enseignerez à une classe de deuxième année. L'enseignante de première année pourra vous guider au besoin. Vous remplacerez une religieuse mal en point, et ce, pour les quatre prochains mois.

— Vous croyez que j'en serai capable ?

— Je n'en doute pas. Le programme est fort simple : catéchisme, lecture, écriture, calcul et devoirs du chrétien.

— Je ferai de mon mieux.

— Par la suite, vous reviendrez à la maison mère.

Sur ce, la mère supérieure se dirigea vers la sortie et, la poignée de porte dans la main, elle ajouta :

— Vous pouvez disposer.

Sœur Héléna la remercia, se leva et quitta la pièce. Enseigner ! C'était le coup de fouet dont elle avait besoin pour avancer.

\* \* \*

Le jour même de son arrivée à Pointe-aux-Trembles, un télégramme avisa sœur Héléna du décès de sa mère.

Héléna se rappelait sa jeunesse passée à ses côtés. Sa vie se résumait en ménage, lessive, repas, couture, économie. C'était une femme qui, malgré sa pauvreté, savait égayer sa maison, une femme plus féconde que les champs, plus sainte qu'une religieuse, elle dont toute la vie était une prière.

Cette perte fut une épreuve terrible à surmonter pour Héléna. Là-bas, à la maison, on devait avoir besoin de ses services, mais, malheureusement, les novices n'avaient pas le droit de sortir, même pas pour les funérailles de leurs parents. Cependant, le cœur d'Héléna était à La Plaine, avec les siens.

Au couvent, après avoir reçu les brèves condoléances de ses compagnes, la vie autour d'Héléna continua comme si rien ne s'était passé, on n'accordait même pas trois jours de deuil aux religieuses dans cette institution et Dieu sait si elle en aurait eu besoin! Héléna refoulait sa peine devant ses élèves et faisait semblant que tout allait bien quand, en réalité, rien n'allait. Dans ce grand couvent, elle ne trouvait pas un endroit où se réfugier seule pour pleurer tout son soûl, pour être en communion d'esprit avec les siens. Elle imaginait la douleur de son père devant ce départ inattendu. Ses parents avaient toujours été si complices. Comment son père allait-il se débrouiller avec Blanche, une enfant gâtée, pas trop vaillante à l'ouvrage? Blanche devait marier Yvon Brouillette à l'été. La pauvre, son mariage devrait être reporté à la fin du deuil, une double épreuve pour Blanche. Héléna se demandait comment elle vivrait sa chasteté imposée, sans l'étroite surveillance de sa mère. Blanche pourrait-elle tenir jusqu'à son mariage sans ternir sa réputation?

Héléna ne cessait de prier pour les siens.

\* \* \*

On était vendredi, sœur Héléna était demandée au parloir. La mère d'une élève l'attendait sur le seuil de la porte. Après un bref bonjour, elle ouvrit le cahier de sa fille sur une page tachée de sang.

— Regardez! Ma fille, Mignonne, m'a dit que c'était vous qui aviez sali sa page.

— Vous n'auriez pas dû vous déranger. Je vais lui donner un autre cahier et tout rentrera dans l'ordre.

Comme Héléna avançait une main pour saisir le cahier, la visiteuse remarqua ses ongles rongés au sang.

— J'aimerais parler à votre supérieure, dit la dame.

— Elle est absente pour la journée.

— Dans ce cas, je reviendrai demain.

Sitôt la femme partie, Héléna se demanda ce qui lui avait pris de mentir; ce n'était pas dans ses habitudes. La phrase était partie toute seule, sans qu'elle prenne le temps de réfléchir.

Tout le reste du jour, elle chercha comment se tirer d'embarras et, la nuit venue, elle n'arriva pas à fermer l'œil.

Heureusement, l'affaire n'eut pas de suite, mais cela servit de leçon à Héléna. Elle apprit à mieux dissimuler ses ongles rongés.

\* \* \*

L'année scolaire terminée, Héléna retourna au noviciat reprendre sa vie de sacrifice. À la suite de ses mois d'enseignement, où elle avait joui d'une discipline un peu relâchée, Héléna devait de nouveau s'astreindre à une obéissance entière et à une soumission de tous les instants. Elle retrouva dans cette institution ses compagnes arrogantes.

\* \* \*

Six mois plus tard. Héléna recevait une lettre de sa sœur Agathe.

*Ma très chère Héléna,*
*J'espère que tu te portes bien. Toi, tu es chanceuse d'avoir des compagnes pour sympathiser avec toi dans les moments difficiles.*

Héléna ferma les yeux un moment. « Si Agathe savait comme je suis seule parmi tant de religieuses ! » Elle reprit sa lecture.

*Moi, avec les enfants et tout le tralala, j'ai passé mon deuil seule. Ce n'est pas Antoine qui pouvait me consoler ; tu sais comme mon mari n'a jamais pu sentir ma famille, maman surtout : il lui reprochait de ne pas être comme sa mère.*
*Mais je ne t'écris pas pour me plaindre, mais pour t'annoncer une nouvelle.*

*Papa va se remarier lundi avec une femme de Saint-Lin, Rollande Trudel. Celle-ci a quatre filles, toutes sont mariées. Cette dame est tout l'opposé de maman. Je l'ai vue une seule fois. Papa est venu souper à la maison pour me la présenter et j'ai trouvé qu'elle avait l'air gentille. Comme papa épouse une veuve, ce sera un mariage intime. Tu comprends, à leur âge…!*

« Une étrangère dans notre maison ! pensa Héléna, qu'un sentiment de jalousie effleurait. Je me demande ce que maman doit en penser du haut du ciel. Papa l'a vite oubliée. Se remarier ! Comment peut-il nous faire ça à nous, ses enfants ? Je me demande ce qu'en pensent Jean-Guy, Céline et Blanche. Pour les grands, ça ne change pas grand-chose, mais pour nous, les plus jeunes… »

Héléna revint à sa lecture.

*Tu comprendras qu'après le mariage de Blanche, ça prenait une femme dans la maison. Papa se retrouvait seul avec la besogne sur les bras, lui qui ne sait même pas cuire un œuf. Moi, je trouve que ce sera moins ennuyant pour lui. En tout cas, il a retrouvé sa bonne humeur.*

*C'est papa qui m'a demandé de t'annoncer son mariage, alors, c'est fait.*

*Et toi, à quand tes vœux perpétuels ?*

*Écris-moi et donne-moi de tes nouvelles.*

*Ta sœur aimante,*
*Agathe*

# IV

Les mois coulaient.

On demanda sœur Héléna au parloir.

Elle s'y rendit à grands pas, comme chaque fois, en devinant qui lui rendait visite. Son père devait venir lui présenter sa nouvelle flamme. Mais non, cette fois, c'était Blanche avec ses beaux yeux clairs et sa bouche moqueuse.

— Coucou! C'est moé, dit Blanche.

Blanche était vive comme un coup de vent, elle jasait, riait et s'extasiait pour tout et pour rien. Elle était un baume pour Héléna, et sa joie était contagieuse. Elle parlait de son mari qu'elle adorait et ça ne la gênait pas de parler à une religieuse de son bedon rond. Elle allait être mère sous peu et Héléna se réjouissait avec elle.

— Je ne connaîtrai jamais ces grands bonheurs.

— T'aurais pu, mais t'as pas voulu. Henri Beaudoin t'a demandée en mariage pis t'as refusé.

— Il faut beaucoup d'amour pour se marier.

— Pourtant, Henri avait tout: la beauté, l'élégance, la gentillesse, la profession.

— Il faut croire que ce n'était pas assez. Oublions ça si tu veux et parle-moi plutôt de ta maison pour que je t'imagine dans ton cadre familial. De mon côté, tout en jasant, je vais te faire visiter la chapelle, la salle de cours et le réfectoire.

— Tu me croiras pas, Héléna, j'ai un beau moulin à coudre pis j'ai ourlé mes couches pour le bébé. Pis là, je viens de tailler une courtepointe d'un bleu très doux. Agathe va me montrer comment l'assembler pis la piquer.

Héléna l'enviait, c'était évident. Ses yeux roulaient dans l'eau.

— As-tu choisi des prénoms? Je peux t'en suggérer, si c'est une fille. J'ai connu une Mathilde qui était très jolie.

— Mathilde Brouillette! Non, ça ferait un peu long à écrire.

Blanche sentait que c'était difficile pour Héléna.

— Ça te manque, des enfants, hein? Dis-le, Héléna; t'as le droit de le dire, tu sais.

— À chacun sa destinée. Moi, j'ai préféré la vie de couvent à la vie de famille.

Héléna restait fidèle à ses amours. Elle ressentait tout de même un petit pincement au cœur.

Une religieuse vint la demander.

— Attends-moi ici, Blanche.

— Non, va! De toute façon, moé, je me sauve.

Blanche embrassa Héléna sur les deux joues.

— Tu reviendras me voir, ma petite sœur.

— La prochaine fois, ce sera avec un bébé dans mes bras.

* * *

Héléna se rendit à grands pas à la salle de communauté.

— Sœur Héléna, la mère supérieure désire que vous passiez à son bureau.

Que pouvait-elle bien lui vouloir ? Peut-être la trouvait-elle prête pour ses vœux, ou avait-elle encore une nouvelle classe à lui offrir ? Sœur Héléna se présenta devant la mère supérieure les mains rentrées dans ses manches de robe pour dissimuler ses ongles rongés.

— Assoyez-vous, sœur Héléna.

— Merci, ma mère.

— Sœur Héléna, votre conduite est digne de bons éloges, mais malheureusement, la communauté a décidé de ne pas vous garder à cause de votre faiblesse aux yeux qui vous rend inapte à remplir vos fonctions. Comme vous le savez, l'enseignement est l'œuvre clé de notre institution.

Héléna était bouleversée. Après toutes ces années à remettre à plus tard ses vœux perpétuels, on lui montrait la porte. Elle bégaya :

— Vous n'êtes donc pas satisfaite de mes mois d'enseignement ?

— Non, votre enseignement n'est pas en cause, mais comprenez qu'une religieuse aveugle serait un poids pour notre congrégation. Si vous aviez noté cette déficience dès votre arrivée dans cette institution, la communauté aurait refusé votre admission.

— Je ne le savais pas moi-même ; pour moi, je voyais comme tout le monde.

Héléna se leva d'un mouvement brusque, comme quelqu'un qui s'éveille en sursaut. On voulait l'évincer, la plaquer et on ne lui donnait pas le choix de décider.

— Si telle est votre décision.

— Vous devrez quitter l'institution au plus tôt afin de ne pas semer le désordre chez vos consœurs. D'ici votre départ, je vous demande la plus grande discrétion à ce sujet. Écrivez immédiatement à un proche pour lui demander de venir vous chercher. Allez! Vous pouvez vous retirer.

— Merci, ma mère.

La religieuse ébaucha un petit salut de la tête et se retira.

Décidément, personne ne voulait d'elle. Héléna se sentait répudiée, chassée. Était-elle heureuse ou malheureuse de quitter le couvent? Elle fila à la chapelle où elle s'agenouilla dans le premier banc.

«Mon Dieu, si c'est le sacrifice que vous me demandez, je me soumets à votre sainte volonté.»

Après une adaptation laborieuse, on la retournait à son nid familial. À vingt-sept ans, Héléna se retrouvait devant rien, comme une pauvresse. Maintenant, elle allait rentrer chez son père et vivre avec une étrangère dans sa maison. Allait-elle s'y sentir à l'aise comme autrefois?

Sœur Héléna avait l'impression que toute sa vie s'écroulait et elle ne trouvait personne près d'elle pour soutenir ses défaillances. Désorientée, elle déambula dans le long corridor, inquiète de ce que serait désormais sa vie à l'extérieur des grands murs. Que dirait son père en apprenant son retour? Quels seraiet ses sentiments envers elle: de la colère, de l'acceptation, de la honte? Et que dirait sa belle-mère de la voir déranger leur intimité? Héléna se sentait d'avance une intruse dans leur vie. Une vieille fille n'a donc pas sa place dans la société?

Dans sa cellule faite de tissu blanc, Héléna s'assit sur son lit, la tête dans les mains à tenter d'assimiler ce changement brutal. «Comme je n'ai pas le choix, je vais partir d'ici et je m'organiserai ensuite. Comment? Je ne sais trop. Désormais, je ne me sentirai plus chez moi, nulle part sur cette Terre.»

Finalement, Héléna sortit sa tablette à écrire et laissa courir sa plume sans s'embarrasser d'artifices.

*Cher papa,*
*J'ai une mauvaise nouvelle à vous annoncer.*
*La mère supérieure me renvoie du couvent. Toutefois, soyez assuré que ma conduite est irréprochable; ce n'est pas la raison de mon départ. Je vous raconterai tout de vive voix.*
*Si vous pouviez venir me chercher au plus tôt, plus rien ne me retient ici. Si vous refusez, je ne saurai pas où aller. J'aimerais que vous m'apportiez une robe pour ma sortie.*
*Merci et à bientôt.*
*Votre fille aimante,*
*Héléna*

# V

Héléna rentra à la maison avec son père. Leur premier regard marquait leur confiance mutuelle. Héléna recommencerait à vivre avec son père, sans contestations, mais aussi sans passion.

À peine rentrée, elle ressentit le vide causé par le départ de sa mère, son admirable mère qui avait incarné tout ce qu'il y avait de plus noble et qui avait vécu simplement, le plus naturellement du monde. Elle disait : « Nous sommes d'une race naïve et sincère. » Il lui semblait que la maison ne pouvait exister sans elle.

Héléna ressentait une paix intérieure, comme autrefois, alors qu'elle demeurait avec ses parents. La cuisine lui semblait plus grande qu'à son départ ; peut-être parce qu'elle était vide de frères et sœurs. La table était dressée comme pour la grande visite. Une étrangère s'approcha et, comme Héléna tendait une main, la femme prit sa tête dans ses mains et l'embrassa sur les deux joues.

— Bienvenue, Héléna. Sachez que vous êtes toujours chez vous dans cette maison. Votre chambre est prête, vous pouvez monter votre valise quand ça vous plaira.

L'étrangère se montrait bienveillante à son endroit.

Jules tapota la main d'Héléna.

— Tu nous as jamais parlé que tu voyais mal. C'est nouveau, ça ?

— Je ne le savais pas moi-même. Je pensais que c'était ainsi pour tout le monde. Là-bas, on me répétait que mon travail était mal fait, que j'avais des taches sur mes vêtements, mais je ne les voyais pas.

— Oublie ce là-bas, asteure que t'es de retour dans ta famille. Pis à l'avenir, pense comme si t'étais jamais partie de la maison.

Jules se réjouissait du retour de sa fille. Toutefois, une inquiétude le poursuivait et l'empêchait de dormir ; Héléna allait-elle devenir aveugle ? Il en discuta avec sa femme qui l'encouragea à consulter.

Un bon matin, Jules réveilla Héléna.

— Lève-toé. Aujourd'hui, je te conduis à Montréal chez un spécialiste de la vue. Rollande pis moé, on veut en avoir le cœur net. Dépêche-toé. Y faudrait pas manquer le train, y passe à cinq heures trente.

Héléna regarda son père, un peu surprise, puis elle lui adressa un sourire de reconnaissance.

— Ça va coûter des sous, dit-elle.

— Je sais. Grouille-toé ! Moé, je vais atteler Prunelle.

* * *

Le train prenait une heure quarante-cinq pour se rendre à Montréal, ce qui donnait à Jules le temps de s'entretenir familièrement avec sa fille.

— Comment trouves-tu Rollande ?

— Elle a l'air aimable, mais c'est pas comme du temps de maman quand les portes de la maison battaient à cœur de jour et que les dimanches on se retrouvait pas moins d'une trentaine autour de la table.

— Non, y a pas deux femmes pareilles, pis une mère reste toujours une mère. Avec Blandine, c'était autre chose, elle comprenait tout sans que j'aie besoin de parler, et pis Rollande a ses petites manies qui sont ben différentes de celles de ta mère, comme plier le linge qui s'en va au lavage. Avec elle, y faut que j'enlève mes souliers sur le tapis, pis elle endure pas que je siffle dans la maison, ni que je prenne un p'tit coup.

— Vous vous ennuyiez, seul?

— Comme c'est pas possible. Je te dis que j'entendais le tic-tac de l'horloge.

Des larmes montaient à ses yeux. Un père ne raconte pas ses peines à ses enfants.

— Je me sens de trop chez vous. Il me semble que je dérange votre vie. Mais madame Rollande, je ne l'haïs pas, vous savez. Je la trouve même sympathique. À mon retour du couvent, elle a remarqué que je rongeais mes ongles au sang. Elle m'a dit: « Montre un peu. » J'ai aussitôt fermé les poings, mais trop tard, elle avait tout vu. Elle m'a dit: « Écoute-moé ben, Héléna, tu peux te débarrasser de cette vilaine habitude en portant des gants dès que tes mains seront au repos. Au début, tu vas trouver ça un peu encombrant, mais ce sera l'affaire de quelques semaines. » Pis le truc a fonctionné. Regardez!

— Je le dis pas devant Rollande, mais je suis ben content que tu sois sortie de chez les sœurs. Pis asteure, si le spécialiste peut guérir ta vue, j'espère que ce sera pas pour retourner là-bas.

– Non, papa, craignez pas. Je ne me ferai pas montrer la porte une deuxième fois.

– Tu vas rencontrer un bon garçon pis tu vas te marier.

Le regard d'Héléna se rembrunit.

– Vous aussi, vous voulez vous débarrasser de moi ?

– Jamais de la vie ! Je veux juste que tu sois heureuse, comme on l'a été ta mère pis moé.

– Je pense que dans la vie on n'aime qu'une fois, et moi, mon tour est passé. Il faut croire que je ne suis pas faite pour le mariage.

Sa vieille peine d'amour faisait encore trembler sa voix.

– Je suppose que tu parles du gars à Germain Thibodeau ?

– Vous savez ça, vous ?

– Ta mère pis moé, on en parlait dans le temps, mais c'est chose du passé. Aujourd'hui, regarde en avant. T'es une belle fille pis y a sûrement un gars pour toé dans toute la paroisse.

– Vous rêvez, papa. Si j'étais belle, Émilien Thibodeau m'aurait préférée à Suzanne Chaumont.

– T'es plus belle que la petite Chaumont, parole de père. T'es pas infirme à ce que je sache ? T'as encore le temps de me donner une douzaine de petits-enfants.

– Craignez pas, papa, je ne resterai pas à vos crochets longtemps.

– Qu'est-ce que tu racontes là ?

Le train entrait en gare.

– Comme on a un peu de temps devant nous autres, reprit Jules, on va manger les beurrées de sucre d'érable que Rollande nous a préparées. Regarde par là, y a des bancs en fer qui ont l'air de nous attendre sur le quai de la gare.

* * *

Après une série de tests, Héléna et Jules Pelletier écoutèrent attentivement le rapport de l'ophtalmologue.

— Mademoiselle Pelletier, vous souffrez d'une sévère myopie.

— Qu'est-ce que c'est ? s'enquit Jules.

— C'est une anomalie de la vision dans laquelle l'image d'un objet éloigné se forme en avant de la rétine en raison d'un allongement de l'axe antéro-postérieur de l'œil.

— C'est grave ?

— Ça se corrige par le port de lunettes concaves.

— Sans opération ?

— Non. Il n'existe pas de chirurgie pour cette anomalie.

L'homme lui tendit des verres pour corriger la myopie.

— Essayez ces lunettes. Vous verrez la différence.

Héléna s'exclama.

— Ça alors !

Sa vision était nette, les couleurs, franches.

— J'aurais jamais cru possible de voir aussi clair.

L'oculiste lui retira les verres correcteurs.

— Ce ne sont que des lunettes d'essai, les vôtres seront mieux ajustées à votre myopie. Elles seront prêtes dans deux semaines. Si vous préférez acquitter la facture aujourd'hui, je pourrais vous les poster ; ça vous exempterait un nouveau déplacement.

Jules et Héléna retournèrent à La Plaine soulagés et enchantés de leur voyage à Montréal. Tout le temps du retour, son père causait :

— Les sœurs ont préféré perdre une novice juste pour économiser sur l'achat d'une paire de lunettes.

— Non, papa. À mon avis, ce n'était qu'une raison pour me renvoyer du noviciat. Je pense que je cadrais mal dans le décor, que je n'étais pas assez hautaine pour cette communauté et ce devait être pour cette raison qu'on repoussait chaque fois mes vœux.

— C'est ça, la charité chrétienne ? En tout cas, moé, je suis ben content de ton retour. Asteure, tu vas être libre de te marier, pis, à ton tour, tu vas me donner des petits-enfants, comme l'ont fait tes frères et sœurs.

— J'ai passé le temps d'aimer. À moins de trouver un bon gars comme vous, papa, s'il en existe encore.

Jules lança un regard adorateur à sa fille.

— T'es sérieuse quand tu dis ça, Héléna, c'est vraiment ce que tu penses de ton père ?

— Vous savez bien que oui, papa !

Jules, ému des louanges de sa fille, lui donna une tape affectueuse sur le genou.

— Ta mère pis moé, on s'est toujours demandé si t'étais heureuse au couvent.

Héléna regarda droit devant elle et hésita avant de répondre. À force de plier, de ne plus avoir droit de parole, de se faire rabrouer par ses compagnes, elle ne pouvait même plus discerner si elle était heureuse ou malheureuse.

— Je n'avais pas d'autre choix que de me livrer en aveugle au destin qui m'entraînait, mais c'était une vie bien loin de mes rêves.

— C'est nous qui tissons notre destin, Héléna. Si on n'est pas heureux, c'est à nous autres de faire des changements jusqu'à trouver le bonheur, parce que le temps perdu y revient pus. T'as peut-être ben trop attendu?

— Je ne regrette rien. Ces années de couvent m'ont permis de pousser plus loin mes études.

— En tout cas, reprit son père, si y a pas un gars dans toute la paroisse pour te faire changer d'idée, tu resteras avec nous autres. Moé, je veux juste ton bonheur.

— Une chance que je vous ai, vous! Mes plus grandes joies sont liées à notre maison, à ma famille. Avec maman qui chantait en travaillant même les jours de pluie, je sentais que le soleil était là.

— Pour ça, t'as ben raison. Quand on est pauvre, on trouve le bonheur dans les petites choses de la vie, comme rire et chanter.

\* \* \*

Tôt en matinée, le curé de La Plaine frappa chez les Pelletier. Madame Rollande, empressée, ouvrit toute grande la porte de sa maison.

— Entrez donc, monsieur le curé. Surtout, regardez pas le désordre, on s'apprêtait à déjeuner.

Le prêtre, transi, refusa la chaise que la femme lui présentait. Il s'approcha du poêle où grillaient six tranches de pain et frotta vigoureusement ses mains.

— Quelle bonne chaleur chez vous! Avec cette humidité qui pénètre jusqu'aux os, je ferais mieux de porter mon capot de chat et mon tuyau de castor, mais, que voulez-vous, nous ne sommes qu'en octobre et nous aurons encore des beaux jours.

— Héléna, voulez-vous aller chercher votre père à l'étable?

— Ne le dérangez pas, madame, c'est à mademoiselle Héléna que je veux m'adresser.

Héléna, étonnée, le regarda fixement.

— À moi?

— Les enfants du rang Sainte-Claire ont perdu leur maîtresse en plein mois de septembre et ils ne fréquentent plus l'école depuis. Eh oui! Une jambe fracturée à la suite d'une mauvaise chute. J'ai pensé à vous pour la remplacer pour le reste de l'année scolaire. La tâche sera difficile, sept divisions et trente-deux élèves dans une même classe. La paroisse est prête à vous donner trois cents dollars pour l'année d'enseignement en plus de vous fournir le bois de chauffage.

Héléna resta bouche bée.

Au même instant, son père entra. Après qu'il ait échangé une poignée de main avec le curé, Héléna lui expliqua la raison de cette visite et ajouta:

— Pensez-vous que je peux, papa? J'enseignerais à mes neveux, les enfants d'Olivine et de Denise. Ce serait peut-être un obstacle?

— T'es majeure, c'est à toé de décider. Pis comme t'as déjà enseigné au couvent, t'as de l'expérience. Et puis, tu gagnerais des sous, sans faire fortune, mais quand même.

– Mais qui va me voyager matin et soir? Le rang Sainte-Claire n'est pas à la porte.

– Vous pourrez passer la semaine là-bas, suggéra le curé, l'école possède une chambre et une cuisine pour l'enseignante.

– J'aurais peur, seule la nuit dans un rang éloigné.

Madame Rollande présenta au curé un café et un beignet.

– Votre sœur Olivine, dit-il, pourrait peut-être vous prendre en pension?

– Je me demande si je serais capable. J'ai déjà enseigné à une classe de deuxième année quand j'étais en communauté, mais là, vous me parlez d'une classe de sept divisions. C'est très différent.

– C'est vous qui le savez. Prenez le temps de réfléchir à ma proposition.

Héléna pensa: «Si je travaille, je vais cesser d'être une charge pour mon père.»

– C'est tout réfléchi, monsieur le curé. C'est oui.

– Vous ferez juste votre possible.

Héléna prit pension chez les Marion qui demeuraient à deux arpents de l'école.

* * *

– Wooo! Wo donc, Prunelle.

À l'intérieur de l'école, Héléna sursauta et leva la tête de son pupitre en frottant ses yeux. Elle émergeait du long rêve de son adolescence jusqu'à ce jour anniversaire de ses trente ans. Cela faisait maintenant trois ans qu'elle enseignait dans le rang Sainte-Claire.

« Ma foi du bon Dieu ! Je dois bien avoir rêvassé un bon deux heures. Deux heures à parcourir treize années de ma vie. »

Héléna quitta son pupitre et courut à la fenêtre. Son père venait la chercher pour la ramener à la maison. La carriole était collée au perron. Prunelle était déjà attachée au piquet et son père entra dans la classe. Il s'approcha d'Héléna et l'embrassa sur les deux joues.

— Bonne fête, ma fille. T'as passé une bonne semaine ?

— Comme toutes les autres, pas mieux, pas pire.

— Regarde-moé donc, toé, t'as ben l'air mal en point.

— C'est rien. Ça va passer.

— Viens-t'en, on va jaser en chemin.

Héléna prit une petite malle qui contenait son linge à lessiver et suivit son père à l'extérieur.

Le vent soufflait en bourrasques. Jules remonta la robe de carriole sous le nez d'Héléna et descendit son châle sur son front, comme l'aurait fait une mère avec son enfant. Une fois bien installés dans la voiture, Jules Pelletier commanda son cheval et s'informa :

— Dis-moé donc ce que ça voulait dire tantôt : « Ça va passer ».

— C'est juste un peu de cafard. J'ai trente ans et je suis encore sur le carreau, je suis une vieille fille, comme mademoiselle Leclerc.

Jules releva le menton tremblant.

— C'est rien que ça ?

– Si pour vous, c'est rien que ça, pour moi, c'est tout un deuil. Je n'aurai jamais un mari, une maison et une famille à moi.

– C'est mieux d'être sur le carreau que mariée et malheureuse. Tiens, à soir, ta sœur Olivine nous invite à souper chez elle pour ta fête. Heureusement qu'on t'a, hein, sinon, Rollande pis moé, on souperait fin seuls à la maison.

Depuis le décès de sa mère, Olivine, l'aînée de la famille, se sentait responsable du bonheur des siens.

– Olivine me fête? C'est pas vrai, p'pa? dit-elle affolée. Je viens de mettre sa Bernadette dehors de l'école. Olivine doit m'en vouloir à mort.

– Qu'est-ce qui s'est passé de si grave?

– Rien de bien grave, dit Héléna, c'est moi qui n'étais pas dans mon assiette aujourd'hui.

– Vas-tu pouvoir laisser ton cafard de côté pour quelques heures?

– Ça va dépendre comment les choses vont se passer avec l'histoire de Bernadette. Comme si j'avais besoin de ça!

– On va s'arranger pour arriver chez ta sœur les premiers, pis tu régleras ça avec elle tout de suite pour que ton souper te reste pas en travers de la gorge.

Héléna retrouva sa bonne humeur.

– Je vous aime gros, papa. Je me trouve chanceuse d'avoir un père comme vous.

\*\*\*

À l'arrivée d'Héléna chez Olivine, la maison était déjà remplie d'invités. Tous ses frères et sœurs et leur famille étaient présents. Héléna s'approcha de sa sœur.

— Olivine, dit-elle, j'ai quelque chose de grave à te dire en privé.

Olivine précéda Héléna à sa chambre. Celle-ci alla droit au but.

— Tu diras à Bernadette qu'elle peut revenir en classe lundi.

— Pourquoi tu me dis ça?

— Parce que je l'ai mise à la porte de l'école aujourd'hui. C'est pour ça qu'elle est arrivée en plein cœur d'après-midi.

— Bernadette m'a rien dit, pis elle est arrivée de l'école en même temps que les autres. Elle doit avoir flâné en chemin. En tout cas, elle s'en est pas vantée.

— Oublie ça, Olivine.

— Avant, je veux que tu me dises ce qui s'est passé.

Héléna lui raconta les faits en détail.

— T'as pas l'habitude d'être si sévère.

— T'as raison, mais, tu sais, je ne dois pas en laisser trop passer avec mes nièces. Les autres pourraient m'accuser faire des passe-droits.

— Oublie ça pis viens-t'en à la cuisine; les autres vont se demander ce qu'on brette..

— Avant, je tenais à m'excuser. Tu sais, aujourd'hui, je filais un mauvais coton.

— Bon! Asteure que c'est fait, vas-tu retrouver ton sourire?

*  *  *

Toutes les femmes mettaient la main à la pâte. Céline dressait la table, Agathe pilait les patates et Olivine faisait griller un peu de farine pour épaissir son bouillon.

On servit une poule bouillie accompagnée de légumes conservés dans la cave. Un gros gâteau glacé servait de dessert. Le repas était simple, mais très estimé des invités.

— Toé, Héléna, comme c'est ta fête, tu touches pas à la vaisselle.

Sa nièce, Marie, s'approcha.

— Je le savais, ma tante, que vous veniez souper icitte à soir. Bernadette nous l'avait dit à l'école. Toute la classe aussi le savait, mais y fallait pas vous le dire parce que c'était une surprise.

Héléna serra la petite Marie contre elle.

— C'était donc ça vos bavardages pendant la classe?

Marie sourit gentiment, se dégagea des bras d'Héléna et courut retrouver ses cousines.

Soudain, tout le monde se mit à chanter «Bonne fête Héléna!» et, comme à ses anniversaires précédents, on lui souhaita un mari dans le courant de l'année.

Héléna refoula ses émotions. Pourquoi était-elle si sensible aujourd'hui?

# VI

Le même jour, à l'autre bout de la paroisse, dans la maison des Branchaud, la vieille Augustine traînait la berçante près de la fenêtre pour mieux profiter de la clarté du jour. Elle replaçait ses coussins de siège et de dossier. À soixante-dix ans, il lui fallait ménager ses vieux os sensibles. De sa chaise, elle pouvait mesurer l'intensité du vent par la fumée qui s'échappait des cheminées ou par les vêtements qui battaient au vent sur les cordes à linge.

— Cordélia, va me chercher mon panier à ouvrage en haut.

Cordélia était une fille quelconque avec de longues tresses et une frange sur le front, maigre comme un pic, les joues saillantes et les yeux verts. Elle ressemblait à une sauvagesse.

Elle resta sourde à la demande de sa mère. Elle enleva un rond du poêle pour déposer le canard sur le feu vif. À petits pas pressés, elle allait et venait de la table à la dépense jusqu'à ce qu'il ne reste que la tasse de son frère Gustave sur le beau bois blond. Elle reprit la bouilloire ventrue et versa une belle eau chaude dans le plat à vaisselle.

— Cordélia !

— Quoi encore ?

— Va, insista sa mère, fais ce que je t'ai demandé tantôt.

Le regard de Cordélia exprimait l'emmerdement le plus profond.

– Encore monter! Vous devriez laisser votre tricot en bas. On voit ben que c'est pas vous qui faites les escaliers.

– Bon! V'là que les chialages recommencent! Y a donc pas moyen d'avoir la paix dans cette maison? Va donc!

À vingt-six ans, Cordélia, restée vieille fille, agissait encore comme une gamine. Elle montait en martelant chaque marche d'escalier de ses gros souliers, à croire qu'elle pesait mille livres. Revenue à la cuisine, d'un geste brusque, elle jeta la corbeille débordante de laine aux pieds de sa mère et retourna à sa vaisselle laissée en plan.

Augustine se pencha sur le panier en vannerie, un panier déchiqueté, tout juste bon à mettre aux ordures, mais dans cette maison, on ne jetait rien. La femme retira de la corbeille un tricot inachevé, un bas gris qui reposait sur trois aiguilles, et elle se mit à tricoter comme elle le faisait chaque jour avec la régularité d'une fourmi.

Augustine était une personne qui ne se laissait pas piler sur les pieds. Même si elle ne savait pas lire, elle savait compter et commander et, que ça plaise ou non, elle disait tout ce qu'elle pensait sans délicatesse.

Arrivée à la fin de son rang, la femme déroula un peu de laine et leva les yeux sur Gustave. Celui-ci, assis au bout de la table, étirait un dernier café.

– Mon garçon, lui dit Augustine, à trente et un ans, y serait grand temps que tu te trouves une femme. Moé, j'attends juste ça pour m'en aller rester au village avec Cordélia.

Au même instant, le bruit d'un attelage sur le chemin attira l'attention des deux femmes. Cordélia courut à la fenêtre. Héléna Pelletier passait dans le rang pour se rendre chez ses parents. Cordélia en profita pour taquiner son frère.

— Regarde, Ti-Gus, y en a justement une qui passe devant notre porte, pis pas laide pantoute, arrête-la. Oups! Trop tard, elle est passée.

— Cordélia! Mêle-toé pas de ça, lui ordonna sa mère.

Cordélia sourit.

Gustave asséna un coup de poing sur la table et lança à sa sœur un regard terrible en marmonnant: «Toé, occupe-toé de te trouver un homme, pis laisse-moé la paix!»

Cordélia ne manquait pas une occasion de faire fâcher Gustave; tous deux étaient toujours comme chien et chat.

— Et qui servirait monsieur? dit-elle d'un ton moqueur.

— Cordélia, je t'ai dit de cesser de *tiquisser*. Tu sais que ton frère entend pas à rire.

— Moé, je veux juste son bonheur, dit Cordélia, malicieuse. Comme vous, m'man, hein?

Cordélia se berçait à grands élans, un talon sur le bout de chacun des berceaux, les genoux écartés, la robe retroussée; de quoi scandaliser le diable.

— Pis baisse ta jupe, lui dit sa mère. On te voit jusqu'au fond des entrailles.

Et la vieille ajouta:

— N'empêche que ta sœur a raison, Gustave. La fille à Jules Pelletier pourrait te faire une bonne femme et pieuse avec ça; elle vient de sortir de chez les bonnes sœurs.

Gustave faisait mine de ne rien entendre. La bouche boudeuse, il fumait la pipe en fixant la fenêtre qui donnait vue sur la grange d'en haut, mais sa mère le sentait bouillir intérieurement. Chaque fois qu'elle lui parlait de prendre femme, elle ne réussissait qu'à l'exaspérer. Elle se demandait pourquoi Gustave tenait tant à rester garçon. Était-ce en raison des dépenses que causait une famille, de sa gêne envers les filles, encore simplement pour tenir tête? Augustine ne savait plus comment aborder son fils sans le contrarier. Chaque fois qu'elle lui adressait la parole, il bougonnait ou, pire encore, il malmenait tout ce qui se trouvait sur son chemin.

Gustave retira sa pipe de sa bouche, en secoua les cendres dans sa main et la rentra dans sa poche. Il quitta sa chaise, décrocha sa casquette du clou et sortit. Un grand coup de pied referma la porte derrière lui. Les vitres tremblèrent. Cordélia sursauta.

— Entendez-vous ça, m'man? Y est pire que les gros chars. Y va démolir toute la maison.

— Ben qu'y la démolisse! C'est lui qui la réparera.

* * *

À trente et un ans, Gustave Branchaud n'était plus un tout jeune homme. C'était un garçon de bonne apparence, de haute taille, aux traits réguliers. Cependant, son air bourru reflétait une révolte intérieure. Gustave était difficile d'approche. Son caractère était la conséquence de vexations, de contraintes répétées qui dataient de sa jeunesse.

Au début de son adolescence, son père l'avait placé au collège, où il s'ennuyait à mourir. Quinze jours après la rentrée, à la récréation, les garçons jouaient à la balle au mur quand, excités, ils se ruèrent les uns sur les autres. Gustave se retrouva coincé sous cinq ou six garçons dont le poids plia le cubitus de son bras droit. Le préfet de discipline rappela les élèves à l'ordre. Sitôt sur ses pieds, Gustave sentit une douleur au bras. Rendu à sa classe, il montra à son professeur son bras anormalement courbé et celui-ci l'envoya en retenue dans le corridor. Le directeur, qui passait par hasard, lui demanda ce qu'il faisait là.

— Regardez mon bras, dit-il, je l'ai montré au professeur pis y m'a montré la porte.

— Allez à l'infirmerie, nous allons faire venir vos parents.

Le même jour, Hubert Branchaud conduisit son fils à un cousin ramancheur dont la réputation était faite. L'homme le fit s'allonger sur le plancher, tout près de la trappe ouverte qui menait à la cave. Le ramancheur descendit trois marches pour se placer à une bonne hauteur et, par trois fois, il mit son poids sur le cubitus qui, chaque fois, se redressait un peu.

— Je vais lui laisser une légère courbe à peine visible, dit-il, parce qu'un jour, ça pourrait l'exempter de la guerre. Maintenant, mon garçon, tu vas rester à la maison pendant quinze jours.

Le mois suivant, Gustave, qui détestait le collège, demanda au directeur de revoir son ramancheur, disant que son bras le faisait souffrir. Il ne s'y rendit pas. Il rentra à la maison en disant que le soigneur lui avait conseillé de prendre un autre quinze jours de repos chez lui. Par trois fois, Gustave répéta son petit manège, après quoi, son père apprit la vérité et le semonça.

Gustave, vaincu, avoua sa faute. Il refusait de retourner aux études. Il raconta à son père ce qui se passait au collège.

— Je reçois des coups de règle sur les doigts parce que j'écris de la main gauche.

— Je vais te retirer du collège, lui dit son père, mais je veux que tu saches que j'approuve pas ce moyen insensé pour parvenir à tes fins. À l'avenir, tu travailleras avec moé sur la ferme. Mais je t'avertis, tu te lèveras tous les matins pour m'aider au train.

— Promis, p'pa !

— Si tu t'y intéresses vraiment, la terre peut t'apprendre plus que les livres.

Après quelques mois, Gustave supportait mal d'être confiné aux travaux de la ferme. Ce travail, jamais rémunéré, l'ennuyait autant que le collège. L'été surtout, car le travail aux champs débutait au lever du soleil pour se terminer avec la tombée du jour.

Un an plus tard, son père mourut subitement, terrassé par une crise cardiaque.

Augustine, responsable de la grande ferme céréalière, dut compter sur l'appui de son fils Gustave pour le soin des animaux, la culture et les récoltes. Ses autres enfants, Fernande et Antoine étaient mariés, Rosaire et Firmin étaient deux jeunes prêtres et Jacques, pensionnaire au collège de L'Assomption, s'orientait lui aussi vers la prêtrise. À la maison restaient Cordélia, douze ans, et

Gilbert, un gamin de onze ans. L'aide de ce dernier se limitait à rendre des petits services.

Gustave, âgé de seize ans, était en pleine croissance et il se tuait au travail de la ferme pendant que son frère Jacques se la coulait douce tout l'été.

— M'man, dites à Jacques de m'aider au train.

— Regarde mes mains, rétorqua Jacques, un jour, elles distribueront la communion aux fidèles. Ce serait un sacrilège de les salir à traire les vaches et à nettoyer l'étable.

— Des mains, ça se lave.

— Vous deux, cessez de vous obstiner.

Augustine, sans s'en rendre compte, ambitionnait sur les forces de Gustave. À trop courir, la veuve n'avait plus le temps de peser, d'analyser, de faire la juste part des choses et, comme résultat, Gustave se mit à lui en vouloir et son amour pour sa mère en devint fort ébranlé.

Gustave, révolté, passait son temps à bouder. Si son père avait été là, les choses se seraient passées autrement. Ils s'entendaient bien tous les deux.

Son frère Jacques poursuivait des études en théologie et il venait régulièrement quémander de l'argent à sa mère, qui se mettait à ses genoux. Qu'est-ce que celle-ci n'aurait pas fait pour son intellectuel de fils, son futur prêtre ? Gustave, lui, doutait de cette vocation. Pendant qu'il suait sur la ferme, Jacques faisait la fête et l'argent lui coulait entre les doigts. Sa mère, indulgente, fermait les yeux sur ses fredaines. Gustave voyait tout ça d'un œil envieux et avec raison. Jamais rien pour lui, le condamné au travail.

Un jour, vers la fin de l'été, Gustave, assis près de la porte de cuisine, enfilait ses vieilles bottines avant de monter aux champs. Sur le point de sortir, il s'informa à sa mère :

— Avez-vous reçu le paiement du blé?

— Pourquoi tu veux savoir ça?

— Je demandais ça de même! J'aimerais ben en voir la couleur, moé itou.

Augustine ne répondit pas. Son silence signifiait un refus. Gustave insista et l'asticota.

— Je suppose que Jacques va s'en occuper.

Sa mère le regarda dans le blanc des yeux.

— Y a personne qui va me dire quoi faire dans ma maison.

— Personne à part Jacques.

Gustave reçut une gifle en plein visage. Il passa la main sur sa joue et, humilié, il sortit sans un mot, sans comprendre pourquoi sa mère accordait plus d'importance à ses frères quand c'était lui seul qui faisait rapporter la terre.

Ce jour-là, il ne monta pas aux champs. Il resta assis sous l'appentis à ressasser sa rancune. Ça l'écœurait de trimer du matin au soir pour faire instruire son frère et, pis encore, pour lui payer du bon temps. Et comme récompense, sa mère le giflait. Qu'était-il pour sa mère? Un moins que rien!

Elle vint vers lui.

— Arrive, viens travailler.

— Pour payer les fredaines de votre préféré? Non!

— Arrive, je te dis!

Gustave ne bougea pas.

– Demandez à Jacques, y peut aider, lui aussi, sur la ferme.

Pendant l'année, Jacques étudiait, et l'été, il flânait à la maison le jour et au village le soir.

Sa mère saisit Gustave au collet et tenta de le traîner de force aux champs.

Si le garçon avait eu le cœur sensible, il se serait fendu en deux, mais il s'était déjà endurci avec les déceptions répétées.

Le samedi suivant, Jacques débarqua du train avec des amis de la ville, deux garçons et trois filles en robes légères en manches courtes. Jacques ne ressemblait en rien à un futur prêtre. Gustave cherchait à lui parler seul à seul, mais il n'en trouvait pas l'occasion. Jacques l'évitait. Le pauvre se plaignait à sa mère de la chaleur insupportable de la ville.

«Pourtant, se dit Gustave, aux champs, il fait encore plus chaud et personne ne me plaint.»

Gustave observa sa mère qui se démenait. Aidée de Cordélia, elle dressait la table pour tout ce beau monde : des gâteaux, des fraises des champs, des confitures à la rhubarbe. La table était remplie, la joie et les rires étaient au rendez-vous.

Le regard courroucé de Gustave se promenait de sa mère à Jacques et aux meules de foin, qu'il voyait de la fenêtre. Juste avant la mort de son père, Jacques était venu demander son héritage du vivant de ses parents et son père avait répondu : «La famille est pas finie d'élever pis ça prend de l'argent pour vous tenir aux études. Pis y a toujours les imprévus. Avec la terre, on est à la merci des sécheresses, des chenilles, de la grêle. Y faut tout prévoir. »

Finalement, devant l'insistance de sa mère, qui penchait en faveur de Jacques, son père lui avait remis une petite liasse de billets verts et, même si tout se passait dans son dos, des bribes de phrases étaient parvenues aux oreilles de Gustave, qui avait fait le sourd, mais avait tout enregistré dans sa tête.

Encore aujourd'hui, sa mère se fendait en dix pour Jacques ; le pauvre chéri vivait si loin de sa famille !

– Cordélia, va chercher des liqueurs froides au petit magasin.

Cordélia ne dit rien. Elle préférait se taire. Les étrangers amenaient un peu de distraction dans son quotidien.

Gustave se murait dans son silence et lentement formait son caractère bourru qui, peu à peu, était devenu une défense contre les siens, jusqu'à ce qu'il en vienne à bouder perpétuellement. Des années plus tard, Gustave, jaloux de ses frères, en voulait encore au monde entier.

Avec les années, Augustine, qui ne savait pas lire, avait dû laisser à Gustave le soin de gérer les revenus de la ferme. À son tour, Gustave commandait Gilbert comme on commande une bête de somme, comme on l'avait lui-même initié dans le temps.

Gilbert, de six ans son cadet, était un garçon au caractère souple, conciliant, moins robuste que Gustave, et ce dernier savait en tirer profit.

Gustave et son frère Gilbert, âgés respectivement de trente et un et vingt-cinq ans, seraient les héritiers d'une belle ferme ancestrale, située sur le rang La Plaine, un bien qu'ils avaient su faire fructifier et dont Gustave aurait dû être fier.

\* \* \*

C'était la mouvance, le sommet des guérets apparaissait dans les champs et les bourgeons éclataient. Ça sentait bon le renouveau.

Augustine étirait le cou à la fenêtre. Gustave s'engageait sur la montée Mathieu, un chemin de sable sur le sol plat qui longeait leur terre sur toute sa longueur et qui menait à la grange d'en haut. Il devait marcher un mille pour s'y rendre. Il s'en allait, la casquette sur les yeux, une burette de mécanicien à la main, jusqu'au bout de la terre où il ouvrit toutes grandes les portes de la grange d'en haut, permettant ainsi au chaud soleil d'entrer. C'était le temps pour les fermiers d'huiler les engrenages des machines agricoles. Gustave commença par une minutieuse inspection des rouages. En quelques minutes, il réussit à déloger toutes les petites pierres qui se trouvaient coincées dans l'engrenage. Il graissa la herse à roulettes et la semeuse à différents endroits, ce qui était l'affaire de quelques minutes seulement. Son job terminé, il essuya ses mains sur sa salopette et s'assit, libre de réfléchir sans la présence de Cordélia et de sa mère, qui ne pensait qu'à le marier. Une heure plus tard, il ferma les grandes portes, posa la barre transversale et revint chez lui.

À la maison, les femmes surveillaient les portes de la grange d'en haut. Il fallait voir à ce que le repas soit sur la table dès l'arrivée de Gustave, sinon, celui-ci grognait et allait jusqu'à malmener tout ce qui lui tombait sous la main. Gustave n'endurait rien ni personne qui se mettait en travers de ses attentes.

La vieille Augustine allait et venait à petits pas pressés dans la cuisine. Elle déposa sur le tapis ciré quatre couverts, le beurre, le pain, le lait.

— Cordélia, dépêche-toé de réchauffer la fricassée de bœuf, les portes de la grange d'en haut sont fermées.

— Pas besoin de s'énarver le poil des jambes. On n'est pas payé pour servir monsieur.

— Tu vas pas commencer à rouspéter, toé itou? J'aimerais ben ça avoir la paix, ici-dedans.

Cordélia continua:

— Que Ti-Gus aille au diable! Je vois pas pourquoi y faudrait se mettre à genoux devant lui. Y nous aimera pas plus pour ça.

— T'aimes ça avoir la guerre dans la maison, hein?

Cordélia s'amusait aux dépens de Gustave.

— Faut ben que je l'agace un peu; c'est plate à mort dans cette maison! De toute façon, y est toujours de mauvaise humeur. Pis faites-vous-en pas, le temps de descendre, Gus sera pas icitte avant quinze ou vingt minutes.

\* \* \*

Après avoir savonné ses mains au gros savon du pays, Gustave mangeait sa fricassée en silence. Il mastiquait lentement, comme un bœuf qui mâchouille son herbe avant de l'avaler. Que pouvait-il bien ruminer? À l'aide d'un morceau de pain, il torchait les dernières gouttes de jus dans son assiette qu'il renversa ensuite pour recevoir son dessert, une compote de pommes.

Après le repas, Gustave ouvrit le tiroir de la table, en retira un crayon et un carnet retenus par un élastique et se mit à calculer. Depuis quelque temps, il projetait d'agrandir ses champs de céréales et, des heures durant, il comptait le coût des semailles et des moissons prévues, ce qui l'obligerait à faire des labours de printemps.

Gustave quitta la maison et se dirigea vers le garage Champoux, qui se trouvait tout près. Ces visites régulières intriguaient sa mère.

— Je me demande ce que Gustave va faire au garage de Champoux, lui qui désserre pas les dents à la maison. Champoux doit ben parler seul. Va donc écouter, sans te faire voir, Cordélia.

— Moé, aller écornifler aux portes? s'écria Cordélia. Jamais!

— C'est bon, c'est bon! Pas besoin de lever le ton. Pourvu que Gustave aille pas raconter aux voisins tout ce qui se passe à la maison.

— Avez-vous quelque chose à cacher?

— Oui, notre vie privée. Nous avons une famille de prêtres et un honneur à préserver.

— Notre vie privée intéresse personne.

Dès que Gustave fut sorti de la maison, Cordélia, toujours de mèche avec Gilbert, se rua vers le tiroir, curieuse de voir ce que tramait Gustave.

\* \* \*

Le lendemain, comme Gustave sortait les papiers et les crayons du tiroir, Gilbert s'approcha en douce et lut par-dessus son épaule. Gustave, qui n'endurait rien, lui jeta un regard menaçant.

— Toé, décolle de dans mon dos.

Gilbert recula de deux pas.

— Roussette a vêlé avant-midi, dit-il. C'est un petit bœuf.

— Qu'est-ce que t'en as fait ?

— Rien ! Je l'ai laissé accroché au pis de Roussette.

— C'est ben toé, ça, grand tarlais ! Y fallait le mener dans le parc à veaux. Tu comprendras ben jamais !

— Ça me tentait pas de les séparer. Roussette arrêtait pas de lécher son veau. J'y ai donné un peu d'ensilage pis de la moulée laitière.

— Marche le mettre dans le parc à veaux tout de suite. Pis après, tu rentreras les génisses dans l'étable.

— Vas-y toé-même. T'es pas mon père pour me donner des ordres, Gus Branchaud. Pis cette année, compte pas sur mon aide. J'ai fini de travailler gratuitement pour te remplir les poches. À vingt-cinq ans, y est grand temps que je fasse autre chose de ma vie que de te servir.

Gustave se retourna en vitesse, empoigna Gilbert par un bras et le maintint vigoureusement de manière à ne pas l'échapper.

— Tu feras ce que je te dis. Icitte, t'es logé pis nourri pour rien. Monsieur est trop précieux, trop hautain pour travailler aux champs ?

— Ayoye ! Lâche-moé.

Augustine tenait ses fils à l'œil.

– Lâche-le tout de suite, Gustave, t'entends!

Mais Gustave n'en faisait qu'à sa tête. Il tordait le bras de son frère et celui-ci hurlait de douleur.

– C'est moé le maître icitte, dit Gustave. Rentre ça dans ta caboche.

Gilbert ne se défendait pas, il se tortillait comme un ver pour tenter de s'échapper. Il criait:

– Ayoye! Ayoye donc! Tu vas me casser le poignet.

Augustine, exaspérée, laissa tomber son tricot et quitta promptement sa berçante pour se porter au secours de Gilbert avant que la chicane ne tourne au drame. Elle connaissait Gustave. Une fois en colère, il pouvait aller jusqu'à briser le bras de son frère. Elle se plaça entre ses deux fils et les écarta.

– Arrêtez tout de suite de vous chamailler! On dirait une bataille de coqs. Attendez-vous que j'appelle les voisins à l'aide? Vous avez pas honte? Deux frères!

Gustave lâcha aussitôt prise, mais il se rassit en marmonnant des menaces.

Gilbert massait ses poignets endoloris.

– Vous voyez, m'man, moé, j'y ai rien fait. Avec lui, on n'a pas le droit de respirer. Moé, je décampe d'icitte, pis y s'arrangera avec sa ferme.

Augustine retourna à la berçante et Gilbert s'engagea dans l'escalier qui menait aux chambres.

Depuis belle lurette, Gilbert caressait le projet d'aller travailler au Colorado où des prospecteurs miniers s'étaient enrichis, mais, comme il n'avait pas d'argent pour payer son voyage, il le remettait toujours à plus tard.

En début de semaine, il avait reçu une lettre d'un cousin éloigné qu'il avait contacté dans le but d'aller le retrouver. Celui-ci acceptait de lui avancer la somme nécessaire à son périple, à la condition d'être remboursé dès qu'il recevrait une paie. Il lui avait même fourni l'itinéraire avec les distances et les relais routiers. Gilbert avait hésité un certain temps à quitter son coin de pays, mais, ce jour-là, sa décision fut formelle. Il n'acceptait plus de vivre sous la dictature de Gustave.

Gustave n'eut aucune réaction. Il laissait voir une indifférence empruntée, mais, en réalité, en perdant son frère, il perdait une aide précieuse. Gilbert ne serait plus là pour ensemencer les guérets nus, pour arracher la moutarde sauvage, nuisible aux cultures, pour récolter, engranger, bûcher le bois de cabane et le bois de chauffage. Et dire que cette année, il projetait d'agrandir ses champs d'avoine, d'orge et de blé.

Une fois la cuisine calmée, Augustine reprit son tricot. Elle se souvenait que, dix ans plus tôt, alors qu'elle attendait la majorité de Gustave pour lui signer d'un X une procuration, Hubert lui avait laissé en héritage une somme rondelette accumulée de génération en génération, ce qui lui permettrait de se passer des revenus de la culture. Elle avait mis sept ans à observer Gustave avant d'en arriver à lui laisser la responsabilité de la ferme. Gustave était économe et gérait les affaires rondement. Il avait maintenant à son actif deux maisons à revenus, le tout à son nom naturellement.

Augustine regrettait maintenant de ne pas avoir gardé la main haute sur son bien. Aujourd'hui, elle aurait eu son mot à dire dans l'administration des affaires et Gilbert ne serait pas obligé de s'exiler au bout du monde. Mais malheureusement, c'était un peu tard pour reculer. Gustave, coriace, était intraitable et, à son âge, Augustine n'avait plus la force de lutter, d'affronter ses colères pour remettre les choses au point et rendre justice à Gilbert.

Depuis le décès de son mari, Augustine supportait difficilement le mauvais caractère de Gustave, et quand ce n'était pas lui, c'était Cordélia. C'était devenu invivable dans la maison !

Sans lever les yeux de son tricot, la vieille Augustine proposa tout bonnement à Gustave :

– Si tu donnais un salaire à Gilbert, ce serait ben mérité pis ça l'encouragerait à rester sur la ferme. Cet arrangement vous avantagerait tous les deux.

– Mêlez-vous pas de ça, la mère.

– La ferme est à moé, Gustave. La terre est mon héritage en propre, pis c'est pas parce que tu t'en rends maître qu'elle t'appartient. Réfléchis un peu à ce que je viens de te dire.

Augustine sentait la colère gagner de nouveau Gustave.

– Je savais ben que l'histoire de la ferme reviendrait sur le tapis un jour ou l'autre, dit-il. Cette terre, c'est moé qui l'a nourrie pis qui l'a fait rapporter. Elle me revient de droit.

– Monte pas sur tes grands chevaux, Gustave. Ton frère a l'âge de se marier pis y a pas encore une cenne de côté, quand toé, t'entasses tout notre argent pour t'acheter une troisième maison à revenus. Je te vois aller, tu sais.

– C'est toujours moé qu'a fait rapporter la terre. Moé itou, je peux partir d'icitte n'importe quand, si c'est ça que vous cherchez. Depuis l'âge de quatorze ans, je travaille comme un fou, pis sans salaire.

– Sans salaire! Avec quel argent t'as acheté les deux maisons à logements? Tu voudrais un salaire par-dessus le marché? C'est ton frère qui aurait raison de se plaindre.

– Votre Gilbert est un bon à rien. Y est même pas capable de lever une poche de blé.

– Pourquoi y se forcerait? Gilbert est pas aveugle, y voit ben que tu profites de lui depuis dix-sept ans pis qu'y a aucun avenir icitte, à trimer du matin au soir pour enrichir son frère; chose que toé-même aurais jamais fait pour lui. Ton frère en a eu, de la patience.

– Si y est pas content, qu'y prenne ses cliques pis ses claques pis qu'y sacre son camp d'icitte! C'est pas moé qui va le retenir.

– Prends garde, Gustave! Je peux régler ça, ben raide, cette histoire de bien.

– Je le sais. Si vous pouviez y donner ma peau, vous le feriez.

Gustave lança un regard furieux à sa mère. Comme il la connaissait, elle devait avoir quelque chose derrière la tête.

– Ces jours-citte, je vais passer chez le notaire pour me faire conseiller, pis après, je déciderai de ce qui est le mieux pour Gilbert pis toé.

– Je vous avertis ben que je veux pas d'une moitié de terre ni de Gilbert Branchaud dans mes jambes.

— Tu sais, t'es pas seul au monde, Gustave. Y a toujours des acheteurs qui surveillent les terres à vendre. Je peux passer une annonce dans le journal.

Gustave asséna un violent coup de poing sur la table.

— Je crains pas vos menaces. Je peux partir d'icitte raide là, si c'est ça que vous voulez!

Augustine ne lâcha pas prise.

— Écoute-moé ben, Gustave. Depuis quinze ans, tu profites de ton frère pis tu le commandes durement, comme si y était ton esclave, pis aujourd'hui, tu voudrais que je le laisse sans le sou? Non! Si tu savais comme je m'en fais pour lui! Pis pour toé aussi, mon gars. Avant le grand départ, je voudrais vous voir tous casés parce que je partirais pas tranquille si je savais un des miens dans la misère. Ça fait combien de fois, Gustave, que je te conseille de te marier? Comme j'arrête pas de vieillir, un jour, tu vas te retrouver sans femme pour tenir maison, pis compte pas trop sur l'aide de Cordélia. Elle aussi brûle d'envie de partir.

Augustine sentait qu'elle parlait dans le vide, mais elle n'abdiqua pas. Le mieux pour Gustave était de se trouver une bonne épouse qui le seconderait. Elle qui espérait tant qu'une femme amoureuse adoucisse son caractère exécrable, mais non, cette fois encore, il se fermait comme une huître.

Pour Gustave, c'était chaque chose en son temps, et tant que sa mère et sa sœur Cordélia préparaient ses repas et entretenaient ses vêtements, il n'avait besoin de personne d'autre et il ne changerait rien à sa routine. Pourquoi en serait-il autrement? Il commandait, exigeait et tous les siens rampaient à ses pieds. Cependant, en son for intérieur, cette histoire de notaire dont parlait sa mère le tracassait sérieusement.

Comme toujours, Cordélia ne put se retenir d'ajouter son grain de sel. Elle passa un torchon humide sur la table en fusillant Gustave du regard.

— Vous savez ben, m'man, qu'y a pas une femme qui va vouloir de lui avec son caractère de chien enragé.

— Toé, Cordélia, attise pas le feu. J'en ai plus qu'assez de vos chamailleries.

Gustave se leva.

— Tu t'en vas encore chez Champoux ? Je me demande ce que t'as tant à y raconter. Icitte, t'es muet comme une carpe ; tu m'adresses même pas un mot.

— Vous avez vos instruits pour parler.

Gustave sortit en faisant claquer la porte à tour de bras. La porte était toujours son échappatoire quand il ne voulait pas parler. Il se dirigea vers le garage. Il y passait presque chaque jour une heure ou deux. Gilbert avait raconté que, parfois, Gustave aidait Champoux dans son travail.

Sa mère le regarda aller par la fenêtre de côté. Il prenait le chemin les yeux à terre. Augustine détestait voir son fils malheureux. Elle l'aimait et elle ne voulait que son bien, mais ne savait pas par quel côté le prendre. Elle l'avait élevé à la dure. Gustave n'avait pas appris à s'amuser, à rire et tout ça, parce qu'elle ne lui en avait pas laissé le temps. Tout jeune, il croulait sous les responsabilités. Maintenant, elle avait beau regretter, tenter de se rattraper, c'était trop tard pour les remords. Le caractère introverti de Gustave était rigide, inchangeable, comme coulé dans le béton.

Augustine n'en pouvait plus des querelles et des obstinations. Quand aurait-elle un peu de repos? Et Gilbert qui piétinait en haut. Elle l'entendait s'affairer; il devait préparer son départ.

— Cordélia, mets la marmite de soupe dans la dépense pis va jeter l'eau de vaisselle au bout du perron.

Cordélia laissa échapper un long soupir, comme si on lui demandait la lune.

— Moé itou, je veux m'en aller, comme Gilbert. À trente ans, j'ai ben l'âge!

— Pour avoir l'âge, t'as ben raison. Mais où veux-tu aller? Pas à Montréal, toujours? La ville est un endroit de perdition.

— N'importe où! Avec deux frères curés, pis un autre vicaire, y en a sûrement un qui me prendra à son service. Pour une fois, j'aurais un salaire, un salaire à moé tout'seule. J'ai jamais connu ça.

— Tu risques de frapper un nœud, Cordélia, chacun d'eux a déjà sa servante.

— Ben y la mettront à la porte. Pis si les deux refusent, y auront ma façon de penser. J'ai fait assez de sacrifices pour eux autres! Les revenus de la terre ont toujours passé pour leurs études quand moé j'étais rien de plus qu'un torchon. Vous m'avez jamais acheté une robe neuve, je devais tout le temps porter celles de Fernande, et ça, huit ans après. Des robes démodées, usées à la corde. Vous vous rappelez, chaque fois que je demandais quelque chose, vous me répondiez: «On n'a pas d'argent, y a le collège des garçons à payer.» Pas d'argent! Je l'ai t'y entendue celle-là! Et pourtant, pour les garçons, y en manquait jamais.

— C'est vrai que t'as pas été gâtée. Que veux-tu? Dans le temps, on n'était pas argenté! Et pis, tu voulais des robes neuves. Pour quoi faire, pour traire les vaches? En campagne, personne nous voit.

— Les autres filles en avaient, elles! Prenez Solange Therrien, par exemple, pis Rose Robitaille, ces filles-là étaient toujours habillées comme des gens de la haute gomme.

— Peut-être, mais les Therrien pis les Robitaille ont pas de prêtres dans leur famille. Des prêtres, c'est pas rien, Cordélia, c'est des vies consacrées au bon Dieu. Pis penses-tu qu'on avait le choix? Y fallait payer les études, un point c'est tout.

— Et à chaque visite, étendre la belle nappe brodée au Richelieu? Pis sortir la vaisselle à bordure d'argent? Pis tuer le veau gras, comme dans le grand monde? Tout ça pour vos prêtres chéris, quand y nous amenaient pas des confrères en plus. Pis moé, dans ce temps-là, j'étais étriquée comme la chienne à Jacques; j'avais l'air d'une dinde. Demandez-vous pas pourquoi les gars de la place me regardaient toujours de travers.

— Moé, je pense que c'est plutôt à cause de ton mauvais caractère. T'es jamais de bonne humeur, Cordélia. T'es comme Gustave, vous êtes pas approchables. Regarde ta sœur Fernande, qui est toujours joyeuse, elle a trouvé à se marier, elle.

– Ben sûr ! Fernande a su prendre les grands moyens, comme fêter Pâques avant le carême.

La vieille sursauta et échappa une maille à son tricot.

– Tais-toé, Cordélia !

Augustine, qui croyait cette histoire étouffée depuis belle lurette, était étonnée d'apprendre que Cordélia savait tout depuis le début. À la grossesse de Fernande, Cordélia n'avait pourtant que treize ans. Elle lui roula de gros yeux.

– Regardez-moé pas avec des yeux de même, j'ai juste dit la vérité. Je m'en rappelle, vous savez. Fernande pis moé, on a juste quatre ans de différence.

– Tais-toé, je te dis !

– Vous avez pas à vous énerver avec ça. Y a pas une famille qui a pas une fille-mère.

– Les autres, c'est les autres ! Je me demande ce que t'en sais ! Je veux pus jamais t'entendre parler de cette histoire, jamais ! Tu m'entends ?

Augustine parlait d'un ton très catégorique, mais, à son âge, Cordélia était devenue trop dure pour plier.

– On sait ben ! Si c'était moé, vous m'auriez mise à la porte drette là.

Augustine, mécontente, serra les dents et Cordélia, plantée devant la fenêtre, continua ses jérémiades.

– C'est votre faute si j'ai jamais existé pour personne ici-dedans, sauf pour torcher tout le monde. J'ai jamais vu la couleur d'une cenne. Une fille, pour vous, c'est de la petite merde ! Après tout ça, que je voie un de mes frères me refuser un job de servante ! À soir, je vais leur écrire pis on verra ben qui va l'emporter.

Augustine ne réussissait pas à remonter la maille échappée à son talon de bas. Toutes ses pensées, comme son tricot, étaient démaillées et elle arrivait difficilement à mijoter le nouveau projet qui occupait toutes ses pensées ces derniers temps.

Cordélia se planta devant la porte, les bras croisés sur sa poitrine comme pour ruminer en paix un reste de rancœur. Elle fixait la voie ferrée qui courait devant la maison. Quelque chose bougeait au loin. Pourtant, ce n'était pas l'heure du train. La chose approchait, sans doute une draisine, ce petit véhicule qui surveillait la voie ferrée. Plus près, la chose prit une forme humaine. Ce devait être un vagabond qui marchait sur les rails luisants ; les mendiants avaient l'habitude de se déplacer de paroisse en paroisse par la voie ferrée.

Cordélia plissa les yeux. La curiosité lui faisait oublier sa rancune.

— Venez donc voir, m'man, dit-elle. On dirait un quêteux qui vient par la *track* des chars. Non ! Ç'a plutôt l'air d'être une quêteuse, elle porte une robe qui descend jusqu'aux chevilles.

La vagabonde approchait. Elle portait un manteau brun foncé coupé aux genoux et de grosses bottines noires. Elle était laide avec sa tignasse échevelée qui s'échappait de sa casquette ; on aurait dit une femme avec un visage d'homme. Elle tenait à la main un grand sac en jute qui tapait contre sa hanche.

À son tour, Augustine, curieuse, étira le cou.

— Qui ça peut ben être ?

– Je me l'demande ben. J'ai jamais vu c'te quêteuse-là par icitte.

La vagabonde contourna la station pour prendre la montée Mathieu. La petite gare était située de biais avec la maison des Branchaud.

Gilbert descendait l'escalier. Augustine s'informa :

– As-tu vu venir une quêteuse sur la *track* des chars, tantôt ?

– Oui. C'est la Cabelote.

– Encore elle ? J'aurais dû y penser. Ma foi, elle est comme les outardes, elle revient tous les printemps.

La Cabelote était une vagabonde d'apparence dégoûtante, moitié homme, moitié femme, qui ne parlait jamais d'elle ni de son passé mystérieux.

– J'me demande quand même où elle passe tous ses hivers.

– Certains disent qu'à l'automne, elle voyage sur le toit d'un wagon pour pas avoir à payer un billet de train. Le chef de gare prétend qu'elle va vers le sud. Y a toujours fermé les yeux là-dessus parce qu'y en avait pitié. Moé, je sais seulement qu'elle passe ses étés chez les Aubry. Ces gens y ont permis de vivre dans une espèce d'abri qui avait déjà servi de toit à des oies. Elle est faite de rondins pis la tôle du toit est toute rouillée. Comme la cabane est située près du ruisseau, la Cabelote vit un peu éloignée de leur maison. Elle fréquente un quêteux, l'Assassin. Lui aussi a sa cabane, mais complètement à l'autre bout de la paroisse. Je me demande ben ce qui y trouve, elle a rien d'attirant.

– Elle a un chum? s'étonnait Cordélia. C'est ben vrai que chaque guenille trouve son torchon.

On surnommait le quêteux l'Assassin parce qu'il avait servi à la guerre. Quand il couchait dans les maisons, la nuit, il faisait des cauchemars et criait comme au front. Il réveillait la maisonnée au complet. Tout le monde lui refusait le gîte parce que les enfants en avaient peur. Une seule femme le recevait chez elle. C'était la Cabelote.

– L'Assassin? Ce serait pas Roméo Quintal, ça?

– Je sais pas. J'ai jamais su son vrai nom.

– C'est un quêteux plutôt agréable qui s'arrête à toutes les portes. On dit même qu'y guérit des gens. Je sais qu'y arrête le sang. Y en a sauvé plus d'un dans la paroisse. Malheureusement, on le voit jamais à l'église.

– Le fait qu'y s'arrête souvent chez la Cabelote, ça fait jaser au village. Y en a même qui en sont venus à la conclusion qu'y font des choses pas permises, mais personne en détient la preuve.

Gilbert se mit à raconter:

– Un soir – dans le temps, on devait avoir une quinzaine d'années –, Villeneuve pis moé, on avait suivi la Cabelote jusque chez elle, pis on avait été écornifler à sa cabane par les craques des murs. En dedans, le fanal était allumé sur la table. L'Assassin y disait: «Désolé, ma bonne dame, de vous avoir réveillée.» La Cabelote y répondait: «Vous pouvez déposer votre ballot dans le coin.»

La bonne femme avait l'air de préparer un thé sur un petit poêle à charbon pendant que l'Assassin comptait ses sous. On a jamais su combien y avait amassé. Y parlait trop bas. Pis avec le vent qui bougeait les arbres, je comprenais à peu près rien. De l'autre côté de la cabane, Villeneuve, lui, entendait mieux. Y m'a raconté que le quêteux y disait :

« Pourquoi vivez-vous ainsi, sans toit ?

— Parce que le chemin, c'est la liberté, qu'elle avait répondu, pis quand le chemin nous appartient, c'est la vie qui nous appartient. Vous savez ce que c'est. Dans le fond, on se ressemble un peu tous les deux.

— Mais vous, vous êtes une femme, dit-il. La vie est plus dure sur les grands chemins pour une femme.

— Y faut ben manger, mais là, les écureuils me volent mes noix.

— Vous pensez repartir ?

— Un jour, oui ! Tout le monde part un jour.

— Où vous passez vos hivers ?

— À la ville, chez mon frère qui est un ivrogne.

— Pourquoi vous restez pas par icitte ?

— Icitte, la cabane est ben trop froide. Regardez, on voit le jour entre les rondins. Là-bas, je passe mon temps encabanée avec Pit, qu'est ben dur à supporter. Ça m'arrive rarement de quêter. Là-bas, c'est pas nécessaire. Pit pis moé, on vit de la charité des gens. Y appelle ça la charité publique. Aussitôt que revient le printemps, je prends le train pour icitte. Mais là, y a pus rien à manger ; les écureuils m'ont volé toutes mes noix de l'été passé. De temps en temps, je cueille des fraises des champs, mais ça lâche les intestins, ces petits fruits-là. Des fois, je suis obligée de quêter de la viande aux gens pour pas mourir de faim. »

Tout en parlant, l'Assassin urinait dans une canne de tomates, ajouta-t-il.

Gilbert voyait le regard de sa mère chargé de reproches. Celle-ci en voulait à son garçon d'avoir exposé son âme à des scènes scandaleuses, mais, depuis quelques années, ses remontrances ne l'atteignaient plus, son indépendance prenait l'avantage sur sa mère.

— T'avais pas affaire à aller te fourrer le nez chez ces gens. Leur vie privée te regarde pas. Si j'avais su que tu te conduisais de même, je t'aurais défendu de sortir.

Gilbert sourit. La seule façon de rendre le reproche anodin était d'en rire. Il ajouta :

— Les scrupules, toujours les scrupules, hein, m'man !

Et il continua de raconter :

— L'Assassin a lancé sa pisse dehors, juste à côté de Villeneuve, pis ensuite y est rentré sans même rincer sa canne de conserve, pis y a demandé à la Cabelote : « Si on se mariait, vous pis moé ? Je suis tout seul pis vous itou. À deux, notre sort serait plus supportable. »

— Se marier ? l'interrompit Cordélia. Des quêteux ?

Cordélia était tout aussi intéressée que lorsqu'elle était plus jeune, alors qu'on lui racontait la belle histoire du Petit Chaperon rouge.

— L'Assassin y a demandé ça ? Pis la Cabelote a-t-y dit oui ?

— Elle a pas répondu à sa question. Elle a dit : « Je vais étendre des collets, si on prend un lièvre, on aura de quoi bouffer pour deux jours. »

— Si y vont pas à l'église, dit Cordélia, sceptique, y peuvent pas se marier.

— Je pense que la Cabelote se lave pas. Elle traîne une odeur derrière elle, pis sa maison pue, même du dehors.

Cordélia grimaça.

— En plus d'être laide, elle pue! Elle a rien à son avantage.

La vieille Augustine respectait les pauvres. Elle tentait de comprendre ce qui avait amené la Cabelote à en être réduite à une pareille vie de misère.

— C'est une pauvre femme qui doit pas l'avoir eu facile.

— Une autre fois, continua Gilbert, on avait été écouter à sa porte, mais je pense qu'y nous ont entendus parce que, comme un ressort, y se sont levés tous les deux en même temps. Villeneuve pis moé, on a eu la frousse de notre vie. On a déguerpi en vitesse. Rendus à la station, on tremblait encore.

— Toé, mon garçon, t'as fait ça? Si j'avais su…

À son âge, Gilbert prenait les reproches de sa mère à la blague.

— C'est pour ça que je vous en parlais pas, dit-il, amusé.

\* \* \*

Au lendemain de sa querelle avec son frère, qui l'avait traité de précieux et de hautain, Gilbert mangea en silence. Il sentait sa mère contrariée par son départ. Quand Augustine était irritée, sa fourchette piquait à petits coups secs le fond de son assiette.

— Maudite ruée vers l'or! Si tu penses aller faire la piastre là-bas, tu peux être ben déçu. J'ai pour mon dire

que si c'était si payant, tout le monde serait là, pis y aurait
pu personne par icitte.

— Y faut y aller pour le savoir.

— Tu vas me faire mourir, mon gars. Le Colorado, c'est
le bout du monde ça, hein?

— Faites-vous-en pas pour moé, m'man, je saurai ben
me débrouiller.

— Pas m'en faire! Comme si je pouvais! Tu t'en vas
dans un coin inconnu, peut-être à la merci des lions,
des tigres, des serpents pis des moustiques aux piqûres
mortelles, pis t'es là qui me dis de pas m'en faire!

— Qui vous a raconté ces sornettes?

— Quelqu'un! Je me rappelle pas trop qui.

— Je serai pas le premier, y a plein de gens d'icitte qui
sont rendus par là. Pis si le cousin Rosario y est arrivé,
pourquoi j'y arriverais pas, moé itou?

— Tu pourrais pas te trouver de l'ouvrage dans le coin?

— Non, je veux m'enrichir.

— Tu vois trop grand, Gilbert. Si tu penses de faire le
motton là-bas, j'ai ben peur que tu sois déçu.

Son idée faite, Gilbert n'en démordait pas.

Augustine se plaça en retrait de l'escalier, de manière
à ne pas être vue de Cordélia, qui s'affairait au souper,
et elle fit signe à Gilbert de s'approcher. Elle déposa un
petit rouleau d'argent dans sa main et lui dit sur le ton du
secret:

— Prends ça pour payer ton voyage. Y t'en restera un
peu, tu le ménageras au cas où tu serais mal pris. Pis là,
oublie pas d'écrire dès que tu seras rendu là-bas.

– Merci, m'man. Je vous remettrai ça dès que j'aurai une paie.

– Promets-moé que tu vas continuer d'aller à la messe tous les dimanches, pis que tu vas te conduire en bon chrétien.

– Ben oui, m'man !

– Si tu te trouves mal pris, écris-moé pis je te paierai un billet de retour, mais demande-moé z'en pas plus.

Gilbert enfouit les billets dans sa poche et saisit un gros paquet de vêtements solidement ficelé qu'il jucha sur son dos. Il ressemblait à un coureur des bois.

Il s'assit près de la porte. Comme le train ne passait qu'entre chien et loup, il lui restait une bonne heure. Dans l'attente, il ramassait tous ses bons souvenirs et les entassait dans un coin de sa mémoire pour les amener au loin, puis il chassait les mauvais qu'il laissait derrière.

Assise dans la berçante, sa mère ne cessait de l'observer.

– Vas-tu revenir avant ma fin ? demanda-t-elle, la mort dans l'âme.

– Si vous voulez m'attendre, oui !

– Je vais dire mon chapelet pour toé tous les soirs pour que tu reviennes par icitte.

Puis elle ajouta :

– Tu diras au cousin Rosario que j'y en veux de m'arracher mon garçon. Pis asteure que le mal est fait, dis-y aussi de prendre ben soin de toé.

– Inquiétez-vous pas tant, m'man ! Je suis pus un enfant.

# VII

On entendait le sifflet plaintif du train au loin.

La maison et les vitres tremblaient comme chaque fois que le train approchait. Gilbert bondit sur ses pieds, embrassa sa mère et sa sœur Cordélia et sortit, pressé.

Les deux femmes, appuyées au chambranle de la porte, le regardaient traverser le chemin en courant pour se retrouver sur le quai de bois.

À la clarté du jour, un homme arrêta le train en brandissant un drapeau rouge.

Augustine suivit son fils du regard jusqu'à ce qu'il monte dans un wagon. Le cœur en compote, elle retourna à sa berçante et, l'air absent, elle se berça au même rythme que la pendule. Gilbert était parti pour le bout du monde et Gustave n'était même pas venu le saluer. Maintenant, de ses huit enfants, il ne restait plus sur la ferme que Cordélia et Gustave.

Augustine, le cœur en bouillie, ralentit le va-et-vient de sa chaise berçante. « Si mon Hubert était là, se dit-elle, les choses se passeraient autrement. Gilbert irait pas s'exiler au Colorado. »

Hubert avait laissé Augustine veuve à quarante-six ans, alors que Gilbert, son dernier, n'avait que onze ans. Depuis son décès, il en avait coulé de l'eau sous les ponts. Sa vie n'avait pas été de tout repos. Durant ses premières années de veuvage, les enfants étaient un peu jeunes pour aider et Augustine avait dû trimer du matin au soir sur la ferme. Heureusement, elle avait toujours joui d'une santé de fer. Aujourd'hui, ses enfants étaient presque tous partis de la maison ; trois étaient prêtres, Fernande élevait sa famille à la ville, Antoine était marié et installé sur une ferme et voilà que son Gilbert s'exilait au Colorado. Pour combien de temps ? Allez savoir ! Et si Gilbert allait s'éprendre d'une fille de là-bas, elle le perdrait pour de bon. Son fils reviendrait-il un jour ? Le reverrait-elle avant de mourir ?

\* \* \*

Les jours passèrent et le nœud dans sa gorge se dénoua lentement. Il était maintenant grand temps pour Augustine de penser à elle. Chaque fois qu'elle parlait à Gustave de prendre femme, celui-ci se fâchait, jusqu'à ce qu'un jour Augustine décide qu'elle en avait assez parlé et qu'il était temps pour elle d'agir.

Elle décida de mettre Cordélia dans le coup.

— Asteure que Gilbert est parti, dit-elle, pis que Gustave est à s'occuper dehors, je vais te confier un secret, Cordélia.

— Un secret ? À moé ? Jamais personne m'a confié un secret. J'ai ben hâte d'entendre ça !

— Demain, on va monter au village nous trouver un logement. Si on laisse Gustave seul, y sera ben obligé de se trouver une femme. Toutefois, je tiens à ce que tu gardes ça entre nous, même si tu te mets en colère contre lui. Je te connais, va! Ton frère doit rien savoir avant notre départ, sinon y va nous en faire voir de toutes les couleurs. En retour de ton silence, je t'achèterai des vêtements neufs. Au village, c'est pas comme en campagne. Y faut un certain orgueil parce qu'on va côtoyer beaucoup de monde.

— Au village? Nous deux? Vous aviez beau en parler, promettre, je pensais que ça viendrait jamais.

Cordélia jubilait. Ce projet bien réel d'aller demeurer au village lui donnait des ailes.

— Craignez pas, m'man, je saurai tenir ma langue, mais elle va me démanger, c'est ben certain.

Augustine devint silencieuse. Depuis longtemps, elle mijotait ce projet de partir. Pourtant, quitter la ferme où elle avait passé plus d'un demi-siècle et la maison qui avait vu naître ses onze enfants, dont trois étaient décédés en bas âge, n'était pas sans la secouer un peu.

— Vous allez pas changer d'idée, m'man?

— Mais non, mais non! C'est que je trouve ça ben de valeur pour Gustave. C'est quand même mon garçon.

— Vous savez quoi, m'man? Je promets une neuvaine de messes pour que notre projet se réalise. Je la ferai une fois rendue au village.

— Ça, ma fille, c'est une bonne idée! Écoute, Cordélia, comme on vit dans la même maison, ce sera pas facile de préparer notre départ sans que ton frère s'en aperçoive.

À partir de ce jour, dès que Gustave disparaissait à la grange ou aux champs, les deux femmes remplissaient des boîtes de carton et les entassaient derrière la porte de la chambre du bas où Gustave ne mettait jamais les pieds.

* * *

Comme Augustine finissait son roupillon, elle vit Cordélia placer délicatement la belle vaisselle à filet d'argent dans les boîtes.

— Pas la vaisselle neuve, Cordélia. Si jamais Gustave se trouve une femme, elle en aura besoin. Y sera pas dit que je laisse mon garçon comme un pauvret.

Cordélia poussa la boîte derrière la porte du salon et n'en parla plus.

— Et les meubles, on les apporte tous?

— Non! On va pas vider la maison. Là-bas, je veux du neuf, rien que du neuf, même les prélarts pis les rideaux.

— Vous allez laisser à une pure étrangère les beaux bureaux de chambre à dessus de marbre, pis le long buffet qui vient de nos ancêtres?

— Quand ton frère sera marié, sa femme sera pus une étrangère, pis ses enfants seront mes petits-enfants.

Cordélia, incrédule, dévisagea sa mère, comme si elle la voyait pour la première fois. Elle ignorait que, côté monétaire, sa mère était très à l'aise.

— Tout? Vous êtes sérieuse, m'man? Ça va coûter cher, du beau neuf.

— Les Branchaud avaient le don de faire fructifier l'argent et, à la mort de ton père, en plus de me léguer la ferme, ton père m'a laissé une somme rondelette. Ç'a été toute une surprise pour moé qui ai toujours été tenue à l'écart de ses affaires.

– Je savais pas ça! Y a-t-y encore ben des affaires de même que je sais pas?

– Mon argent, je l'apporterai pas en terre.

– Vous avez ben raison, m'man! Rendue au village, je vais faire des ménages pour vous aider à joindre les deux boutes.

– Non, Cordélia, à moins que... t'as pas parlé de t'engager comme servante de curé chez un de tes frères, toé? Si je partais, je te saurais en sécurité chez l'un ou l'autre de mes fils.

– Oui, mais pas tout de suite. Avant, j'ai besoin d'une robe convenable pour faire la neuvaine de messes que j'ai promise, pis je la veux surtout pas noire, je suis pas une veuve.

\* \* \*

Le dimanche, Augustine lissa ses cheveux gris et les attacha en toque serrée. Elle garda son gilet de laine, gilet qu'elle portait à l'année, même aux grandes chaleurs d'été. Après la messe, elle se rendit au magasin général acheter une pièce de tissu.

– Ça m'en prend trois verges.

La marchande mesura.

– Y en a seulement deux et demie.

– C'est pas assez.

– Imaginez-vous qu'y en a trois.

Comme la marchande emballait le tissu, la vieille, pas plus bête, ajouta:

– Pis vous, imaginez-vous que je l'ai payée.

La vendeuse, insultée, plia la retaille et la replaça sur la tablette. Augustine s'intéressa à un autre tissu.

De retour chez elle, Augustine étendit sur la table les trois verges de mousseline qu'elle avait dénichées plus tôt et plaça un patron de robe dessus. Elle le tourna dans les deux sens en prenant soin de respecter le fil du tissu. Ensuite, elle déposa dessus un patron de taille douze ans. Ce serait une petite robe marine à col blanc ouvert en pointe, à manches courtes et à jupe plissée bordées d'un étroit liséré blanc.

La vieille Augustine retenait une rangée d'épingles à tête entre ses lèvres puis retirait une à une les petites tiges de métal pour fixer le papier de soie sur le tissu. Ce travail délicat terminé, elle tailla le vêtement en suivant scrupuleusement le contour du patron.

Sa robe taillée, Augustine ouvrit la machine à coudre et hop ! Une tape sur la roue et elle se mit à pédaler.

Sur ces entrefaites, Gustave entra. Il n'avait pas posé un pied sur le pas de la porte qu'il regardait sa mère d'un air rageur.

— Encore une fois, le dîner est pas prêt, pis la table est pleine de guenilles.

Sa mère lui jeta un regard de travers et continua sa couture droite sur les bandes de tissu qui serviraient au plissé de la jupe.

Gustave bouillait.

— Je vous ai répété cent fois de surveiller les portes de la grange d'en haut. Vous comprenez rien ?

— Tu sauras, mon garçon, que t'es pas seul dans cette maison, les autres aussi ont le droit de vivre, pis icitte, on vit pas seulement en regard d'une porte de grange. Assieds-toé là un moment, un peu de repos te calmera les esprits, pis nous autres, ça nous laissera un peu de temps.

Gustave marmonna quelque chose d'incompréhensible et la mère se remit à sa couture.

— J'ai faim pis y a l'ouvrage qui m'attend.

— Quand on essaie de tout gouverner dans une maison, c'est le temps de prendre femme. Penses-y un peu, à trente et un an, y serait grand temps que tu te maries.

Gustave sortit en claquant la porte. En dedans, les femmes continuaient de déblatérer et, tout en parlant, Cordélia ramassait les retailles de tissu qu'elle mettait de côté pour confectionner des courtepointes – il fallait ne rien jeter.

— Vous savez ben, m'man, qu'y a pas une fille qui va endurer son sale caractère.

— Peut-être une femme arrivera-t-elle à réussir ce que j'ai pas su faire.

— Vous avez toujours été trop bonne avec lui.

— Que veux-tu? C'est mon gars, pis y l'a pas toujours eu facile.

\* \* \*

Augustine et Cordélia se rendirent au village, où grouillait tout un monde de commères.

Cordélia était presque belle dans sa robe neuve.

Augustine s'informa à gauche et à droite à savoir s'il n'y avait pas une maison à louer. La Courcelles, la femme du forgeron, lui désigna celle de mademoiselle Leclerc, une jolie maisonnette à cent pas de l'église.

— La Cabelote raconte que la Leclerc s'en va rester chez sa sœur dans le trécarré, dit-elle.

— Où elle a appris ça, la Cabelote, elle qui parle à personne ? s'informa Augustine.

— Je sais pas, répondit la femme du forgeron. Ça vient peut-être de l'Assassin. Cette vagabonde est partout, elle sait tout, encore plus que les gens de la place.

— Elle a pas besoin de parler, intervint Cordélia. Y s'agit juste qu'elle sache écouter.

— Elle dit que la maison de la Leclerc est pas à louer, qu'elle est à vendre.

— Si on allait passer devant, proposa Augustine. On verrait ce qu'elle a l'air.

— Si jamais vous achetez, madame Branchaud, ajouta la Courcelles, je veux être la première à être au courant. Après tout, c'est moé qui l'aurai trouvée pour vous.

— Comme de raison.

Cordélia monta dans la voiture, s'assit près de sa mère et commanda Fanette.

Devant l'église, un homme les salua en soulevant son chapeau.

— Vous répondez pas, m'man ? Le monsieur vous a saluée.

— C'est toé qu'y a saluée, pas moé !

— Vous croyez ? Je le connais pas, pis je salue pas les inconnus.

— Tu le reconnais pas ? C'est le bedeau.

Du chemin, les femmes aperçurent une coquette maison jaune à fenêtres blanches et à pignons, à l'aspect soigné. Au fur et à mesure qu'elles approchaient, Augustine remarqua que la peinture extérieure s'écaillait à de rares endroits.

Elles entrèrent. Après une visite en règle, mère et fille étaient sous le charme. Cependant, Augustine restait prudente.

– On dit que la nuit porte conseil. Je vais attendre demain pour prendre une décision.

– Attendez pas trop, m'man, elle pourrait vous passer sous le nez.

– Une maison, c'est une grosse dépense, ça demande un temps de réflexion.

Cette nuit-là, Augustine ne put fermer l'œil avant l'aurore. Dans la nuit, tout est noir, même les pensées s'assombrissent, et Augustine hésitait à prendre sa décision. Au petit matin, elle s'endormit en rêvant de peindre toutes les pièces de la maison. Pour ce travail, Gilbert avait la main habile, mais il était rendu au diable vauvert. Et inutile de penser à Gustave, celui-là, tout lui était dû, et il ne rendait jamais service aux siens. Elle trouverait bien un homme à tout faire.

Le surlendemain, ses idées claires comme le lever du soleil, Augustine prit la décision d'acheter.

– À ben y penser, je pourrai pas trouver mieux. Tu vas m'accompagner chez le notaire Dumont. Je pourrais avoir besoin de toé là-bas.

– De moé?

– Oui, de toé. Je vais mettre la maison à ton nom.

Cordélia laissa échaper un cri de joie.

— À mon nom à moé! J'ai t'y ben compris?

— Tu croyais toujours pas que j'allais te laisser toute nue dans la rue?

— J'en aurais pas tant espéré. Vous pensez si je suis gâtée! Moé qu'a jamais rien eu en propre. Pis vu que j'aurai ma maison à moé, je veux pus aller travailler comme servante de curé.

Cordélia promit à sa mère de passer toutes les pièces intérieures de sa nouvelle maison au lait de chaux.

Peu à peu, Cordélia changeait. Elle était presque jolie dans sa robe neuve qui démarquait sa taille fine. Une abondante chevelure bouclée s'échappait de son chapeau de paille et tombait en cascade sur ses épaules.

# VIII

Augustine profita de sa rencontre dans l'étude du notaire Dumont pour faire son testament.

— Toé, Cordélia, attends-moé icitte. Je te dirai quand entrer.

Le notaire invita la vieille à passer dans son étude. Il posa ses lunettes sur son nez et invita la femme à s'asseoir. Augustine causa d'abord avec maître Dumont de sa ferme et de ses deux fils. Le notaire l'écouta avec attention avant de lui prodiguer ses conseils.

— Nous allons voir la chose ensemble, dit-il. Essayons d'abord d'y voir clair. Si j'ai bien compris, monsieur Gustave a profité pendant toutes ces années du dévouement de son frère pour acheter, avec les revenus de la ferme, deux maisons à revenus de deux logements chacune. C'est bien ce que vous disiez?

— C'est exact.

— Et pendant toutes ces années, monsieur Gustave a-t-il rémunéré son frère de quelque façon que ce soit, en cadeaux, vêtements, argent de poche ou autres?

— Non, jamais. C'était toujours moé qui pourvoyais à ses besoins.

— Alors, monsieur Gustave a une dette de reconnaissance envers son frère. Je vais vous donner un conseil, qui ne vous oblige cependant à rien : vous pourriez donner la ferme à vos deux fils et obliger Gustave à céder sur-le-champ à son frère une des maisons à revenus, ce qui serait le plus équitable.

— C'est que, voyez-vous, Gustave veut la terre à lui seul.

— Dans ce cas, monsieur Gustave pourrait céder les deux maisons à revenus à son frère ou, encore, la somme équivalente en argent. Cet arrangement pourrait assurer l'avenir de votre fils Gilbert quand on sait que monsieur Gustave, quant à lui, jouirait d'une terre libre de toute dette.

— Ce serait la meilleure affaire, mais Gustave voudra pas. Comme je le connais, y donnera jamais une cenne noire à son frère. Y va refuser net.

— Là, madame, je vous arrête. À moins d'être fou, votre fils ne refusera pas le don de la ferme qui vaut plus que les maisons à revenus. Et admettons que vous ayez raison, monsieur Gustave a le droit de refuser.

— Pis je resterais avec la ferme sur les bras?

— Vous pourriez vendre votre bien et séparer la somme entre vos deux fils, en parts égales.

— Je pourrais jamais vendre notre terre à des étrangers. C'est un bien paternel.

— C'est à vous de décider. Mais je vous assure que monsieur Gustave, à moins qu'il soit fou, n'acceptera jamais la vente de la ferme.

— Vous croyez?

— J'en mettrais ma main au feu. Ce serait ainsi une façon équitable de rendre à monsieur Gilbert ce qui lui est dû.

Augustine réfléchit un moment. Le notaire avait raison sur toute la ligne, elle n'en doutait pas.

— Ça va. J'accepte de prendre le risque. Autre chose aussi, après ma mort, je veux laisser mille piastres à ma fille Fernande, pis le reste à ma fille Cordélia. Antoine a déjà eu sa part quand il a acheté la ferme des Aumont.

— Tout le reste à votre fille Cordélia ?

— Oui, tout !

— Les coureurs de dot ne manqueront pas de se présenter.

Augustine prit le temps de réfléchir. Cordélia avait trop mauvais caractère pour attirer un homme. Et puis, elle avait vingt-six ans. À cet âge, toutes les filles sont casées.

— Et si elle reste seule, dit-elle, qui la fera vivre jusqu'à la fin de ses jours ?

Maître Dumont s'engagea à rédiger deux projets de donation suivant les instructions d'Augustine, à savoir un pour que Gustave reçoive la ferme, et l'autre pour qu'en contrepartie, il fasse don de ses deux maisons à revenus à son frère Gilbert.

— Veuillez signez ici, madame.

— J'ai besoin de Cordélia, ma vue baisse.

Comme elle ne savait pas lire, Augustine s'en tirait en disant : « ma vue baisse ».

La vieille signa d'un X.

— Vous direz à vos fils de passer à mon étude.

— Gilbert pourra pas être là, y est parti au Colorado.

— Au Colorado ?

— Ben oui. Celui-là, la terre y brûlait les pieds pis la pioche y brûlait les mains. Gustave viendra tout seul, pis c'est aussi ben comme ça. À mon tour de vous donner un conseil, préparez-vous à un ouragan de la part de Gustave.

Maître Dumont sourit, il avait l'habitude des désaccords, qui étaient choses courantes dans son étude.

— Vous me donnerez l'adresse de monsieur Gilbert afin que je lui fasse parvenir un document par lequel il nommera votre fille Cordélia comme mandataire.

Le notaire se leva et précéda les femmes à la sortie.

— Asteure, Cordélia, dit la vieille, je te défends de parler de ce que t'as entendu icitte devant tes frères et sœurs.

— Pourquoi ça ?

— Parce que ça provoquerait des problèmes. Là où y a de l'argent, y a toujours des intéressés, pis ce serait le commencement de la merde. Ça va ben comme c'est là !

— Je parlerai pas, promit Cordélia. Seulement, je me demande si, avec tout cet argent, Gilbert aura pas le goût de revenir au pays.

— Je l'espère.

*  *  *

Assis dans l'étude du notaire Dumont, Gustave écouta attentivement le notable lui expliquer les détails des deux transactions. S'il voulait devenir propriétaire de la ferme, il devait faire don de ses deux maisons à revenus à Gilbert en compensation, ou bien il devrait s'engager à lui donner la valeur des immeubles en argent.

Gustave entra dans une rage folle.

Il se doutait bien que sa mère avantagerait Gilbert, son chouchou, mais de là à l'obliger à lui céder ses deux maisons à revenus pour avoir droit à la ferme, c'était y aller un peu fort.

Gustave était un de ces hommes à qui tout revient. Il n'avalait pas la pilule de gaieté de cœur. Il voulait la terre à lui seul et garder ses maisons à revenus. Il allait plutôt offrir à Gilbert la valeur en argent de ses deux maisons parce que celles-ci continueraient à rapporter longtemps et prendraient de la valeur. Gilbert n'aurait que le capital.

Gilbert, généreux de nature, accepta avec surprise la transaction initiée par sa mère, laquelle avait réussi à forcer la main à son pingre de fils, tout en rétablissant une certaine équité.

Dans les jours suivants, Augustine prit de nouveau rendez-vous avec le notaire Dumont pour rédiger son testament par lequel elle léguait à sa mort tout l'argent liquide qui lui resterait à ses filles Fernande et Cordélia.

\* \* \*

Le lundi fut marqué par un événement important.

Gustave ne s'était pas aperçu que sa mère et Cordélia préparaient leur départ à son insu. De la grange d'en haut, il voyait de l'activité à la maison, mais, de loin, les personnes étaient si petites qu'il ne pouvait distinguer ce qui se passait en bas. Préoccupé par ce va-et-vient, il décida de redescendre à la maison. Pour Gustave, sa mère et sa sœur faisaient partie de ses avoirs au même titre que ses biens.

À son retour de la grange, il eut la surprise de trouver la voiture collée au perron et Cordélia et sa mère qui y transportaient leurs effets.

Il s'assit sur une marche.

Sa vieille mère, tout essoufflée, lui demanda :

— Peux-tu nous aider à transporter le moulin à coudre dans la charrette ?

— Où vous allez avec ça ?

— Je déménage au village avec Cordélia. J'ai acheté la maison de mademoiselle Leclerc. Tu viendras manger les dimanches midi pis tu te trouveras une femme pour le reste de la semaine.

— Je suppose que les autres savent déjà que vous déménagez au village ? dit-il.

— Oui.

— Ça se passe dans ma propre maison, pis je suis le dernier à être au courant.

— C'était pour éviter des scènes à n'en pus finir. Je t'ai répété cent fois de te marier parce que je voulais m'en aller rester au village, mais tu faisais chaque fois le sourd.

— Vous vous fichez ben de moé !

— Non, je te laisse une belle ferme pis tout ce qu'y te faut pour ben vivre avec.

Malgré leur acharnement, la vieille et Cordélia n'arrivaient pas à descendre la machine à coudre du perron, sans compter que le pire les attendait ; elles devraient ensuite la monter dans la voiture.

Gustave restait soudé sur place. Assis, les coudes sur les genoux, il regardait sa mère et sa sœur déplacer avec peine et misère le meuble lourd quand, finalement, la vieille démissionna.

— Laisse, Cordélia, on va la laisser icitte. Au village, on s'en achètera une neuve pis on la fera livrer.

Augustine monta dans la charrette et jeta un regard derrière elle. Seul le chien, sur le perron, avait l'air de pleurer leur départ.

*  *  *

Lorsque Gustave entra dans la maison dénudée, un papier laissé sur la table attira son attention. Il lut.

*Mon fils,*

*J'ai quitté la maison avec Cordélia. Comme je t'ai prévenu à quelques reprises que je voulais aller demeurer au village, j'ai acheté la maison de la Leclerc, la troisième après l'église. Ma porte te sera toujours ouverte. Il est temps pour toi de te trouver une bonne femme qui te secondera. En attendant, prends bien soin de toi.*

*Tous les dimanches, après la messe, je t'attendrai pour dîner.*

Sa mère avait signé d'un X.

Gustave lut une deuxième fois. Il reconnaissait l'écriture de Cordélia ; sa mère était illettrée.

Il s'assit dans la berçante pour assimiler tranquillement les changements subits des derniers jours. Ses yeux faisaient le tour de la cuisine. Cette maison était désormais sienne, comme la ferme qui lui appartenait en propre maintenant. Pourtant, il n'était pas satisfait. Il en voulait à Gilbert, à Cordélia et à sa mère qui, tour à tour, l'avaient laissé en plan. De plus, il devait se trouver une femme au plus tôt. Mais qui voudrait d'un homme dans la trentaine? Les filles de son âge étaient mariées depuis une dizaine d'années. Et puis, il ne se voyait pas, à son âge, courir la galipote.

Le lendemain, au lever, Gustave déposa trois tranches de pain sur le poêle et, une fois ses rôties bien dorées, il les tartina de confitures aux fraises. Il souleva le couvercle de la cafetière, mais comme il ne connaissait rien à ce machin, il se versa un verre de lait, qu'il avala d'un trait. Il déposa ensuite sa vaisselle et ses ustensiles maculés de confitures dans l'évier de cuisine, puis il retourna à sa besogne. « Une fille! » se dit-il, plein de ressentiment.

Le midi, Gustave réchauffa un reste de pâté de viande. Sa mère avait pris soin de lui laisser quelques mets pour les premiers jours. Il mâchouilla longuement avant d'avaler ses aliments et, tout en mastiquant, il passa en revue les rares filles disponibles, capables de s'occuper de l'entretien de la maison et de sa lessive. Son repas terminé, la vaisselle du midi alla rejoindre celle du matin dans l'évier.

Les jours suivants se ressemblaient, puis avec le temps, l'évier déborda de vaisselle à laver. Des poêlons graisseux traînaient sur le poêle, le beurre et les confitures restaient en permanence sur la table, les serviettes et les vêtements s'empilaient dans la cuve à lessive. Plus rien n'allait. Gustave regarda la pièce encombrée et décourageante.

On frappa à la porte. C'était son frère Antoine, le seul, à part son voisin Champoux, à qui Gustave s'était toujours confié sur le ton du secret. Antoine, mis au courant de sa situation, venait voir comment Gustave se débrouillait après le départ des siens.

— Agathe est pas avec toé? dit-il, l'air complètement défait.

— Non, elle pouvait pas laisser la maison. Avec les enfants, tu comprends…

— Elle aurait pu mettre un peu d'ordre ici-dedans.

— Écoute, Gus, Agathe en a assez comme c'est là. Sa besogne l'occupe à plein temps avec les enfants et tout ça. Elle pourrait pas suffire à entretenir deux maisons, tu comprends. Ça te prendrait une femme pour s'occuper de toé pis de ta maison.

— J'ai pas ben le tour avec les créatures. Si tu pouvais le faire pour moé…

— C'est un peu embêtant de choisir pour un autre. Tu dois en avoir quelques-unes en vue?

— Non! J'en vois pas une.

— Tu veux une fille ou une veuve?

— Pas une laideronne ni une veuve avec des enfants. C'est clair? Je veux pas d'enfants dans ma maison.

— Je connais pas tes goûts, moé! Une grande? Blonde? Brune? Vive? Tranquille?

— Si tu m'en trouves une, tu me la présenteras, pis je verrai ensuite si elle fait l'affaire ou pas.

— Tu vas souvent faire ton tour au garage Champoux, tu pourrais pas t'informer à lui?

Le garage Champoux était situé à deux arpents de la ferme Branchaud et Gustave ne passait pas une journée sans s'y rendre.

— Ça regarde pas Champoux.

— Pis Rosaire, Firmin ou Jacques? Nos frères prêtres pourraient servir à quelque chose. Ils connaissent sûrement des filles ou des veuves parmi leurs paroissiennes.

— Eux non plus. Garde ça entre nous.

— M'man te fait dire d'aller la voir. Elle s'inquiète de toé.

— Ben tant pis! C'était à elle de rester icitte. Je me demande ce qui y a pris de s'en aller vivre au village.

— Bon! Moé, je dois m'en retourner. Y a personne qui va faire mon travail à ma place.

\* \* \*

La semaine suivante, Gustave se présenta chez Antoine avec un oreiller bombé sous le bras.

Agathe lui ouvrit.

— Antoine est pas là, si c'est lui que tu cherches. Y est à l'étable. Asteure, tu traînes ton oreiller?

— Non, c'est mon linge sale… pour le faire laver.

— Par qui?

— Antoine m'a dit que tu le laverais.

— Moé, laver ton linge? Non! Tu peux le rapporter chez vous. Moé, j'ai assez du mien. Je comprends pas qu'Antoine t'ait dit ça sans d'abord m'en parler. Demande plutôt à Cordélia de s'en occuper.

Gustave se retira en bougonnant:

— Vous autres, les femmes, vous êtes toutes pareilles!

Agathe, plantée dans la porte, regardait son beau-frère s'en retourner chez lui avec son paquet et elle pensait: « Si

Gus Branchaud pense que je vais prendre la relève de sa mère, y se trompe royalement. »

# IX

Héléna Pelletier profitait de son congé de fin de semaine pour préparer les bulletins de ses élèves, ce qui exigeait d'elle des heures de calculs et d'attention qui lui causaient chaque fois un mal de tête.

Sa tâche terminée, elle ramassa les feuilles d'examens et les bulletins jaunes qui encombraient la table.

— Madame Rollande, si vous n'y voyez pas d'inconvénient, j'irais faire un tour chez Agathe. Je n'en peux plus des chiffres et des chiffres. Ça me changerait les idées.

— Allez! Quand vous reviendrez, le repas sera sur la table.

— Et si ma sœur Agathe m'invite à souper?

— Allez surtout pas refuser pour moé. Je vous laisserai le reste du pâté chinois sur le réchaud du poêle.

— Non! Je m'arrangerai bien pour ne pas mourir de faim. Vous avez du pain et des cretons?

— Oui.

— Bon! Ça ira.

Le début d'avril était tiède. Héléna enfila un tricot en grosse laine du pays et sortit.

Chez Agathe, les enfants se pendaient à son cou.

— Poussez-vous, disait Agathe à ses enfants, vous êtes comme des mouches collantes. Laissez votre tante en paix, sinon, elle reviendra pus.

— Que je les aime, tes enfants, Agathe! Si tu savais comme ils m'ont manqué le temps que j'ai passé au couvent. Quand je pense que j'en aurai jamais à moi!

Agathe baissa le ton.

— Tantôt, je te parlerai de quelque chose, mais pas devant les enfants.

— Laisse-moi deviner.

Héléna parla bas.

— T'es de nouveau enceinte?

— Oui! Mais c'est d'autre chose dont je veux te parler, quelque chose qui te touche particulièrement.

— Tu m'intrigues, Agathe.

Tout en parlant, Agathe habillait les enfants.

— Allez pas flacoter dans les trous d'eau pour vous mouiller les pieds. Toé, Marie, surveille-les pour pas qu'y s'éloignent de la maison.

Les enfants à l'extérieur, Agathe referma la porte sur eux.

— Asteure, viens t'asseoir, Héléna.

Agathe s'assit contre Héléna et se laissa aller aux confidences.

— Je connais un garçon qui se cherche une fille à marier. Un garçon ben installé sur une belle ferme céréalière pis qui pourrait faire vivre une famille ben à l'aise. Y a trente et un ans.

Héléna prenait intérêt.

— Un garçon de mon âge! Je le connais?

— Oui. C'est mon beau-frère Gustave. Tu te rappelles, Gus Branchaud?

— Je ne le connais pas. C'est vrai que j'ai passé des années à l'extérieur.

— Ben oui, tu le connais, rappelle-toé, y était à mon mariage.

— À ton mariage? Je l'ai pas remarqué.

— Ça me surprend pas, dit-elle. Y est un peu solitaire, y parle peu.

— Pourquoi y s'est pas marié plus jeune?

— Ça le pressait pas, le travail a toujours passé avant tout dans sa vie, pis y disait qu'y avait ben le temps. Finalement, à force de vivre seul, y a fini par se décider. Si ça t'intéresse de le rencontrer, je vous inviterai tous les deux dimanche prochain.

— Depuis des années, j'attends le grand amour, un homme qui me prendrait dans ses bras et qui me murmurerait des mots doux à l'oreille.

— T'es trop romantique, Héléna, ça se passe juste dans les romans, ça. Marie-toé d'abord, pis le reste viendra après.

— Cette rencontre ne m'obligerait à rien, hein?

— Ben non!

— Tu sais, lui confia Héléna, je me sens de trop chez nous depuis que l'étrangère est là. Pourtant, je la trouve gentille. C'est juste que c'est pas comme avant, dans le temps de m'man. Tu comprends? Elle a ses petites manies, comme plier soigneusement le linge qu'elle met au lavage, pis laver la table cent fois par jour, vider le cendrier chaque fois que papa y secoue sa pipe.

— T'as pas à te sentir de trop; tu leur donnes tout ton salaire.

— Si je pouvais me caser, je leur laisserais la paix. J'aurais peut-être pas dû repousser les avances d'Henri Beaudoin. Je suis sûre que ce gars-là m'aurait fait un bon mari, mais non, j'ai levé le nez sur lui. Est-ce que je t'ai dit qu'il était venu me voir par deux fois au noviciat?

— C'est pas vrai? s'exclama Agathe. Le beau Henri au couvent des sœurs. Raconte-moé ça!

— Je ne pouvais pas parler des garçons dans mes lettres, expliqua Héléna. Toutes étaient lues par la mère supérieure.

— Peut-être qu'y est encore libre, lui dit Agathe. Si tu t'informais à droite et à gauche?

— Non, Céline m'a raconté qu'il était marié et père de famille. Henri est le cousin de son mari. Tu te souviens qu'il était venu à leur mariage? Nous avions passé la journée ensemble, lui et moi.

— Ben sûr que oui! Un garçon comme lui passe pas inaperçu. Si je me souviens ben, ce jour-là, y t'avait pas lâchée d'une semelle.

La porte s'ouvrit. Les enfants entrèrent les joues rougies, les pieds mouillés. Ils se mouchèrent avec leurs mitaines.

— Déjà vous autres? s'exclama Agathe. Vous venez à peine de sortir.

— Oui, mais, m'man, on a vu un loup là-bas, près de la grange des Lamontagne.

— Pas un loup, un chien.

— Non, c'est un loup.

Agathe échappa un long soupir et chuchota:

— C'est ben juste parce que t'es là. D'habitude, y pas moyen de les faire entrer.

Les confidences des deux sœurs tombèrent à plat.

Au souper, les enfants bavardèrent avec leur tante comme des pies. Tout en servant une soupe chaude à son petit monde, Agathe fit à Antoine un sourire de connivence qui ne passa pas inaperçu à Héléna. Cette dernière comprit qu'ils étaient de mèche et elle supposa qu'Antoine devait prévoir dans cette union une bonne affaire pour son frère.

Héléna fit semblant de n'avoir rien vu.

— J'ai enfin fini mes bulletins. Je déteste les fins de mois.

— Dis-toé que ça tombe pile avec ta paie, releva Antoine. Une paie, ça doit être un beau prix de conso-lation. Je serais ben content, moé, d'avoir un salaire à chaque fin de mois.

— Si seulement j'en voyais la couleur ! Je donne tout à papa, il en a tellement besoin. Il y a deux semaines encore, il a perdu une bonne vache.

— Justement, dimanche passé, Gagnon parlait de ça sur le perron de l'église.

Héléna pensa : « Si un jour je me marie, je me demande comment papa pourra joindre les deux bouts sans ma paie. »

Au départ d'Héléna, Agathe réitéra son invitation.

— Oublie pas notre entente, Héléna, dimanche en huit, pis tu te tchéqueras sur ton trente-six.

Héléna n'ajouta rien. Elle n'avait pas le choix. Depuis sa sortie du couvent, sa seule toilette était une longue robe noire, boutonnée sur le devant, qui ressemblait à une soutane de curé.

Héléna revint chez elle fébrile. Elle avait beau tenter de se souvenir du mariage de sa sœur Agathe et de se creuser les méninges pour se rappeler le visage de ce garçon, ses efforts restaient vains.

Pourtant, la hâte de le connaître l'obsédait. C'était comme si son cœur au repos se réveillait en sursaut et reprenait un bel élan. «Si ce célibataire pouvait me plaire, ce serait ma chance», se disait-elle. Quelle belle aventure se préparait! Déjà, Héléna misait sur l'amour de Gustave, cet inconnu qui lui tombait du ciel. C'était tout un événement pour une fille chez qui il ne se passait jamais rien.

Héléna poussa la porte. Dans la cuisine, son père et Rollande disputaient une partie de dames à la lueur de la lampe. Elle allait encore déranger leur tranquillité.

— Papa, avant de monter me coucher, j'aimerais ça jaser un peu avec vous.

Rollande se leva et quitta sa chaise. Elle laissa la lampe sur la table et se retira discrètement.

Héléna lui était reconnaissante de sa discrétion. Elle était plus à l'aise pour parler sans sa présence.

— On pourrait jaser tranquillement devant un café, dit-elle.

— Toé, tu veux m'amadouer avec tes petites flatteries, hein? Tu vas pas me dire que tu veux t'en retourner chez les sœurs?

— Au contraire, papa. Vous connaissez les Branchaud, la famille d'Antoine?

— Ben sûr que je connais les Branchaud. Dans les petites paroisses, tout le monde se connaît.

– Agathe veut me présenter son beau-frère, Gustave. Elle dit qu'il est seul et qu'il se cherche une bonne épouse.

– Les Branchaud sont des gens bien vus. La famille compte trois prêtres. C'est pas rien ça, ma fille.

– Vous connaissez Gustave ?

– Ça doit être lui qu'y surnomment Gus.

– Oui, un drôle de surnom, vous ne trouvez pas ?

– Je le connais de vue.

– Comment vous le trouvez ?

– Tu ferais mieux de demander ça à ta sœur Agathe. Comme y est son beau-frère, elle le connaît mieux que moé.

– C'est votre opinion que je veux. La sienne, je l'ai eue tantôt. Si ça marchait, nous deux, Agathe y trouverait un avantage. En plus d'être sa sœur, je deviendrais sa belle-sœur.

Jules Pelletier retira sa pipe et laissa sortir de sa bouche une grosse bouffée de fumée blanche.

– J'ai entendu dire qu'un jour, Gus Branchaud montait au bois chercher un voyage de billots pis qu'une fois rendu, sa jument était descendue pis l'avait laissé seul en pleine forêt. Y avait dû revenir chez lui à pied. Comme y était pas de bonne humeur, y a fait remonter pis redescendre sa jument au galop à coups de fouet tout l'après-midi. Ç'a l'air qu'après tous ces allers et retours, Gus Branchaud a jamais pu atteler sa jument à nouveau. Y l'avait brûlée. J'ai trouvé cette manière de dompter sa pauvre bête un peu dure. J'ai pour mon dire qu'on conduit les chevaux qu'avec bonté. Mais ça veut pas dire que Branchaud serait dur avec une femme. Va, tu perds rien à rencontrer ce garçon. Ensuite, tu me diras tes impressions.

— Autre chose, papa, si je cesse d'enseigner, allez-vous pouvoir vous passer de mon salaire?

— Tracasse-toé pas avec ça, ma fille. On s'arrangera avec ce qu'on a. Mais j'ai juste un conseil à te donner : prends le temps de réfléchir à ton affaire ben comme y faut avant de t'engager.

— Promis, papa! Vous êtes bien bon de m'avoir écoutée. Maintenant, je vais dormir tranquille.

Mais les choses étaient tout autres ; ses élans, ses espoirs, ses rêves, qui avaient pris forme le jour, se confrontaient la nuit venue.

# X

Le jour prévu pour les présentations, Héléna se rendit chez Agathe à pied. Un attelage se trouvait sous l'appentis, ce qui signifiait que Gustave était déjà là.

Héléna, fébrile, monta le petit escalier. Elle avait l'impression que sa vie se jouerait bientôt. Elle vit le garçon à travers la vitre de la porte et la gêne la figea sur place.

C'était un homme tout d'une pièce ; un cou de taureau et les épaules développées par le travail de la ferme. Au premier coup d'œil, Héléna remarqua sa baboune un peu avancée qui lui donnait un petit air boudeur d'adolescent, ce qu'elle ne détestait pas.

Elle sentit une chaleur monter à ses joues. Heureusement que Gustave ne la regardait pas. Elle devait y aller et frapper. Elle ne pouvait pas rester plus longtemps sur le perron. En dedans, on se poserait des questions.

Agathe lui ouvrit.

– Entre, Héléna !

Gustave était assis près du poêle. Héléna lui adressa un sourire qui resta sans réponse.

Agathe fit les présentations d'usage. Gustave ne quitta pas sa chaise. Il fit un petit signe de tête à peine perçu d'Héléna. Il n'étudia pas la jeune fille en détail ; il la voyait en bloc et ça lui suffisait.

Héléna, debout sur le tapis, attendait que Gustave vienne à elle, mais il ne bougeait pas. Ce n'était pas à elle de s'avancer. Elle lui dit de sa voix mélodieuse : « Bonjour, monsieur Gustave. »

Héléna entendit un bonjour prononcé presque sans voix. En même temps, les enfants se plaignaient de la faim. Qu'avait-il dit ? Il ne lui avait même pas accordé un regard. Agathe l'avait prévenue ; c'était un garçon assez gêné qui parlait peu. Même les échanges avec sa mère se limitaient au strict nécessaire.

Agathe invita tout le monde à passer à table.

Gustave se leva. Héléna le détailla à la hâte, craignant qu'il la surprenne en train de faire son examen. C'était un homme assez grand, de bonne prestance, avec une bouche boudeuse, l'air très sérieux, sévère même – sans doute à cause de sa gêne. Héléna attendait que le moment s'y prête pour lui parler.

Agathe fit asseoir Gustave entre Héléna et Antoine. Avec Antoine, Gustave parlait toujours bas ; il considérait son frère comme un confident discret. Héléna ne pouvait suivre leur conversation. Il lui semblait que Gustave l'ignorait. Il ne devait pas être à son aise ou encore il ne la trouvait pas à son goût. Héléna se leva.

– Agathe, tu nous prêtes ton salon ?

Comme Gustave n'avait aucune réaction et qu'il restait assis à jaser à voix basse avec son frère, Héléna fit une deuxième tentative. La douceur du printemps se prêtait bien à la promenade, alors elle proposa :

– Si on allait marcher un peu en attendant le souper ? Qu'en dites-vous, monsieur Gustave ?

— J'ai assez de ma semaine dans le corps sans que j'en rajoute, dit-il.

Héléna se rassit, humiliée. Elle ne se défendit pas, comme si elle était indifférente aux propos amers de Gustave. Ce garçon ne la trouvait pas de son goût, c'était clair dans sa tête. Et pourtant, elle cherchait à se rendre intéressante.

Gustave était-il mal à l'aise de fréquenter une fille devant les siens?

— Vous vivez seul dans votre maison? dit-elle.

— Ouais!

Gustave tourna la tête du côté d'Antoine et, à voix basse, il reprit la conversation avec son frère, là où il l'avait laissée.

Héléna décida d'attendre que Gustave lui adresse la parole. Par contre, sa sœur l'avait invitée et elle ne voulait pas la décevoir en ignorant son beau-frère. Agathe lui reprocherait son indifférence.

À la fin du repas, Héléna offrit son aide à sa sœur.

— Agathe, laisse-moi servir le dessert.

— Sers plutôt le café.

Marie s'avança.

— Je vais le faire, moé, ma tante.

— Non, Marie, tu risquerais de te brûler.

— Je suis capable, vous savez!

— Mange ton dessert, insista Héléna, ensuite nous irons nous asseoir sur le perron.

Héléna pensait qu'en laissant les hommes en tête-à-tête, Gustave ferait part à son frère de sa première impression.

Une fois seuls dans la maison, Antoine s'informa à son frère :

— Comment as-tu trouvé ma belle-sœur ?

— Elle fera l'affaire.

— Héléna est instruite. En plus, c'est une fille douce et travaillante.

— Elle fera l'affaire si elle sait tenir maison comme le faisait m'man, c'est ce qui est important.

— Si Héléna accepte, naturellement.

— Dans ce cas, tu y diras qu'on passera devant le curé dans quinze jours.

Gustave demanda son paletot et son chapeau et salua son frère. Une fois à l'extérieur, il adressa un signe de tête discret à Agathe et Héléna.

* * *

Les enfants couchés, Antoine alla changer de vêtements avant d'aller jeter un dernier coup d'œil aux bâtiments. Agathe, pressée de s'informer, se faufila dans la chambre derrière son mari.

— Pis, qu'est-ce qu'y a dit ?

— Y a dit qu'elle fera l'affaire pis qu'y est prêt à la marier dans quinze jours.

— Y dit qu'elle fera l'affaire ! Ça prend ben Gustave Branchaud pour parler de même ! Comme s'il marchandait une bête, comme si n'importe quelle fille aurait fait l'affaire.

— Mêle-toé pas de ça, Agathe. Ça regarde juste Gustave pis Héléna, eux seuls.

— Moé, je trouve que ça nous regarde un peu, surtout qu'on joue les entremetteurs. Ensuite, si ma sœur est malheureuse, ce sera notre faute, pis moé, je me sentirai coupable.

— Non, ce sera leur faute à eux. Nous, on les force pas, ce sont deux adultes.

— Tu sais comme Héléna est douce et résignée. On lui a appris à obéir pendant toutes ses années au couvent. Bon, y faut que j'aille la retrouver à la cuisine, sinon elle va se poser des questions.

Mais ce fut plutôt Agathe qui questionna Héléna.

— Comment tu l'as trouvé?

— Il n'est pas trop mal, mais il me gêne. Ce n'est pas bon signe. Je crois que je ne lui plais pas. Je pensais qu'il serait plus jasant.

— Avec Antoine, y parle beaucoup. Je crois qu'y est son préféré. Il y raconte tout.

— Tout quoi? demanda Héléna.

— Ses projets, ses affaires, je sais pas trop, mais je peux te dire que ces deux moineaux-là, y s'ennuient pas ensemble.

— À moi, il ne dit rien, ajouta Héléna. On dirait que je l'intéresse pas.

— Je te l'avais dit qu'il était gêné, tu te souviens?

— Je n'aurais jamais cru à ce point-là. J'aurais préféré qu'il parle plus, qu'il me parle à moi! Et lui, il t'a dit son impression?

— Tiens-toé ben, ma petite sœur. Mon beau-frère a dit qu'il était prêt à te marier dans quinze jours.

Héléna se réjouit intérieurement. Elle plaisait à Gustave, elle qui, ces dernières années, se sous-sestimait.

— Il a dit ça? Moi qui pensais qu'il ne m'avait même pas regardée.

— C'est ce que tu crois, lui dit Agathe. Tu sais, avec ton parler précieux pis ton allure de femme indépendante, y est peut-être pas ben à l'aise.

Héléna éclata de rire.

— Quel parler?

— Ton parler de couvent.

— Moi, un parler de couvent?

— Ben oui, Héléna! Tu parles comme une religieuse, pis quand tu t'assis, tu croises les mains sur tes genoux comme une couventine.

Héléna ne riait plus.

— Comme ça, selon toi, je traînerais des reliquats de communauté?

— Un peu trop, dit Agathe. C'en est gênant pour les autres.

— Je vais essayer de faire attention.

Héléna s'appliqua à retrouver son parler rural.

— J'en reviens à Gustave, y a ben dit dans quinze jours?

— C'est ce qu'y a dit à Antoine pis y attend ta réponse. Tu sais, comme y vit seul dans sa maison, y peut pas se passer d'une femme. Y est propriétaire d'une belle ferme, y a une terre qui rapporte. Y te fera ben vivre pis tu pourras enfin avoir des enfants, toé qui en as toujours voulu. Du moins, je te le souhaite!

— Quinze jours, c'est vite. J'ai pas de trousseau.

Héléna retrouvait son langage populaire.

— Y faut pas tant de façon pour se marier, insista Agathe. Gustave a déjà tout chez lui. C'est l'avantage de la maison paternelle.

— Je sais, mais j'ai besoin de vêtements, au moins d'une jaquette neuve. Si tu voyais la mienne, elle lâche de partout. Je la voudrais en coton fripé, comme ça, je pourrais la porter en toute saison.

Agathe lui conseilla de dissimuler dans un pli formé sur le devant un trou de deux à trois pouces de diamètre pour faciliter « la chose » et elle ajouta :

— Tu devras broder le contour pour empêcher le tissu de s'effilocher.

Héléna mit sa main devant sa bouche pour cacher un sourire mal retenu.

— Un trou à ma jaquette ? Qui t'a raconté une pareille affaire ?

— C'est m'man.

En entendant le mot « m'man », le sourire d'Héléna s'effaça aussitôt. Chaque fois qu'on parlait de sa mère, elle sombrait dans la mélancolie.

— On sait ben, toé, t'avais m'man pour te renseigner.

— Oui, pis toé, t'as moé.

— Une chance ! Sinon, j'aurais personne pour me parler de ces sujets intimes.

— Tu sais, y a des filles qui portent des dessous de dentelle à leur mariage. Et pas seulement le jupon pis la jarretelle, mais la culotte aussi.

Héléna retrouva sa gaieté.

— Pis le scapulaire avec ?

Les sœurs pouffèrent de rire.

Héléna ajouta :

— Y a juste les riches qui peuvent se payer des fanfreluches de même.

— Avec Gustave, tu manqueras de rien. Une fois mariés, ce sera à lui de subvenir à tes besoins. La belle-mère y a laissé tout ce qu'y faut pour se débrouiller, mais je sais pas dans quel état tu vas trouver tout ça. Tu sais, quand un homme vit seul… Autre chose aussi, mais je veux que ça reste entre nous, Gustave est ben à l'aise, y possède des blocs-appartements à Montréal. On raconte qu'y a de l'argent en masse. Tout ça pour te dire qu'avec lui, tu seras jamais toute nue dans la rue.

Héléna était un peu réticente.

— Je m'attendais à beaucoup plus d'attentions de la part de Gustave. Une maison, un mari, de l'argent, ça va, mais les sentiments dans tout ça ? Saura-t-il m'aimer, m'entourer, être fier de moé, rire, chanter, s'émouvoir ?

— Tu sais, Héléna, les hommes pis les sentiments…

Agathe avait beau plaider la cause de Gustave, Héléna hésitait.

— Laisse-moé le temps d'y réfléchir par deux fois, dit-elle, indécise.

La porte s'ouvrit, Antoine entra, traînant sur lui une odeur d'étable. Héléna attendit qu'il prenne une chaise pour lui demander son opinion.

— Vous, Antoine, qu'est-ce que vous pensez de ce mariage précipité ?

— C'est avec Gus qu'y faut en parler.

— Votre frère parle peu.

— Mon frère a un caractère assez spécial, mais qui cé qu'a pas le sien?

Héléna vit sa sœur donner un coup de genou complice à son mari. Celle-ci avait un parti pris pour cette union de sa sœur avec son beau-frère. Antoine ajouta:

— Gus est pas méchant. Y a un bon fond. Vous verrez quand y aura appris à vous apprécier. C'est juste une question de temps.

* * *

Au bout du rang, Jules Pelletier, assis sur son perron, attendait le retour de sa fille quand il vit Gus Branchaud passer à sa porte sans ramener Héléna, ce qui était plutôt étrange. Habituellement, un garçon galant offrait à son amie de la reconduire. À moins qu'Agathe ait décidé de garder sa sœur pour la nuit.

Une heure plus tard, Jules vit Héléna revenir à pied. Il se pressa d'aller quérir une chaise dans la maison.

— Viens t'asseoir un peu pis raconte-moé comment s'est passé votre première rencontre?

Héléna joignit les mains sur ses genoux; une attitude d'attente et de prière qu'elle prenait pour réfléchir.

— Ce Gustave, y est pas jasant.

— Pas jasant… ça veut-y dire qu'y te plaît pas?

— Mais non. Y a demandé à Antoine si j'accepterais de le marier, mais je tiens à ce qu'y me le demande à moé.

Son père accueillit sans émotion l'annonce de son mariage.

— Le premier soir, dit-il, y est vite en affaire!

— Vous savez, papa, je suis pus une toute jeune fille pour entreprendre de longues fréquentations.

— Si c'est de même que tu vois les choses, c'est pas moé qui va décider pour toé, ma fille.

— Est-ce que je peux me réserver un petit montant d'argent sur ma dernière paie pour m'acheter un peu de trousseau, comme des serviettes, des draps et des taies d'oreiller, et aussi un peu de tissu à la verge pour me confectionner une jaquette? La mienne a l'âge de Mathusalem, pis ça, c'est un caprice que j'aimerais ben me payer.

— Je me verrais mal te refuser ça après m'avoir tant aidé. Je me demande comment j'aurais pu payer mes arrérages de taxes pis ma dîme sans ton aide.

\* \* \*

Le lendemain, madame Rollande lui offrit de l'accompagner chez Dupuis & Frères pour choisir sa robe de mariée.

Héléna refusa. Elle n'avait pas les moyens d'acheter une robe de mariée. Elle irait plutôt au village acheter un patron et du tissu en coton fripé pour confectionner sa jaquette de noces.

\* \* \*

Au coucher, Héléna enfila sa vieille chemise de nuit avec mille précautions, puis elle se glissa doucement entre les draps. Elle avait maintenant tout son temps pour réfléchir en paix à ce que serait son choix de vie.

Toute la nuit fut une suite de questionnements. Gustave était un drôle de garçon. Pourquoi ne lui avait-il pas proposé le mariage lui-même? La gêne? Héléna se dit qu'il ne resterait pas gêné toute sa vie et qu'à force de vivre ensemble, elle l'apprivoiserait. Quel homme résisterait à une femme qui s'occuperait de tous ses besoins, qui l'attendrait au retour des champs et qui lui donnerait des enfants? Gustave avait trente et un ans et lui aussi devait vouloir une famille. Et puis, Héléna se sentait de trop chez son père depuis le remariage de ce dernier avec Rollande. Gustave lui offrait la chance d'avoir un vrai chez-soi, tout comme ses sœurs, Agathe et Céline.

Pourtant, Héléna avait l'impression de marcher sur un fil. Bien sûr, elle ressentait une certaine admiration pour Gustave, mais ce n'était pas de l'amour. Peut-on vivre toute une vie sans amour? Les sentiments viendraient-ils ensuite, à force de vivre ensemble?

Les nuits suivantes, le même questionnement la reprenait. Le grand moment approchait et Héléna hésitait.

\* \* \*

Les jours qui suivirent, Héléna découvrit dans la grande armoire une pile de poches de sucre inutilisées. Elle les compta et les déplia. Il y en avait douze imprimées *Sucre Saint-Laurent 100 livres*. Elle les blanchit à l'eau de Javel pour faire disparaître l'écriture. Une fois coupées en deux, elle en ferait vingt-quatre linges à vaisselle. Héléna s'installa sur la table de cuisine pour les tailler. Elle les ourla ensuite à la machine à coudre et dessina au crayon à mine des motifs à broder tels des pommes, des raisins et des oranges. Le soir, au retour de l'école, sous l'éclairage au gaz, elle broda les fruits de couleurs voyantes en imaginant ce que serait sa vie avec Gustave et des enfants. Le samedi, elle se rendit au village acheter une paire de draps et de taies d'oreiller.

\* \* \*

Le dimanche suivant, après la messe, Agathe, Antoine et Gustave devisaient sur le perron de l'église. Héléna se joignit à eux avec l'intention d'inviter Gustave à dîner chez son père. Ça revenait au futur mari de se déplacer pour les présentations.

— À la maison, on nous attend pour dîner. Je veux en profiter pour vous présenter mes parents ; y ont ben hâte de vous connaître.

— Vous les inviterez à la maison quand vous serez installée.

Héléna n'ajouta rien. Que Gustave ait décliné son invitation la blessait. C'était sa première demande et il en faisait fi. Agathe intervint aussitôt.

— D'abord, venez tous dîner à la maison.

— Ouais ! dit Gustave.

Héléna n'osait pas refuser l'invitation. Elle ne voulait pas rater l'occasion de connaître davantage son promis. Cette fois, Héléna espérait causer à l'écart avec lui. Elle réussirait peut-être à le faire parler afin de mieux le connaître.

Leurs fréquentations se passaient toujours en présence de la famille. Gustave daigna enfin lui accorder un regard.

— Demain, dit-il, je passerai chez le curé. Après le mariage, m'man va nous attendre à déjeuner.

Héléna était doublement déçue.

— Y aura pas de noce?

— Ce serait du temps perdu. Avec mes nouveaux champs de céréales, je dois faire des labours de printemps.

— Y aura encore des jours. C'est pas une journée qui va faire la différence.

Gustave semblait sourd à sa réplique.

— Pas de noce! répétait Héléna, déçue. Mes parents désiraient recevoir les deux familles.

Héléna était sidérée. Et si elle restait célibataire? Elle n'avait pas encore dit oui. Elle n'était pas obligée de se marier. Par contre, si elle refusait, il lui faudrait continuer de vivre avec son père et sa belle-mère et renoncer aux maternités, elle qui adorait les bébés.

Héléna se consola en pensant qu'une fois mariés, quand ils partageraient le même lit et qu'ils dormiraient sous les mêmes couvertures, elle arriverait bien à attendrir son mari.

\* \* \*

Le lundi, après la messe de six heures trente, Gustave frappa chez le curé.

— Prenez un siège et dites-moi ce qui vous amène ici à cette heure matinale. Pas un malheur?

— Appelez ça comme vous voudrez, monsieur le curé. Je vais me marier avec une fille du trécarré. Le mariage serait pour demain.

Le curé refusa net.

— Il faut d'abord publier les bans.

— Vous pouvez pas sauter ça ?

— Pas dans votre cas. Il n'y a rien de si urgent.

— On voit ben que c'est pas vous qui en souffrez ! Vous avez votre servante, vous, tandis que moé, je dois me faire à manger pis tout le tralala.

— Évitons de nous presser. Lundi en huit, je vous marierai. Lundi.

Gustave bondit de sa chaise.

— Je dois partir, le travail m'attend. C'est pas comme vous qui avez le temps de flâner dans votre presbytère.

Le curé, blessé au vif, se leva à son tour.

— Flâner ? Je voudrais bien vous y voir avec les malades à visiter, les messes à chanter, la visite de paroisse. Vous, monsieur Branchaud, vous n'auriez pas l'entregent néces-saire. Tenez-vous-en à vos animaux, et moi, aux humains.

— Vous avez dit lundi ?

— C'est bien ce que j'ai dit.

— Assez tôt le matin pour que je perde pas ma journée. Je suis déjà en retard sur mon travail. Mon frère Jacques sera le célébrant.

— Alors, à sept heures trente, si ça vous va comme ça ?

— J'y serai. Autre chose aussi, une fois mariée, ma femme retournera pas enseigner.

— Quoi ? Ce n'était pas prévu. Elle aurait dû nous en avertir plus tôt pour qu'on lui trouve une remplaçante.

– De toute façon, à la mi-mai, l'année scolaire est presque finie.

– Pour seulement un mois, elle pourrait terminer son contrat.

– Non. Moé, j'ai besoin d'une femme à la maison pis elle pourra pas être à deux places à la fois.

Gustave salua le curé et se retira.

\* \* \*

La semaine précédant le mariage, Cordélia et Agathe se retrouvèrent chez Gustave pour nettoyer la maison de fond en comble. En entrant dans la cuisine calme, les femmes eurent un mouvement de recul. La pièce était d'une saleté noire, la table poissée de crasse.

Cordélia remplit une chaudière d'eau chaude qui devait servir à lessiver les parquets.

– C'est-y possible de tant salir une maison en quelques semaines? Si m'man voyait ça, elle le croirait pas.

Ce n'était pas tous les jours qu'Agathe pouvait bavarder librement avec Cordélia.

– Comment vous aimez ça, rester au village?

– Là, au moins, ça grouille, dit Cordélia. J'ai juste à lever le rideau pour voir les passants sur le trottoir: les affileurs de couteaux, les fondeurs de cuillères pis les quêteux. De la maison, je peux même voir les prêtres lire leur bréviaire sur le perron du presbytère. C'est pas comme icitte où y se passe rien à part les arrivées pis les départs des trains qui sont les seules attractions.

— En tout cas, ajouta Agathe, depuis que vous restez au village, vous êtes pus pareille pantoute. Vous avez l'air radieuse!

— Je suis ben contente de laisser la place à votre sœur. Celle-là, je vous dis qu'elle est mieux de filer doux, parce que Gus a tout un caractère. Y laisse rien passer.

— Héléna est douce, elle réussira ben à l'amadouer. Et pis un homme est toujours plus tendre avec sa femme qu'avec sa sœur.

Cordélia ouvrit la petite porte du poêle pour s'assurer que les cendres étaient vidées. Le cendrier était plein à ras bord.

— Bon, je me doutais ben que Gus le viderait pas. Y en a au moins deux bonnes chaudiérées.

— Poussez-vous de là! Moé, je vais vous vider ça toute d'une *shot*.

Agathe s'assit sur ses talons nus et tira doucement le cendrier.

— Par chance, de la cendre, ça pèse rien, dit-elle.

— Gustave fait jamais rien dans la maison. Y a même pas enlevé les châssis doubles.

— Héléna les enlèvera. Gustave, y est comme tous les hommes, Cordélia, y peut pas se passer d'une femme. Bon! Asteure, vous pouvez commencer à laver le plancher à l'autre boutte de la cuisine pis quand vous serez rendue icitte, j'en aurai fini avec les cendres.

— J'aime mieux empeser les rideaux, rétorqua Cordélia. Vous, allez faire le barda de la chambre du fond.

Agathe refusa, prétextant qu'elle était étrangère dans cette maison et qu'elle ne saurait où placer les choses.

– Avant, proposa Cordélia, si on prenait un café?

– Y a pus une tasse dans l'armoire. On va devoir laver la vaisselle qui traîne dans l'évier.

Les femmes s'exécutèrent.

– Moé, je lave, pis vous, vous essuyez.

Tout en plaçant la vaisselle propre dans l'armoire, Cordélia racontait:

– Hier, j'ai écrit à Gilbert pour y annoncer le mariage de Gus pis d'Héléna. Y le croira ben pas.

– Avez-vous eu des nouvelles de lui dernièrement?

– Non, dit Cordélia, y est à peine rendu. Je me demande ben si le travail va le payer aussi largement qu'y s'y attend. Avant de partir, y disait que les prospecteurs miniers se remplissaient les poches là-bas.

Le lavage de vaisselle terminé, Agathe et Cordélia s'assirent devant un café.

– Pis Firmin, avez-vous de ses nouvelles?

– Firmin écrit régulièrement, mais je réponds pas souvent à ses lettres. Celui-là, j'y en veux encore pour m'avoir fait damner. Y a essayé maintes fois de me faire entrer en communauté. Si vous l'aviez vu! Dans le temps, y était un jeune prêtre un peu trop zélé à mon goût. C'était avant que vous entriez dans la famille. Chaque dimanche, y s'acharnait après moé comme un vautour sur un ver de terre, pis moé, je lui tenais tête. Y me lâchait pas tant que je m'étais pas fâchée noir. J'avais pas la vocation. Je voulais me marier, mais y a pas un gars qui a voulu de moé. C'est pas surprenant, j'étais toujours étriquée comme la chienne à Jacques. Une chance, depuis que je reste au village, je suis mieux habillée. Si vous voyiez mes belles bottines montantes en beau cuir.

— Vous êtes pas mal plus chic qu'avant, dit Agathe. On dirait aussi que vous avez quelque chose de changé.

— C'est mes cheveux. Je m'en fais une tresse autour de la tête plutôt que de les enrouler en chignon.

— Non, c'est pas ça, expliqua Agathe. Je sais pas trop, vous êtes plus souriante qu'avant.

Agathe buvait à petites gorgées pour ne pas détourner la conversation.

— On s'est jamais parlé de même, Cordélia. C'est ben dire, on est des belles-sœurs pis on se connaît pas.

— Quand personne m'écoute, dit Cordélia, je me la ferme.

— Pis l'abbé Rosaire, lui, y est comment?

Le visage de Cordélia s'illumina.

— Ah, le bon Rosaire, dit-elle. Celui-là, y est ben correct. Y s'est toujours mêlé de ses affaires.

Agathe se leva promptement.

— C'est ben intéressant ce que vous me racontez là, Cordélia, mais y faut se grouiller si on veut finir le barda de la chambre avant la nuite.

# XI

La veille du mariage, Cordélia se rendit à la maison paternelle pour laver la chemise du dimanche de Gustave, cirer ses chaussures et presser son habit, qu'elle prit soin de déposer sur un cintre. Pour la dernière fois, Cordélia s'occupait de son frère avant de confier cette tâche à Héléna.

Le mariage devait avoir lieu le lendemain à Sainte-Anne-des-Plaines, le lundi 16 mai 1911, à sept heures trente du matin, dans la plus stricte intimité.

Gustave attela Fanette à la victoria et attendit sa sœur Cordélia.

– En venant me reconduire au village, dit-elle, tu devrais en profiter pour passer chez le barbier te faire couper les cheveux.

– …

Mais rien ne pouvait arrêter Cordélia de parler.

– J'ai l'impression, dit-elle, qu'Héléna pis moé, on va ben s'entendre toutes les deux, comme avec sa sœur Agathe. Les petites Pelletier sont des filles ben d'adon. Finalement, c'était pas si bête, l'idée de m'man de partir de la ferme pour te forcer à te marier. Aujourd'hui, tu dois être content de la tournure des événements, hein ?

– …

— Agathe pis Antoine, je les vois pas souvent. C'est pas tous les jours qu'on a affaire au trécarré, surtout depuis qu'on est au village pis qu'on a pus d'attelage. Mais ça fait rien, j'aime ben ça rester au village. Là, au moins, ça grouille. Y a toujours un va-et-vient avec l'église, l'épicerie, la forge pis la maison du docteur. Tout ça amène plein de monde sus le chemin. Je pense que m'man regrette pas son *move*. Pis toé, tu vas enfin avoir une famille, comme tous les hommes en ont.

Gustave, silencieux, fouaillait Fanette. Il aurait voulu que sa sœur se la ferme.

Rendu chez sa mère, il laissa Cordélia au bas du petit escalier qui menait à la maison.

Celle-ci l'invita à entrer.

— Un coup rendu, dit-elle, tu peux venir saluer m'man.

— Je la saluerai demain.

— C'est ta mère, Gustave !

— …

— Ce serait ben dans le moins. Elle vient de te faire cadeau d'une terre.

Gustave cria :

— Allez, hue !

Il repartit sans même remercier Cordélia qui venait de lui rendre service, comme si tout lui était dû.

\* \* \*

Le jour du mariage, dans le rang Sainte-Claire, le fond du ciel était chargé de nuages gris, mais il ne pleuvait pas.

Chez les Pelletier, Héléna ferma la porte de la grande maison grise où s'entassaient tous ses beaux souvenirs et où elle avait passé une enfance heureuse. Elle monta dans la voiture de son père qui la menait à une vie nouvelle, une vie d'épouse, une vie pleine de promesses.

Un frisson courait dans l'herbe tendre et une tourterelle triste gémissait sur le toit pentu de la grange.

— Asteure, p'pa, quand je reviendrai icitte, ce sera en invitée.

— Ouais! murmura Jules. À matin, je marie la dernière de mes filles. Le temps passe trop vite. Y me semble que t'es venue au monde hier. Je me rappelle, plus jeune, comme t'aimais parler et rire.

— Maintenant, je vais faire rire la grande maison de Gustave.

— Woo, bèque! cria Jules.

Quelques badauds étaient déjà attroupés sur le perron de l'église.

Gustave, les cheveux frais coupés, portait un habit gris, une chemise blanche à col arrondi et une cravate rayée de deux tons de gris lui encerclait le cou. Héléna, comme une pauvresse, portait un manteau rouge sur sa robe en serge noire et, sur la tête, un grand châle en laine gris ayant appartenu à sa défunte mère. Le tricot un peu lourd ne cessait de glisser sur ses épaules. Une dizaine de personnes assistaient au mariage.

Antoine Branchaud servait de témoin à Gustave, et Jules Pelletier, à sa fille Héléna.

À l'échange des anneaux, Héléna, émue, répondit: «Oui, je le veux!» et, à son tour, Gustave marmonna: «Oui, je le veux».

Gustave avait l'air d'assister à un enterrement. Son lien avec Héléna n'avait pas l'air bien fort.

Après la cérémonie, Agathe et Antoine, les auteurs de leur mariage, montèrent dans un boghei et suivirent la voiture de Jules et Rollande jusque chez la mère du marié, à deux pas de l'église. La vieille Augustine recevait les nouveaux mariés et les témoins à déjeuner dans sa charmante maison du village.

Gustave entra chez sa mère, son chapeau à la main, les souliers souillés; il venait de patauger dans la boue de l'entrée de cour et il piétinait effrontément le plancher frais ciré. Sa mère, la bouche tordue en une grimace qui lui tirait les coins de la bouche, regarda les traces de boue fraîches sur son prélart neuf. Elle ne dit rien. Elle sortit un torchon de sous l'évier et fit disparaître rapidement les traces boueuses, mais Gustave se déplaçait et salissait plus loin.

— Enlève donc tes chaussures, Gustave, lui dit sa mère.

Gustave faisait le sourd; il caressait les poils de sa moustache.

Cordélia bredouilla:

— Si sa femme peut arriver à casser son sale caractère!

Héléna, sur le pas de la porte, ne cessait de tripoter ses gants sans délicatesse.

Augustine invita les mariés à s'asseoir à la table.

Tout le temps du repas, Gustave, tel un condamné à mort, resta silencieux; il mangea ses œufs mollets et son lard bouilli le nez dans son assiette, jusqu'à ce que sa mère lui serve une bolée de caillebotte accompagnée de sucre du pays. Gustave repoussa le bol brusquement.

— J'en veux pas, de votre cochonnerie de lait caillé.

— Goûte donc avant de dire que t'aimes pas ça. Va, prends-en un peu sur le bout de ta cuillère.

Augustine voyait bien que son fils lui en voulait d'avoir quitté la maison en le laissant seul. Son regard chargé disait à lui seul tout ce que ses lèvres taisaient.

Héléna se redressa brusquement. Un frisson secoua ses épaules. Les yeux agrandis par la surprise, la jeune femme fixa le regard inquiet de son père.

Cordélia pencha la tête vers sa mère et lui dit, le ton assez haut pour que toute la tablée entende sa remarque désobligeante :

— Laissez faire, m'man. Quand Gus est parti sur une chire, y a rien pour l'arrêter. Moé, si j'étais vous, j'y servirais un plat de foin.

Héléna se demandait dans quelle sorte de famille elle venait d'entrer ; un mari grossier, une belle-sœur effrontée qui n'avait pas complètement tort, puis un prêtre qui n'intervenait pas au profit de sa mère. Elle non plus ne dit rien, elle avait appris à se taire. On l'avait bien dressée au couvent.

La vieille Augustine retira doucement la caillebotte de la vue de Gustave.

— Je force personne à en manger, dit-elle.

Après un silence, la vieille déposa une crêpe devant Gustave et ajouta :

– J'espère que vous allez ben vous entendre tous les deux.

Cordélia, désagréable au possible, ajouta :

– Vous aurez beau espérer, ce sera pour rien, m'man. Gus a un caractère de chien enragé.

– Cordélia ! Ça va faire ! C'est pas le temps de vous prendre aux cheveux le jour de son mariage.

– C'est lui qui a couru après. C'est pas parce que monsieur est marié que ça y donne le droit d'être polisson avec sa mère. Pis essayez pas de l'excuser devant Héléna. Elle est à la veille de le connaître.

Gustave ne releva pas la réplique de Cordélia. Le visage impassible, il arrosait sa crêpe de sirop d'érable.

Les invités, mal à l'aise, mangeaient le nez dans leur assiette. Héléna, par complaisance envers son mari, pencha la tête de son côté et posa une main affectueuse sur son poignet. D'un geste brusque, Gustave retira son bras comme si la main de sa femme le brûlait. Il se leva de table, alluma sa pipe aux tisons et revint à sa place.

Héléna ne savait que penser. Elle regardait à gauche et à droite, son père et Agathe, témoins de toutes ces énormités. Dans sa famille, on ne manquait pas de se taquiner, mais ça n'allait jamais jusqu'à l'effronterie, même qu'à la table, on se serrait les uns aux autres pour être plus ensemble. Chez la vieille Augustine, l'atmosphère était lourde. Si Antoine et Agathe n'avaient pas été de la noce, Gustave n'aurait pas desserré les dents du repas. Une seule fois son regard avait rencontré celui d'Héléna et celle-ci l'avait gratifié d'un tendre sourire qui était resté sans réponse.

La vieille Augustine sortit une boîte à priser et s'exécuta avec la plus grande simplicité du monde. Au bout d'une heure, Gustave retira la pipe de sa bouche, secoua la cendre dans sa soucoupe et jeta un gros crachat noir par terre. Sa mère, insultée, lui dit :

— Gustave, t'es dans ma maison icitte, pas dans une étable. Je veux pus jamais que tu me recommences ça.

Héléna, mal à l'aise, demanda un torchon et essuya le plancher. La vieille suivait son geste de l'œil. Elle se demandait si la fille à Jules Pelletier arriverait à casser le vilain caractère de Gustave. Celui-ci donnait un coup de tête du côté de Cordélia.

— Donne-moé ma bougrine, dit-il.

\* \* \*

Gustave monta dans la voiture de promenade et s'assit sur la banquette. Il tenait sa pouliche en place en attendant que sa femme monte à son tour, sans son aide, sans lui tendre une main secourable. L'élégante voiture était juchée très haut sur ses grandes roues. Héléna mit le pied sur l'étrier, s'accrocha d'une main au siège et de l'autre au devant de la voiture, que la bête époussetait d'un coup de queue toutes les minutes. Elle se donna un élan et hop ! Elle n'était pas assise que Gustave commandait à sa pouliche le trot. La voiture, bien menée, fila sur le chemin.

Le retour fut plutôt silencieux. Si Héléna ouvrait la bouche, c'était pour parler seule ou presque. Elle se hasarda à demander d'une voix qui manquait d'assurance :

— Vous parlez toujours sur ce ton à votre mère ?

Gustave, le regard froid, plus lourd que la hache d'un bourreau, se ferma comme une huître. Il se leva et, debout dans sa voiture, il se mit à flageller sa pouliche.

– Allez! Hue!

Il se rassit ensuite brusquement.

Héléna apprenait, le matin même de son mariage, à respecter l'humeur maussade de son homme. Avant de l'exaspérer davantage, elle changea de sujet. Elle leva vers lui son regard pacifique et lui sourit.

– Regardez du côté de l'ouest. On dirait que le soleil veut percer les nuages.

– …

– La nuit passée, j'ai mal dormi. Je me demandais si y ferait beau pour notre mariage.

Héléna n'arrivait pas à arracher un mot à son mari. Elle s'épuisait à tenter d'alimenter une conversation qui agonisait. En ne répondant pas, Gustave fermait la porte aux questions. Il ne parlait qu'à sa pouliche et c'était pour la commander.

Héléna ne pouvait même pas discerner s'il était heureux ou malheureux. Tous les hommes agissaient-ils ainsi? Le sien semblait ignorer sa jeune femme. C'était sans doute dû à la gêne ou encore à une indifférence de sa part. Héléna cherchait dans son attitude un geste ou un regard qui exprimerait un sentiment ou, du moins, une certaine sensibilité. Et si elle pressait son corps contre le sien, elle attiserait ses sens. Héléna n'osa pas. C'était à son mari de l'approcher. Elle regarda sa main, une main large, façonnée par le dur labeur. Gustave allait sûrement la poser sur la sienne, mais non, il lui fallait bien tenir les cordeaux.

Tout au long du chemin de l'église à la maison, Héléna vit des rideaux s'écarter et, derrière les vitres, des têtes curieuses apparaître.

Reina Grenon, une commère du coin, posa ses lunettes sur le bout de son nez. Elle aurait bien aimé assister au mariage de son voisin, mais ses jeunes enfants la retenaient à la maison. Au Caboulot, le petit magasin situé en face des Branchaud, Jeanne et Jos Lafleur étirèrent le cou derrière leur comptoir pour voir arriver les nouveaux mariés. Leur voisine, Louise Therrien, sortit balayer son perron. Après quelques pas sur la galerie, elle s'arrêta net et appuya son menton au manche de son balai. Ce matin, dans leur patelin, Gustave et Héléna étaient des objets de curiosité. Depuis les bans à la messe du dimanche, on ne parlait que d'eux au garage Champoux, au petit magasin des Lafleur et à la forge.

* * *

Gustave n'eut qu'à renverser deux doigts sur la rêne gauche pour que la pouliche entre dans la cour en effarouchant trois poules pondeuses.

Héléna n'avait pas assez de ses deux yeux pour voir son nouvel entourage. Un vieux chêne centenaire ombrageait la vieille demeure en planches délavées par les pluies. Depuis sa construction, qui datait d'une centaine d'années, la maison n'avait jamais été repeinte. À chaque extrémité, deux cheminées en pierre des champs perçaient le toit de tôle et, sur chacune, un paratonnerre préservait la maison de la foudre. Trois lucarnes à pignon s'appuyaient sur la longue galerie qui courait sur toute la façade de l'habitation pour aller mourir au bout d'une dépendance qui servait de cuisine d'été. Et derrière, il y avait deux hangars, un grand et un petit, et une corde à linge qui allait se perdre dans le champ.

Héléna avait passé devant cette maison chaque fin de semaine pendant trois ans pour aller enseigner dans le rang Sainte-Claire, mais, à ce moment-là, elle ne la regardait pas du même œil. Elle ne se doutait pas qu'elle y passerait sa vie.

Le chemin de fer du Canadien Pacifique passait devant de la maison des Branchaud. On n'avait qu'à traverser la route pour accéder à la petite gare, ce qui facilitait le transport des produits céréaliers de la ferme à la ville. Juste à côté, un petit magasin, le Caboulot, appartenant aux Lafleur, servait de dépanneur. Si on ajoutait la forge, le garage Champoux, les maisons des Grenon, des Therrien, des Guénette et des Gauthier, la minuscule agglomération ressemblait à une bourgade.

La nouvelle épouse, enveloppée dans son grand manteau rouge, était remarquable par son port de tête et sa distinction. Elle sauta de voiture. Le temps que Gustave conduise sa pouliche à l'écurie, la jeune femme était déjà sur le perron. Elle poussa la porte de la cuisine qui n'était jamais verrouillée – les gens des rangs disaient ne rien avoir de précieux à voler. Héléna disparut aux yeux des curieux.

L'attraction passée, la Therrien appuya son balai au mur extérieur de sa maison et traversa à grands pas le chemin qui menait au Caboulot.

Au petit magasin, chaque fois que la porte s'ouvrait, la clochette sonnait et Jos étirait le cou. La pièce au plafond bas était surchauffée. Jos Lafleur passa derrière le comptoir pour servir la cliente.

— J'ai besoin de rien, aujourd'hui, dit Louise Therrien. Je passais juste comme ça jaser avec votre femme.

— Jeanne, arrive! cria Joseph. Y a quelqu'un pour toé.

— Tiens! Si c'est pas madame Louise! s'écria Jeanne, ravie.

— Je serai pas longtemps, je voudrais pas vous déranger. À l'heure qu'y est, vous avez votre dîner à préparer.

— Vous me dérangez pas pantoute. Mon dîner peut attendre. Icitte, avec le commerce, on n'a pas d'heure fixe pour manger.

La marchande lui désigna une chaise.

— Assoyez-vous là. Joseph va s'occuper du magasin, pis nous deux, on va prendre le temps de piquer une bonne jasette.

Louise Therrien adorait les histoires vraies, vécues dans son entourage. Dès qu'elle voyait quelqu'un, elle lui demandait : « Rien de nouveau ? » Et elle savait interroger à la façon d'un juge pour s'approprier les faits de tous les jours dont les journaux ne parlaient pas parce qu'ils étaient locaux.

— Avez-vous vu arriver les nouveaux mariés ? demanda la Therrien, intéressée.

— À vrai dire, répondit la marchande, j'ai à peine pris une minute pour jeter un coup d'œil sur le chemin ; j'étais occupée à remplir les tablettes. C'est pas moé qui va vous dire ce qui se passe dans le coin. En tout cas, ça faisait un bon boutte de temps qu'on n'avait pas eu de mariage par icitte. Là, les enfants sont trop jeunes, mais vous allez voir, dans une quinzaine d'années, ça va recommencer pis ça lâchera pas.

Louise chuchota, la main devant la bouche :

— La femme est pas jeune. Elle doit avoir passé le temps d'aimer.

— C'est quel âge, ça ?

— À moins qu'elle se soit mariée enceinte. Ça s'est arrangé ben vite, ce mariage-là. On n'a pas eu le temps de rien voir venir.

— Non, madame Therrien ! Je peux vous le jurer. Héléna est ma cousine par alliance pis c'est une fille à qui on peut rien reprocher.

La Therrien ravala sa salive avec un effort visible, comme si sa gorge s'étranglait.

— Vous êtes parentes ? En tout cas, Gustave Branchaud a même pas aidé sa femme à descendre de voiture. Comme je le connais, y a jamais été ben ben galant avec les femmes. Pis pas plus avec les hommes. Y remet jamais les saluts.

— Au fond, l'important, c'est qu'il le soit avec sa femme.

— Moé, je trouve que c'est ben mal parti. On aurait dit un vieux couple qui se sent pus. Si vous l'aviez vu, y avait l'air de revenir d'un enterrement.

– Parfois, l'amour fait des miracles. Le mariage peut changer le caractère d'un homme. On a déjà vu ça dans certains ménages.

– Vous, madame Louise, je vous admire. Vous voyez toujours le bon côté des gens.

– C'est comme ça que je suis faite.

– Moé, je pense pas comme vous. Je plains la pauvre femme qui rentre là. Elle est mieux d'avoir du caractère pour affronter Gustave Branchaud. Pis, malendurant comme y est, je l'imagine mal avec des enfants.

– Peut-être qu'y en auront jamais, comme Jos pis moé.

– C'est vrai que la fille à Jules Pelletier est pus jeune. La machine est p't-être ben rouillée.

La Therrien ricana.

* * *

La nouvelle mariée n'avait jamais vu l'intérieur de la maison où elle passerait sa vie, une maison qui ressemblait plus ou moins à toutes celles que l'on trouvait à la campagne.

À l'entrée, une catalogne de deux pieds de large protégeait le linoléum. Ce couvre-plancher, usé par endroits, laissait voir des marques de goudron noir. La grande cuisine verte s'était attiédie. Le poêle Bélanger, un colosse à six ronds vert et chrome, trônait au centre de la pièce et répandait un reste de chaleur. Sous le fourneau, une vieille chatte grise s'étirait paresseusement. Le regard d'Héléna s'arrêta sur chaque meuble, chaque objet, comme pour mieux en prendre possession : un buffet ancien, une longue table en bois foncé, au verni luisant, huit chaises à dossiers hauts, une huche à pain et, sous l'escalier, une machine à coudre. Il ne manquait rien et tout ça lui appartenait maintenant, elle qui n'avait jamais rien possédé en propre.

Gustave entra à son tour. Il déposa ses gants sur la table, se débarrassa de son manteau et le tendit à sa femme, du bout des doigts, comme s'il eut été mouillé. Héléna le déposa délicatement sur un dossier de chaise, elle enleva son manteau et son grand châle de laine, puis tourna le regard vers son mari. Celui-ci disparut aussitôt derrière une porte qu'Héléna supposa être celle de la chambre. La nouvelle mariée n'osait pas se montrer trop pressée. Elle prenait tout son temps pour se familiariser avec son nouveau milieu. Elle commença par explorer toutes les pièces de sa nouvelle demeure. Elle poussa deux portes en gros bois. La pièce fermée était plus fraîche que la cuisine. Héléna croisa les bras sur sa poitrine pour mieux conserver la chaleur de son corps. Elle resta sur le seuil à regarder un superbe piano placé en angle dans la pièce. Le long du mur se trouvaient un secrétaire en merisier et quatre chaises berçantes qui ne devaient servir que pour la grande visite. Tout ça était bien à elle. Deux fenêtres habillées de voilages blancs qui tombaient jusqu'à terre laissaient filtrer la clarté du jour dans le petit salon. Des portraits étaient suspendus au mur : trois photos de prêtres et une dizaine de cadres de premiers communiants. Héléna se demandait lequel était Gustave, mais comme un frisson la parcourait, elle retourna à la cuisine et referma la porte. De son poste, elle pouvait voir Gustave dans la pièce voisine. Il dénouait sa cravate, enlevait ses souliers et laissait tomber son pantalon. Elle fit mine de l'ignorer. Elle se dit qu'après avoir rangé son gilet et son chapeau dans la penderie, son mari allait lui prêter attention. Quel ne fut pas son étonnement de voir Gustave sortir de la chambre en salopette de travail et se diriger vers la sortie de côté!

— Où vous allez comme ça? lui demanda-t-elle, tentant de cacher sa déception.

— Labourer. Vous surveillerez les portes de la grange d'en haut, dit-il. Quand je les fermerai, c'est que je serai pas loin. Je veux mon repas sur la table en entrant.

Gustave sortit. Héléna marcha jusqu'à la fenêtre à carreaux d'où elle pouvait observer son mari. De son pas régulier, Gustave se dirigeait tranquillement vers l'écurie. Deux minutes plus tard, il réapparaissait tenant par la bride un cheval de trait qu'il attela au tombereau. Les mains accrochées aux guides, il mena sa bête vers la montée Mathieu. Héléna supposa que les instruments aratoires se trouvaient dans la grange d'en haut.

Pendant un bon moment, Héléna, le regard visible-ment embarrassé, resta les yeux accrochés à la fenêtre. Tout l'avant-midi, la charrue allait et venait d'un bout à l'autre du champ et renversait l'humus sec plein d'engrais de fumier.

Héléna ne savait que penser. Le jour même de son mariage, son mari partait sans lui parler, sans l'embrasser. Il la plantait là. Il préférait ses guérets à sa femme. Elle qui pensait qu'une fois seuls tous les deux, son mari lui ouvrirait son cœur et ses bras. Ses illusions s'envolaient. Sa lèvre inférieure tremblotait.

Elle détourna les yeux de la fenêtre et ravala par deux fois pour s'humecter la gorge quand un fait lui revint en mémoire. Une semaine plus tôt, à la suite de la publication des bans, on avait raconté dans la place qu'elle ne serait pas heureuse avec Gustave, enclin à la solitude, et cette rumeur avait fait le tour de la paroisse. Héléna en avait parlé à son père et celui-ci lui avait répondu : « Y aura toujours des gens pour critiquer et d'autres pour les croire. » Comme elle s'était déjà promise à Gustave, elle avait fait la sourde oreille aux bavardages malveillants.

Héléna ne baisserait pas les bras. Le temps qui change tout changerait bien les humeurs de son homme. Elle chérirait son mari, l'attendrirait et elle lui donnerait des enfants qui les rapprocheraient.

Héléna retira ses lunettes, s'essuya les yeux et, sans qu'elle s'y attende, un torrent de larmes inonda ses joues. Des sanglots la secouaient. Elle avait honte de sa faiblesse, qu'elle attribuait à l'épuisement et à l'énervement de la semaine. Elle se rendit à sa chambre, se jeta en travers de son lit et, épuisée, s'endormit profondément.

Deux heures plus tard, des bruits dans la maison, accompagnés de « torrieux » et de « verrats », réveillaient Héléna, qui s'assit carré dans le lit. Gustave martelait le plancher et malmenait les chaises.

Héléna apparut dans la porte de chambre, le regard doux, un peu triste.

— Déjà midi ? Y faut pas m'en vouloir, je me suis endormie.

— J'ai dit que je voulais le repas sur la table en rentrant !

Gustave exigeait qu'on réponde à ses demandes instan-tanément. L'air maussade, il attendait, assis au bout de la table.

Héléna restait calme, mais elle était déçue.

– Si vous désirez manger chaud, dit-elle, vous devrez attendre quelques minutes.

Gustave laissa glisser les bretelles de sa salopette sur ses reins et, le poing appuyé sur la bouche, il fixait son assiette. Il gardait toujours les yeux bas, jamais à la hauteur de sa femme. Héléna sentait qu'ainsi son mari évitait de rencontrer son regard. Elle recouvrit sa robe d'un tablier de toile qu'elle attacha sur ses hanches, puis elle fouilla dans l'armoire à la recherche de nourriture. Elle trouva des carrés de lard dans le saloir et des patates sous l'évier. Pendant la cuisson, elle sortit deux assiettes en granit qu'elle déposa sur la table et courut au poulailler d'où elle rapporta six œufs. Quand tout fut prêt, elle s'assit en face de son mari, qui traînait sur lui l'odeur forte et âcre de la terre remuée, et elle mangea du bout des dents.

Le jour de son mariage, sa vie de couple à peine com-mencée, Héléna s'abaissait au rang de domestique.

Le couple dîna en silence. Héléna ne savait pas que Gustave avait toujours été comme ça ; il mangeait sans un mot, sans regarder personne et, au besoin, il frappait sur la table avec un ustensile, sans nommer quiconque. On devait deviner son besoin et, à peine son repas terminé, il se retirait dans la chaise berçante avec sa pipe, toujours sans un mot. Il ne riait jamais. Héléna le trouvait bien différent de son père qui sifflait, chantait ou taquinait les siens dans la maison. Elle comptait sur la nuit pour se rapprocher de son mari.

Le dîner terminé, Gustave sortit du tiroir de la table un carnet fermé avec un élastique et un crayon. Tout en lavant la vaisselle, Héléna le surveilla du coin de l'œil. Elle prenait son temps. À qui son mari pouvait-il bien écrire ? À son frère Gilbert ? Sûrement pas. Cordélia lui avait rapporté que lui et Gustave n'étaient pas en bons termes. Elle fit mine de ne rien voir.

Elle jeta la vieille défroque de Gustave sur ses épaules et se rendit au bout du perron cueillir des grappes de lilas aux fleurs mauves très parfumées. Revenue à la cuisine, Héléna arrangea les fleurs en bouquet et les déposa au centre de la table.

Et toujours, Gustave l'ignorait. Elle le regarda se lever de sa chaise, prendre sa vieille laine déformée, la mettre sur son dos et retourner à ses labours.

Après s'être assurée d'avoir tous les ingrédients nécessaires dans son armoire, la nouvelle mariée démêla un saint-honoré. Comme elle n'avait pas eu de gâteau de noce, ce serait une belle surprise pour Gustave. Elle le mit en réserve dans le garde-manger.

Un repas de noces exigeait une belle table et sa nouvelle maison regorgeait de vaisselle, de verrerie et de nappes coûteuses. Héléna sortit la vaisselle en porcelaine blanche de sa cachette. Elle glissa les doigts sur les assiettes lisses sans cassures ni ébréchures. Elle retira la coutellerie en argent du buffet et, tout en s'affairant vivement, elle se dit : « Si on prenait un p'tit verre de vin pour fêter ça ? Un peu de vin réussirait peut-être à délier la langue de Gustave. » Restait à savoir si elle pouvait se permettre cette dépense sans vider complètement son portefeuille. Elle passa à sa chambre chercher la petite boîte de métal qui contenait son argent. Elle la vida sur le lit et compta son avoir. Il restait peu. «Après tout, se dit-elle, pour le jour le plus important de ma vie. »

Héléna courut au petit magasin qui se trouvait tout près de la gare, le Caboulot.

En l'apercevant, la femme du marchand lui ouvrit les bras en s'écriant :

— Si c'est pas notre nouvelle mariée du matin !

Tout en parlant, la marchande étirait le cou à la cuisine.

— Jos, arrive ! Viens voir, on a de la belle visite.

Joseph et Jeanne, un couple dans la quarantaine et sans enfants, étaient fraîchement arrivés de Montréal, où Joseph, écœuré de vendre de la glace de porte en porte, avait déniché un petit magasin, le Caboulot, ce qui avait ramené le couple dans leur village natale.

— Vous avez pas amené votre homme, madame Branchaud ? s'informa Joseph Lafleur.

— Gustave est à ses labours.

— À ses labours ? répéta Jos en fronçant les sourcils. Des labours au printemps, pour comble, le jour de son mariage ?

— Oui, Gustave dit que ça presse parce que, cet été, y veut agrandir ses champs de céréales.

— Ah ben coudon ! Les gens de la place ont raison de dire que les Branchaud ont le tour de faire de l'argent. Gustave doit pas être différent des autres, hein ! Ben c'est tant mieux pour vous, si vous pouvez en profiter.

— Gustave est un homme ambitieux, dit-elle, mais l'argent, c'est pas tout dans la vie. Le bonheur est ben plus important.

— Oui, ben sûr, admit Jeanne. Passez donc à la cuisine, je vais préparer un thé. Faites attention à la marche qui sépare le commerce de la cuisine.

— Je devrais pas traîner. Gustave tient à ce que son repas soit sur la table quand y revient du champ.

— Je le comprends donc, blagua Joseph en ricanant. Un nouveau marié!

— Je dois courir, j'ai jamais préparé de repas et je perds un temps fou à chercher les choses. Je me sens étrangère dans cette maison. Pis là, je viens acheter une bouteille de vin pour mon repas de noces.

— J'ai de la piquette, un vin de gadelle. Si ça vous va… On dit qu'y est pas pire.

— Passez à la cuisine! insista Jeanne. Jos va garder le magasin pendant qu'on va piquer une bonne jase toutes les deux. Hein, Jos?

Jeanne poussait Jos vers le commerce.

— Va, va, dit-elle, pince-sans-rire.

Et, dans son dos, elle fit semblant de donner un coup de pied au derrière de son homme pour le chasser. Son geste vulgaire, venant d'une femme, étonnait d'abord, mais Jeanne était tellement drôle qu'Héléna ne put se retenir de rire.

Jos traversa au commerce en disant:

— Bon! Je vous laisse jaser entre femmes. Pis toé, Jeanne, tâche d'être de bon conseil.

Jeanne approcha une chaise de la table et, tout en causant aimablement, elle prépara un thé qu'elle versa dans des tasses en poterie.

– On dit que vous êtes la sœur d'Agathe, la femme d'Antoine. Après la mort de votre mère, votre père s'est remarié avec ma tante Rollande. Depuis, on se trouve à être parentes par alliance.

– Comme ça, on va avoir l'occasion de se revoir.

– D'abord qu'on est cousines, on peut laisser tomber les « vous » gros comme le bras.

– Je suis ben d'accord.

– Comment s'arrangent ta belle-mère pis Cordélia au village? C'est tout un changement pour des femmes habituées aux grands espaces.

– Je pourrais pas te dire vu que je suis mariée de ce matin.

– On sait ben! Je me demande ben où j'ai la tête.

– Vous deux aussi, vous devez trouver la campagne ben différente de la ville, hein?

– Pour ça, oui! En ville, tout le monde est ben frette. Chacun fait sa petite affaire sans s'occuper des voisins. Je connaissais même pas le nom de mes voisins de balcon. Pour moé qu'était confinée à la maison, c'était plate à mort. Icitte, je me sus jamais ennuyée, je vois du monde en masse, pis chaleureux en plus. Dernièrement. Jos m'a promis que, si les affaires continuaient de ben aller, on se bâtirait une petite maison. Elle aurait pas besoin d'être grande, on est rien que deux. Comme c'est là, on est un peu tassés, les marchandises augmentent toujours pis la bâtisse est pas élastique.

– Vous construiriez dans le coin?

– Oui, juste à côté du Caboulot, des pièces attenantes au commerce pour s'exempter de sortir dehors à chaque client. Icitte, on a de bons voisins. Tu verras quand tu les connaîtras tous. On est comme une petite bourgade. Si ça peut te familiariser avec le coin, je vais te nommer les plus proches. Passé le garage Champoux, y a les Therrien, la maison suivante, les Gauthier et, en face, y a les Guénette, la gare, pis nous autres. Un bon soir, je vous inviterai tous en même temps pour une corvée de piquage de courtepointe. Comme ça, tu pourras faire plus ample connaissance avec ton entourage. Icitte, c'est tout du monde sur qui tu peux compter. Ben sûr, y a des petites frictions, mais ça dure jamais longtemps. Tout finit par se régler.

Sa tasse de thé vide, Héléna se leva.

– Bon! Deux heures! Faut que j'aille si je veux rien oublier pis que tout arrive à point.

Héléna avait trouvé en Jeanne une bonne amie.

Au départ, Héléna l'invita à son tour:

– J'espère que tu viendras me voir, asteure que la glace est brisée.

– Compte pas les tours, Héléna. Avec le magasin, nous, on est pognés pour rester icitte, mais on aime ben la visite.

\* \* \*

Le souper prêt, Gustave entra, s'assit sur la première chaise et ordonna à sa femme:

– Ôtez-moé mes bottines.

Héléna, étonnée, se dit : « Si je refusais ? » puis elle se ravisa. Ce serait alimenter la mauvaise humeur de Gustave et elle voulait la paix dans sa demeure.

Elle s'exécuta. Cependant, elle se demanda ce qu'elle faisait dans cette maison. Depuis le matin, elle accumulait déception sur déception et elle restait là, impuissante à changer son sort.

Gustave gagna sa place habituelle au bout de la table. Héléna le rejoignit et s'assit à la place voisine. Elle, souriante, lui, de marbre. Le repas débuta par une rasade de vin suivie d'une poule en sauce. Gustave remarqua l'élégance de la table ; la vaisselle à filet d'argent scintillait sur la nappe brodée.

– À l'avenir, dit-il, vous prendrez la vaisselle en granit.

– Aujourd'hui, je l'ai sortie spécialement pour le jour de notre mariage.

Gustave trempa ses lèvres dans la coupe.

– D'où vient ce vin ? demanda-t-il d'un ton cassant.

Héléna mentit pour se soustraire à la colère de son mari.

– Je l'ai apporté dans mes affaires.

Elle passa sous silence sa visite au Caboulot.

Gustave mangea en silence, la tête baissée, et, une fois son assiette vide, de son manche de couteau, il frappa deux coups redoutables sur la table. Héléna comprit son geste. Elle remplit de nouveau son assiette.

– Vous trouvez que c'est bon ? demanda-t-elle.

– Si j'en redemande, c'est pas parce que c'est bon, c'est parce que j'ai faim, répondit Gustave, sèchement.

Pourtant, il mangeait comme s'il avait un trou dans l'estomac.

Héléna ne bougeait pas, comme prise dans un bloc. Elle était blessée. Le lobe de ses oreilles virait au rouge. Elle baissa les yeux pour ne plus rencontrer le regard de son mari. Elle s'était démenée avec l'intention de lui faire plaisir pour, en fin de compte, se faire bêtement rabrouer. Ce matin, Cordélia avait eu raison de dire qu'elle lui servirait un plat de foin. Héléna, emmurée dans sa peine, était pareille à quelqu'un qui vient d'apprendre un deuil.

Elle remplit sa coupe de vin, un vin à peine buvable, et but à grandes gorgées. Elle s'en versa de nouveau et, d'un trait ou deux, elle en vida le contenu. Elle recommença jusqu'à voir le fond de la bouteille. Gustave lui passa la remarque :

— Vous buvez souvent ?

Le vin aidant, Héléna répondit du tac au tac :

— Si je bois, c'est pas parce que j'ai soif, c'est parce que j'ai mal.

Sa rancœur ne dura pas longtemps. Le vin faisant son effet, sa bonne humeur reprit le dessus.

— À l'avenir, proposa Héléna, j'aimerais m'occuper des commandes d'épicerie. Comme ça, quand j'aurai besoin de petites choses pour mes recettes, j'aurai qu'à faire un saut chez les Lafleur. Comme c'est tout près, vous aurez pas besoin d'atteler. Pour vous, ce sera une corvée de moins.

— Les femmes sont trop dépensières, dit-il.

L'air renfrogné, il ajouta :

— Vous connaissez les Lafleur ?

Héléna hésita un peu, Gustave tentait-il de la prendre au piège? Elle répondit:

— Oui, Jeanne, la femme de Jos Lafleur, est la nièce de ma belle-mère Rollande.

Le genou d'Héléna touchait celui de Gustave. C'était leur premier contact et la jeune femme s'attendait à une réaction de la part de son mari, mais rien. Elle leva sur lui un regard sans détour, des yeux lumineux qui se prêtaient au dialogue, et elle posa des questions sur son enfance.

— Vous êtes né dans cette maison?

Gustave semblait sourd. Son assiette vide, il posa les coudes sur la table et, le menton appuyé sur ses mains jointes, les yeux dans le vide, il attendit le dessert.

Héléna voyait bien qu'il refusait de causer. Elle se leva de table et revint, tenant à bout de bras le beau gâteau garni de petits choux blancs.

— Regardez, Gustave! Je l'ai fait spécialement pour nous deux, pour fêter notre mariage.

Au même instant, il y eut un grand bruit, comme un tremblement de terre accompagné d'un bruit d'enfer. Héléna, aussi surprise que si une grenade venait d'éclater, fit un mouvement brusque et le gâteau lui échappa des mains pour aller s'écraser au sol, tout démoli.

— Qu'est-ce que c'est ça?

Après un moment, Gustave répondit calmement:

— Le train.

Comme la voie ferrée passait juste de l'autre côté du chemin, à chaque passage du train, la vieille maison tremblait de toute sa carcasse.

Gustave frappa la tasse de sa cuillère pour demander qu'on lui serve un café.

Héléna s'empressa de servir son homme. Elle ravalait. Son gâteau était-il à l'image de son mariage? Était-ce un mauvais présage? Elle sortit une cruche de sirop d'érable et en versa une petite quantité dans un bol.

— Y faudra vous contenter de ça comme dessert.

Le repas de noces prenait fin tristement. Pourtant, Héléna avait déployé tout un cérémonial pour plaire à son mari.

Gustave semblait étranger à ce qui se passait dans le cœur de sa femme. Il quitta la table, décrocha sa casquette du clou et sortit.

Héléna, de nature effacée, resta sans mot. Évidemment, tout allait de travers depuis le matin. De la fenêtre, elle suivit son mari du regard. Il se dirigeait vers l'étable. Elle sortit le porte-poussière et le balai, puis jeta au feu tout ce qui avait été son gâteau de mariage.

Une fois la cuisine en ordre, Héléna replaça la belle vaisselle blanche dans sa boîte de carton. Si elle ne pouvait pas s'en servir aux grandes occasions, elle ne serait qu'un encombrement dans les armoires. La jeune femme se rendit dans la chambre avec l'intention de ranger le peu de vêtements qu'elle possédait. À son arrivée dans la maison, Héléna, trop émotive, n'avait pas remarqué le chiffonnier et la coiffeuse aux tiroirs bombés et aux dessus de marbre. Elle caressa de la main les belles veinures vertes et or et elle se demanda d'où venaient ces meubles somptueux, sans doute des générations précédentes. Les Branchaud devaient être des gens à l'aise, du moins, c'était ce qu'Agathe lui avait dit et ce qu'avait laissé entendre Jos au Caboulot.

Héléna s'assit au pied du lit. Les plis de sa robe de toutes saisons s'étalaient sur l'édredon. Elle farfouilla dans ses affaires; ses mains tâtaient des boîtes, les déplaçaient. Elle en choisit une en tôle qui sonnait aux secousses. Elle contenait quelques dollars de sa dernière paie et un peu de monnaie qui résonna sur le marbre du meuble. Elle se leva vivement sur ses longues jambes, se haussa sur la pointe des pieds, ouvrit un tiroir de la commode et y plaça sa précieuse boîte. Elle revint s'asseoir sur le lit et déposa sur ses genoux une autre boîte contenant un lot de petits effets, dont une photo de mariage de ses parents qu'elle se mit à bécoter comme si elle était une compensation à la froideur de son mari.

Gustave revint de l'étable avec une pinte de bon lait chaud qui venait d'être trait pour la maison. Héléna sursauta au bruit de la porte. Elle se pressa de remettre le portrait de ses parents à sa place et fila à la cuisine. Comme elle entrait dans la pièce, Gustave déposait une enveloppe dans le tiroir de la table qu'il referma d'un coup de genou. Il disparut à sa chambre et en revint vêtu simplement d'une combinaison sous-vêtement. Il sortit de sous l'évier un petit baquet en granit qu'il déposa au sol, y approcha une chaise et s'assit.

Héléna surveillait discrètement ses moindres gestes. Gustave allait sans doute prendre un bain de pieds avant d'aller au lit.

Il retroussa les manches et les jambes de sa combinaison grise.

— Venez me laver, dit-il.

— Qu'est-ce que vous dites? Moé, vous laver?

Gustave n'aimait pas répéter.

Héléna n'avait jamais vu sa mère laver son père. Comment son mari pouvait-il exiger d'elle une pareille humiliation? Elle se sentait bafouée. Le cœur au bord des lèvres, elle saisit la bouilloire qui sifflait sur le poêle et versa une belle eau claire dans le récipient.

Gustave enleva ses bas et les laissa tomber sur le plancher.

— Commencez par me raser, dit-il.

— J'aurais peur de vous couper.

— Le rasoir est dans la pharmacie au-dessus de l'évier.

Héléna sortit le blaireau et le long rasoir à lame recourbée, dangereusement affilée. Elle hésitait, retournait en tout sens l'outil dans sa main. Finalement, elle s'exécuta avec mille précautions. Elle prenait plaisir à s'attarder sur le visage et les bras de son mari. Allait-il lui prendre la main? La serrer contre lui? Rien. Quand vint le tour des pieds, elle se leva comme si sa besogne était terminée.

— Achevez votre travail, dit-il.

Héléna, soumise, s'agenouilla devant son mari et lui donna un bain de pieds. Sitôt sa sale besogne terminée, elle s'occupa de vider le baquet et de replacer les objets ayant servi à sa toilette.

À son grand étonnement, Gustave revêtit son habit du dimanche. Héléna sortit son manteau dans le but de l'accompagner.

— Vous, vous restez icitte, ordonna Gustave.

Elle figea, une infinie tristesse assombrit son front.

– Où vous allez, comme ça, changé en propre? demanda-t-elle.

– À l'assemblée de conseil.

Héléna, déçue, restait sans voix. Elle reprit son manteau et se dirigea vers la penderie.

Dehors, la clarté du jour s'était éteinte. Gustave enfonça son chapeau sur ses yeux et sortit.

Héléna se sentait seule avec sa déception. Elle s'assit dans un coin et attendit. Elle ressassait les événements de la journée. Pour la troisième fois, le jour de son mariage, Gustave la plantait là. Elle profita du fait d'être seule pour regarder à qui son mari écrivait et s'il parlait d'elle dans sa lettre. Son geste n'était pas de l'indiscrétion, elle cherchait seulement un mot ou une phrase qui démontrerait que son mari avait des sentiments. Elle ne vit rien d'autre que des calculs d'arpents de blé, d'avoine, d'orge, des chiffres et des signes de piastre.

* * *

La salle municipale était remplie. L'assemblée débuta par une courte prière. Les gens des rangs refusaient de payer les services publics des villageois.

Villeneuve se leva.

– Nous autres, à l'autre boutte de la paroisse, dit-il, pourquoi on paierait pour vos trottoirs de bois pis l'éclairage de vos rues quand ce sont des services particuliers réservés aux gens du village?

Champagne, un villageois, se leva à son tour et argumenta:

– Vous autres aussi vous profitez de nos trottoirs pis de l'éclairage des rues quand vous venez au village.

– C'est pas vrai, reprit Villeneuve, nous autres, les gens des rangs, on trime assez fort le jour pour que, la nuite, on dorme ben dur. C'est pour ça que je les ai jamais vus allumés, tes lampadaires au gaz.

Le maire discuta tout bas avec ses conseillers.

– D'autres parmi vous ont-ils des questions ?

Gauthier leva la main.

– Avant d'aller plus loin, monsieur le maire, on aimerait que vous répondiez à la première question.

Le maire Desrosiers se pencha de nouveau vers Beauchamp, un conseiller, et lui murmura quelques mots à l'oreille, à la suite de quoi, celui-ci ajouta :

– Monsieur le maire propose un ajournement de la séance. Qui appuie ?

Champagne leva la main.

– Proposition appuyée, dit Beauchamp.

Les hommes, insatisfaits, protestèrent :

– Comme on est déjà là, relança Therrien, pourquoi pas régler la question pis qu'on en finisse une bonne fois pour toutes ?

Le maire se leva.

– La séance est levée, annonça-t-il.

Le maire les plantait là. On entendait des murmures d'insatisfaction. Therrien, furieux de s'être dérangé pour rien, s'écria :

– On saura pour qui voter à la prochaine élection !

Champoux invita l'assemblée à tenir un caucus à son garage.

Ils étaient dix. La pièce ressemblait à un trou noir. Personne n'osait passer en premier. Champoux alluma la lampe à gaz, qui répandit une grande clarté. Il bourra la truie de bois d'érable avant de trouver des sièges pour chacun. Les hommes fumaient la pipe et crachaient par terre leur salive noire.

Villeneuve s'assit sur un baril à graisser. Il y avait bien deux chaises, mais il manquait encore sept places. Champoux tassa ses outils : une pompe à huiler, une soudeuse, une roue de charrette, un cric à manivelle et, la place libérée, il sortit chercher des chaises chez lui. Tout le monde parlait en même temps.

Villeneuve demanda le silence.

— Therrien, qu'est-ce que t'as à proposer ?

— Y faudrait ériger une nouvelle paroisse. Moé, je suis ben tanné de parcourir six milles chaque fois que j'ai à faire au village, que ce soit pour aller à l'église, au docteur ou aux assemblées de conseil. Icitte, on a déjà une forge, un magasin, une gare, y nous manque rien qu'une église ; une paroisse se fait pas sans religion. Ça fait un bon boutte de temps que j'y pense pis j'ai compté ça. La nouvelle paroisse compterait cinq cents âmes, pis c'est juste un commencement ; nos enfants vont se marier pis avoir des petits à leur tour, ça va nous peupler une paroisse dans une vingtaine d'années.

— Tu vois trop loin, Therrien ! s'écria Champoux. Dans vingt ans, on sera pus là pour voir ça.

La majorité des cultivateurs appuyaient son projet, mais Gustave Branchaud était contre une séparation. Il protesta.

— Ça nous coûterait pas moins cher. Pensez donc, y faudrait tout recommencer, comme aux premiers temps de la colonie : pas seulement bâtir une église, mais aussi un presbytère, une salle paroissiale, acheter une voiture de pompier, installer des trottoirs, éclairer nos rues au gaz, pis j'en passe. On se retrouverait vite dans la même galère.

— Moé, je suis pour, dit Lafleur.

— On sait ben, Lafleur, ajouta Branchaud. Ça va te donner du gagne. Si les gens se rendent pus à Sainte-Anne pour les messes, les affaires vont se faire par icitte pis ta clientèle va grossir. Les gens iront pas à Sainte-Anne juste pour acheter un clou.

— Ben tiens, je suis pas fou. Je pense à mon portefeuille. Ce serait fini de vendre rien que des petites cochonneries.

Therrien, vendu à cette cause, ajouta :

— On aura besoin d'un docteur pis d'un notaire, à moins que maître Dumont de Sainte-Anne-des-Plaines vienne passer les contrats icitte un jour ou deux par semaine. Je pourrais y louer mon salon, y a une porte qui donne directement sus le perron. Mais avant, y faudrait commencer par faire une évaluation des coûts. Pour l'église, quarante par quatre-vingts pieds pourraient suffire.

— Oui, ajouta Lafleur, ce maudit Desrosiers pis ses conseillers y perdraient au change.

— Ce serait une vengeance qui nous coûterait cher, rétorqua Gustave Branchaud.

Villeneuve prit la parole.

– Toé, Robidoux, avec ton moulin à scie, tu pourrais scier le bois gratuitement.

– Je suis ben prêt avec un peu d'aide, dit le scieur.

– En tout cas, comptez pas sus moé, dit Lafleur. J'aurais pas le temps. Je dois agrandir ma maison. Comme c'est là, toutes les pièces servent de dépôt de marchandises. C'est le magasin qu'y faudrait agrandir, mais Jeanne pense autrement. Ma femme pis moé, on passe nos temps libres à faire des plans.

– Tu veux agrandir le Caboulot ? s'enquit Robidoux. Y me semble que ça va dévisager le paysage.

– Ce sera pas très grand, on n'a besoin que d'une chambre, d'une cuisine pis d'un salon, une pièce qui servira p't'être jamais. Mais écoute donc, je l'ai acheté pis payé, ce commerce. Asteure, je peux en faire ce que je veux.

– Pis toé, Branchaud, t'as une grande forêt. Tu pourrais fournir le bois nécessaire à la construction de l'église en rémission de tes péchés. Une fois ta forêt aérée, tes arbres respireraient mieux.

– Personne touchera à un de mes arbres, rétorqua Gustave. Que quelqu'un ose en couper un, j'y coupe la main.

– Maudit Gustave ! s'exclama Therrien, C'est ben toé, ça ! Quand y s'agit d'aider, t'es jamais de service.

– Je suis contre une nouvelle paroisse. Vous savez ce que j'en pense ! On n'est pas comme les gens du village, icitte. On n'a pas une paie à chaque semaine. Y faut attendre que l'avoine, l'orge pis le blé lèvent tout seuls. On peut pas tirer dessus.

— Nous autres, on est pour, reprit Therrien. Pis on se fiche de ce que tu penses. On sait que tu plieras jamais avec ta tête de cochon, mais c'est la majorité qui va l'emporter.

— Moé, offrit Gauthier, je peux donner un terrain pour l'église pis le presbytère.

— Pis pour la salle municipale pis le cimetière? insista Villeneuve.

— Non, pas ma terre entière, répondit Gauthier. Que les autres fassent leur part.

— Moé, cria Lauzon, je peux fournir le tabac à pipe.

Toute l'assemblée rit.

— Moé, reprit Marchand, j'ai rien à offrir, ça fait que je me ferme la gueule.

Tout le monde s'esclaffa de nouveau.

— Je pourrais toujours donner du temps, mais Villeneuve est un perfectionniste. Personne peut l'aider; même y donner un clou, ce serait pas le bon.

Villeneuve, qui menait le caucus, exigea le silence.

— On va commencer par voter à main levée.

— On n'est pas assez nombreux pour ça, objecta Therrien, pis on réglera rien à soir. Avant, on va devoir afficher le vote. Y a pas à s'énarver.

— Non, mais c'est de même que ça commence, intervint Champoux. On met une chose en branle pis on sait pas où ça va s'arrêter.

Ils étaient huit contre Champoux et Branchaud. La conversation roulait, glissait, dérapait.

Villeneuve jeta un regard à Gustave.

— Tu pourrais être notre nouveau maire.

Gustave, toujours buté dans ses opinions, se leva et donna un coup de pied à sa chaise qui bascula.

– Du calme, Branchaud! Prends sus toé, intervint Champoux. On est pas icitte pour démolir.

Gustave quitta le garage sans saluer. Il savait très bien que, le lendemain, Champoux lui ferait le suivi du caucus.

\* \* \*

Gustave revint à la maison à la grande noirceur.

Héléna l'attendait dans la berçante.

– Qu'est-ce qu'y avait de si important là-bas, dit-elle, pour qu'un nouveau marié passe les affaires de la paroisse avant sa femme?

Gustave secoua une main molle vers elle, comme pour envoyer sa question au diable. Il n'était pas d'humeur à causer. D'un geste vif, il malmena une chaise et lança son paletot dessus. Il tira un chapelet rouge de la poche de son pantalon, le présenta à Héléna et, sans parler, il s'agenouilla au pied du crucifix. Leurs voix se répondirent, monotones, et tout le temps qu'ils égrenaient les *Ave*, Gustave ressassait le déroulement de l'assemblée du conseil.

Le chapelet terminé, Gustave remonta l'horloge puis il fila à la chambre. Les membres lourds, il s'aplatit sur son lit et ne bougea plus, comme mort.

Héléna attendait une invitation au lit. Son mari allait sans doute l'appeler ou encore venir la chercher. Elle aurait bien aimé qu'il le fasse, elle sentait le besoin de jaser sur l'oreiller jusqu'à une heure tardive et de parler de leur vie passée pendant qu'il l'embrasserait et la cajolerait. Ils en auraient long à se raconter ; ils ne connaissaient presque rien l'un de l'autre. Mais il n'en fut rien, le peu de temps qu'elle consacra à ses ablutions et à remettre de l'ordre dans la cuisine, son homme ronflait.

Héléna, triste à mourir, resta un moment sur la berçante à écouter le tic tac de l'horloge. À quoi bon se presser puisque personne ne l'attendait ? Elle se sentait seule dans cette grande maison qu'elle venait à peine de découvrir et où elle aurait pu être si heureuse. Et si elle patientait un peu, Gustave allait sans doute l'appeler ?

Après deux heures en mouvement, la berçante s'arrêta net. À son tour, Héléna, la chandelle à la main pour mieux guider ses pas, se rendit à la chambre sans faire de bruit. Elle souffla la petite langue de feu et déposa le cierge sur le marbre du chiffonnier. Elle échangea sa longue robe noire contre sa belle jaquette de mariée et s'allongea près de son mari. Gustave ne la voyait pas ; il lui tournait le dos. Elle glissa doucement un pied contre le sien. Son mari avait gardé sa combinaison. C'était leur première nuit et elle n'existait pas pour lui. Déjà, le premier jour, elle se demandait si elle n'avait pas fait une erreur en l'épousant.

De grosses larmes roulaient sur ses joues, mais elle se gardait bien de sangloter ; elle avait son orgueil. À chaque geste, à chaque mot, elle se faisait rabrouer. Elle se sentait rejetée, mais quelque chose lui disait que Gustave change-rait, que tout ça n'était que le début. Elle se dit qu'elle ne devait pas envisager son avenir en se basant sur une seule nuit. Après une journée de labours, attelé aux manche-rons de la charrue, Gustave devait être trop fatigué pour s'occuper d'elle. Mais pourquoi diable faisait-il passer ses labours avant sa femme?

À la grande horloge, minuit sonnait la fin de la journée de ses noces et Héléna n'arrivait pas à fermer l'œil. Elle ressentait certaines appréhensions. Elle avait espéré un homme chaleureux, tendre et attentionné à son endroit. Malheureusement, pas une fois elle n'avait senti le contact passer entre eux.

\* \* \*

Le jour suivant, au lever, Héléna regardait son mari se déplier fibre à fibre en poussant un long soupir et s'asseoir sur son côté de lit pour enfiler son pantalon. À son tour, elle se leva, attacha ses cheveux en torsade et suivit son homme à la cuisine pour préparer le déjeuner. La grande maison était riante; le soleil entrait à pleines fenêtres.

Assis à la table, Gustave attendait que sa femme le serve. Héléna s'affairait vivement du poêle à la table.

— Vous avez passé une bonne nuit?

— Ouais!

— Une autre journée qui s'annonce belle! dit-elle.

Gustave ne répondit pas, ce n'était pas une question. Après un moment, elle ajouta:

— Et vos labours, ça achève?

— Ouais!

Il ne dit rien de sa belle jaquette à petites fleurs jaunes qu'elle avait mis une semaine à confectionner. L'avait-il seulement vue? Héléna déposa devant son homme une crêpe croustillante qu'elle arrosa de sirop d'érable.

— Aujourd'hui, je vais laver votre chemise blanche pis je vais l'étendre au soleil.

— Vous presserez aussi mon pantalon pis vous cirerez mes chaussures.

Sitôt son mari sorti pour ses labours, Héléna refit le lit, déposa dans le dernier tiroir sa belle jaquette à fleurs et enfila sa robe noire d'enseignante, qui ressemblait à une soutane de curé, la seule qu'elle possédait. Elle n'avait pas grandi enveloppée dans de la ouate. Sa grâce délicate de jeune fille disparaissait pour laisser place à une femme.

En attendant le retour de Gustave, Héléna demeura au coin du feu où elle lut le bulletin des Missions étrangères d'un couvert à l'autre, sans se rappeler de rien. Elle avait la tête ailleurs. La première nuit, Gustave avait dormi profondément. Peut-être était-il fatigué ou encore gêné de lui demander ses faveurs ?

Le soir suivant, ce fut le même scénario. Un reste de chandelle agonisait sur le marbre du petit meuble à tiroirs. Héléna souffla la flamme tremblante et se glissa sous le drap. Elle n'osa pas coller son corps sur celui de Gustave. Toujours cette crainte de se faire rabrouer. Ça revenait au mari de faire les premiers pas. Peut-être celui-ci attendait-il un geste invitant ?

Elle se réveilla, le bras sur le thorax de son mari. Elle le retira doucement pour ne pas déranger le sommeil de Gustave, qui réagirait mal. Il bougea. Héléna se rendormit sur son côté de lit. « Pauvre homme ! se dit-elle, il doit être mort de fatigue. »

Elle se demandait chaque jour si la nuit suivante serait la bonne.

# XII

La cinquième nuit, dans le noir, Gustave la prit de façon brutale, sans regarder son visage, sans une caresse, sans un mot, il la posséda d'un coup de reins. Héléna ne dit mot; seul un petit soupir s'échappa de ses lèvres quand il la déflora. Mais dans le noir, elle se mordait les lèvres pour ne pas crier sa douleur. Son mari, rassasié, se tourna sur le dos et se mit à ronfler. Elle se retourna aussi silencieusement qu'une feuille morte et, lovée sur elle-même, elle releva le drap sur son cou. Finie sa vie de vierge! Héléna ne montra rien de sa déception. Elle resta sur son côté de lit les yeux ouverts, le cœur fermé.

Désormais, il lui faudrait répondre aux attentes animales de cet homme qu'elle avait épousé et qu'elle découvrait de façon subite. Les révélations de la nuit étaient trop brutales pour Héléna. Elle ne s'habituerait jamais à se donner sans amour, sans tendresse. Un abîme se creusait dans son cœur jusqu'à lui faire mal de ses résonances. Elle pensa à Émilien, son premier amour. Lui n'aurait pas été une brute. Avec lui, la vie aurait été bien différente, mais elle n'avait plus le droit d'y penser.

Les jours passaient et se ressemblaient. L'été, le travail poussait dans le dos.

Héléna ne voyait aucun changement dans l'attitude hostile de Gustave. Pourtant, elle était dévouée jusqu'au sacrifice. Et si les chagrins et les joies finissaient par se rejoindre ? Elle désirait tellement des enfants.

* * *

Dans ses temps libres, Héléna allait marcher sur le chemin plat qui menait à la grange d'en haut. C'était souvent à la brunante. Étriquée dans sa longue robe noire, comme toutes les femmes mariées en deuil de leur jeunesse, elle respirait les odeurs de la terre et savourait le silence de la campagne. Le chien la suivait les oreilles droites. Elle oubliait Gustave un moment pour se retrouver en pensée chez ses parents au temps où son frère Jean-Guy et sa sœur Blanche la taquinaient et que tout le monde finissait par rire. C'était le bonheur dans leur maison du trécarré. Ce bon temps ne reviendrait peut-être jamais.

De retour chez elle, Héléna relisait le bulletin des Missions étrangères – elle adorait lire, mais le soir, comme elle devait économiser le pétrole, le tricot lui convenait mieux. Avec l'habitude, elle pouvait tricoter sans regarder ses aiguilles. Après le chapelet, elle retrouvait sa place dans la berçante, comme un abonnement à l'année. Tous les moyens étaient bons pour se coucher le plus tard possible et laisser le temps à Gustave de s'endormir avant elle. Pourtant, elle voulait des enfants. Elle se demandait combien de relations cela prendrait pour être fécondée. Jamais personne ne lui avait parlé de ces sujets qu'on passait sous silence, sans doute par pudeur. Et, mois après mois, ses menstruations revenaient la décevoir.

* * *

Un dimanche matin, le train terminé, l'attelage attendait devant la porte pour conduire le couple à l'église. C'était toujours une fête pour Héléna, qui se trouvait confinée à la maison à longueur de semaine. Gustave fréquentait les sacrements, il communiait. Héléna se demandait si son mari était bourru quand il s'adressait à Dieu comme il l'était avec elle et avec tout le monde, ou s'il était dévot comme ses frères prêtres?

Après la messe, Jeanne Lafleur, la femme du marchand, fit signe à Héléna d'approcher. Elles échangèrent quelques mots le temps que Gustave faisait approcher l'attelage.

— Tu passeras à la maison, l'invita Héléna.

— J'y manquerai pas. Promis!

Héléna monta et Gustave mena l'attelage chez sa vieille mère.

* * *

Les abbés Jacques et Rosaire étaient déjà là, ainsi qu'Agathe, Antoine et leurs enfants. Cordélia se retira dans le salon et, discrètement, fit signe à Héléna de la suivre. Elle lui tendit une lettre.

— Tenez, lisez ça. Ça vient de mon frère Gilbert. Elle est pour moé, mais y a un boutte qui parle de vous là-dedans. Vous pouvez lire.

*Ma chère grande sœur,*

*Merci pour les nouvelles de La Plaine, ça me rapproche de vous tous. Notre frère Gustave, marié, c'est incroyable! Tu dis que sa femme est la sœur d'Agathe. Est-ce que c'était la belle jeune fille qui portait une jupe brune et une queue de cheval frisée au mariage d'Antoine et Agathe? Dans le temps, même si je n'avais que douze ans, elle faisait battre mon cœur. Ne va pas dire ça à Gustave, lui qui m'en veut déjà de l'avoir planté là! Tu leur offriras mes vœux de bonheur.*

*Ce doit être tout un changement pour toi et maman de vous retrouver au village. Je me souviens bien de cette petite maison jaune à pignons avec sa clôture blanche, voisine de celle du docteur Coupal. C'était la plus belle de la place. Qui aurait pensé qu'un jour, les miens l'habiteraient?*

*Je relève d'une mauvaise grippe, mais ça ne m'a pas empêché de prospecter.*

*Ici, on dit que, avec un peu de chance, on ramasse l'argent à la pelle et avec raison.*

*Je fais partie d'une équipe de prospecteurs. La campagne sur le terrain a débuté en avril, un peu avant mon arrivée. Le camp de base comprend une dizaine de tentes en toile, un torchis qui abrite la cuisine, un bureau et un lieu de stockage pour les échantillons. Nous avons des douches faites de ballons de caoutchouc. La journée de prospection commence au lever du soleil, à six heures, et finit à six heures le soir, après quoi, c'est l'heure de la toilette, le meilleur moment de la journée avec le souper, qui est assez consistant pour supporter une longue journée de travail. On voit à ce que le cuisinier et sa conjointe nous nourrissent très bien, c'est une condition pour garder le personnel. Il y a des dortoirs pour les gars, une salle de pool et une salle de récréation.*

*J'ai refusé le travail de mineur de fond; c'est un travail très dangereux. Juste avant mon arrivée, trois jeunes entre vingt et vingt-quatre ans ont été asphyxiés sous terre. Leur cage, dont les crochets se sont détachés, est partie à la dérive. Dire que j'aurais pu être de ceux-là! À la suite de ces décès, onze mineurs ont démissionné.*

*En juillet, il y aura un banquet annuel pour toutes les familles des mineurs et des prospecteurs, ce qui veut dire la paroisse au complet. Ça commencera à six heures trente du matin pour se terminer à trois heures trente de l'après-midi.*

*Ici, on ne dépense rien afin de retourner chez nous les poches pleines. L'ennui est toujours présent. C'est le réveil du matin qui est le pire moment. Toutes les nuits, je rêve que je suis de retour chez moi et, tous les matins, c'est le même choc déroutant. Je ne mourrai pas ici, crois-moi.*

*Dis à maman que je pense à elle.*

*Salue tout le monde pour moi.*

*J'aime bien quand tu m'écris. Donne-moi des nouvelles de la famille.*

*Je m'ennuie de vous tous.*

*Bonjour,*

*Ton frère Gilbert*

Dans la cuisine, Augustine s'impatientait.

– Cordélia, Héléna, venez manger. Le repas est sur la table.

Comme chaque dimanche, au dîner de famille, sitôt son assiette vide, Gustave se trouvait une raison de partir.

– Arrivez, dit-il.

Héléna était déçue.

* * *

Ce jour-là, sitôt la visite partie, Augustine s'informa :

– Pis, ta neuvaine de messes, Cordélia, c'est pour quand ?

– Je vais demander à Firmin de la faire pour moé. Après tout, pour le bon Dieu, que les prières viennent de mon frère ou de moé, qu'est-ce que ça change pour Lui ?

– Non, ma fille, asteure que t'as promis pis que t'as obtenu la grâce que tu demandais, t'as une dette envers le bon Dieu que tu te dois d'acquitter. On marchande pas avec le bon Dieu. Je vais la faire avec toé, cette neuvaine de messes, pis on va commencer dès demain matin.

– Ça va, ça va ! Pas besoin de faire des vagues. Finalement, neuf jours, c'est pas la mer à boire.

En fait, Cordélia avait une autre idée derrière la tête. Elle ferait sa neuvaine un peu pour s'acquitter de sa dette, mais surtout pour demander au ciel de rencontrer un bon garçon. Elle ferait d'une pierre deux coups.

* * *

Le matin du 12 octobre, c'était l'été indien et l'anniversaire des trente-deux ans de Gustave. Héléna sortit cueillir un gros bouquet de feuilles d'érable aux riches couleurs d'automne, qu'elle plaça au centre de la table.

Elle déposa ensuite une petite boîte enrubannée devant l'assiette de son mari.

Au moment où Gustave prenait place à la table, Héléna affichait un sourire de satisfaction :

— Bonne fête, Gustave !

Héléna ne perçut aucune expression sur le visage de son mari : pas un mot, pas un merci, pas un regard reconnaissant. Un cadeau ne semblait rien pour Gustave Branchaud. Pourtant, c'était une chose rare et appréciée chez les Pelletier.

Après cinq mois de mariage, Gustave avait toujours le don de la décevoir. Il ne s'intéressait ni à elle ni à ses petites attentions.

À la fin du repas, Héléna défit le paquet et plaça sur la huche à pain les bas de laine tricotés de ses mains. « Pourquoi me désâmer à lui faire plaisir ? se demanda-t-elle. Je serai jamais rien à ses yeux. Pourtant, à l'école, j'étais estimée de mes élèves et de leurs parents. »

Un commissaire venait encore de l'approcher pour un remplacement dans une école de rang. Elle se demandait comment réagirait Gustave quand il le saurait. Il serait sans doute content de se retrouver en solitaire dans sa maison.

Dès son retour des champs, elle lui annonça :

— Y a un commissaire d'école qui m'a demandé d'enseigner, pis j'ai accepté.

— Vous resterez icitte. Votre place est à la maison.

— J'ai donné ma parole, pis une parole, ça se reprend pas.

Gustave ne répondit pas. Seule sa parole à lui comptait.

— Je pensais profiter de la saison morte pour gagner des sous, continua Héléna, mais si c'est de même, dimanche, après la messe, je donnerai ma démission.

Héléna ravala sa déception. Son mari n'avait aucune considération à son égard. Après cinq mois de mariage, Gustave n'avait jamais eu à son endroit un geste, un mot gentil ou une marque d'affection. Et elle, trop douce, se repliait sur elle-même. Elle ne respirait à l'aise que lorsque Gustave sortait de la maison.

* * *

Le lendemain, Gustave criait de l'extérieur :
— Héléna !
C'était la première fois que Gustave prononçait son nom et c'était d'un ton dur.
Héléna se montra le nez à la porte à moustiquaire.
En fendant son bois, un quartier s'était déplacé et Gustave, en tentant de le rattraper, s'était donné un coup de hache sur la main. Héléna grimaça en voyant le sang gicler.
— Pauvre vous ! dit-elle avec une grimace douloureuse.
— Je veux pas de votre pitié, dit Gustave. J'aime pas qu'on pleurniche sur moé.
— La blessure saigne beaucoup. Vous devriez montrer ça au médecin, y vous fera des points de suture.
Gustave s'assit sur une marche du perron.
— Nettoyez-moé ça, dit-il.
— Entrez en dedans.

Gustave s'assit près de la table mise. Héléna éloigna son assiette. L'entaille, longue et profonde, laissait voir des ligaments blanchâtres. Héléna désinfecta la blessure et étendit de l'onguent sur la grande main brune. Elle n'était pas amoureuse, mais elle faisait tout son possible pour éveiller chez Gustave des sentiments qui les mèneraient à l'amour ou, du moins, à un bonheur tranquille. Elle aimerait embrasser ce visage près du sien et remplacer ce regard fermé par un sourire. Et si elle osait ? Non, il pourrait la bousculer et casser quelque chose. Son cœur peut-être ?

– Ça vous fait mal ? demanda-t-elle.

Il demeurait fermé, inaccessible. Il devait souffrir ; il suait à grosses gouttes et, de sa main libre, il épongeait son front. Héléna se servit d'un mouchoir propre et banda la main jusqu'au poignet.

Au souper, malgré sa crainte d'être rabrouée encore une fois par son mari, Héléna déposa dans son assiette un petit billet où elle avait écrit : « Je vous aime, Gustave. » Maintenant, elle était impatiente de voir le visage de son mari quand il lirait son mot d'amour.

Sitôt assis à la table, Gustave lut la petite phrase, repoussa la feuille et détourna le regard, comme s'il s'attendait à recevoir une gifle. Il restait de glace devant sa femme, qui n'attendait qu'un mot affectueux de sa part.

Encore une fois, Héléna avait échoué.

Gustave toussota en allumant sa pipe.

Héléna l'observait. Il lui semblait que, pour son mari, il n'existait aucun bonheur plus grand que celui de fumer sa pipe. Gustave était de ceux qu'on ne peut sortir de leur réserve, de leur indifférence.

Il la regardait, sans la voir. Elle lui sourit, mais n'obtint rien en retour. Héléna avait l'impression que son mari la détestait. «Je suis peut-être trop rêveuse», se dit-elle.

Gustave décrocha son manteau et son chapeau du clou et sortit. Il prit le chemin, les mains lâchement croisées derrière le dos.

Héléna ne lui demandait plus où il allait. Elle s'assit dans la berçante. Elle se disait qu'un couple devait être construit pour l'équilibre. Le sien était tout autre, il devait être l'exception à la règle. Elle se jura de travailler à sa stabilité, mais en avait-elle la conviction? Hier encore, elle se demandait si elle devait continuer de lui parler. Gustave semblait ne pas entendre et, chaque fois, elle se sentait ridicule.

Après cinq mois de vie de ménage, Héléna regardait son mari librement, assurée que son regard ne rencontrerait jamais le sien.

# XIII

La nature tombait lentement en dormance. Déjà, l'herbe était blanche de givre.

Les colons s'encabanaient pour l'hiver. Heureusement, les agriculteurs savaient se distraire. La Sainte-Catherine était un jour de grande fête et, dans presque toutes les maisons canadiennes, les ménagères passaient leur journée à préparer le festin. Le travail était suspendu et le plaisir était à l'ordre du jour. Au retour de l'école, les enfants étireraient une belle tire blonde.

Gustave et Héléna étaient invités à souper chez leur voisin, Léandre Grenon. Celui-ci supposait qu'une fois marié, Gustave serait moins casanier. Héléna accepta d'emblée l'invitation. Depuis son mariage, sa vie coulait monotone avec un mari taciturne. Héléna en avait pris son parti, mais ce soir, ce serait la fête et elle profiterait de l'occasion pour causer avec sa voisine. Celle-ci avait toujours le mot pour la faire rire. Toute la journée, elle avait attendu ce moment avec impatience.

Gustave, assis au bout de la table, sortit du tiroir sa tablette barbouillée de chiffres.

— Y faut partir, Gustave. Les Grenon nous attendent à souper.

— On mange icitte.

— Pourquoi? Madame Reina va être déçue, son repas doit être prêt. J'y avais dit que nous y serions. Vous me feriez tellement plaisir! Venez, ce sera agréable, les Villeneuve pis les Gauthier seront là. Y vont faire de la musique pis on va chanter ou ben jouer aux cartes.

— …

— D'abord, je vais y aller seule.

Gustave se leva et gifla sa femme en pleine figure.

La bouche d'Héléna se mit à saigner et le sang lui laissa un goût âcre. Elle essuya ses lèvres et se moucha bruyamment.

— Vous osez me frapper, dit-elle, après tout ce que je fais pour vous? Je vais jusqu'à vous laver et vous raser.

En face d'elle, rigide sur sa chaise, Gustave était retourné à son mutisme.

— Une autre gifle, dit-elle, et je quitterai votre maison pour de bon. On m'a demandé d'enseigner. Je pourrais aisément gagner ma vie sans ramper à vos pieds.

— Les commissaires engageront jamais une femme séparée.

Toute à sa déception, Héléna ne l'entendait plus. Son mari venait de la frapper, elle qui avait une conduite irréprochable et qui avait tant misé sur ce mariage. Elle songeait à demander son annulation – pas le divorce, ses principes l'en empêchaient. Elle rêvait de s'en retourner au trécarré, dans la maison de son père où autrefois elle avait connu le bonheur.

Elle entendit deux coups à la porte, puis trois.

Comme Gustave ne répondait pas, Héléna se leva et ouvrit. C'était Léandre Grenon.

– Arrivez vite! À la maison, tout le monde vous attend pour souper.

Gustave, la mâchoire dure, le regard lointain, répondit :

– On soupe icitte.

Ce fut tout. Gustave parlait peu et c'était mieux ainsi. Quand il ouvrait la bouche, c'était pour être désagréable.

Léandre observait Héléna comme s'il ne l'avait jamais vue. Sa lèvre du bas saignait, elle avait les yeux dans l'eau et des marques de doigts rouges étaient étampées sur ses joues pâles. Grenon se dit qu'il arrivait au mauvais moment.

Héléna remercia son voisin.

Elle ravalait. Ce n'était pas la première fois que son mari refusait des invitations. Il allait en visite dans sa famille et ne passait pas une journée sans se rendre jaser une heure ou deux au garage Champoux, tandis qu'elle passait toutes ses journées seule dans un silence de mort.

Héléna s'en plaignit poliment à son mari.

– Les autres femmes sortent, elles, pis leur mari les accompagne. Je m'ennuie sans jamais personne à qui parler.

– La place des femmes est à la maison.

Depuis son mariage, Héléna ne voyait plus personne, et si ce n'avait été des arrivées et des départs de trains avec leurs voyageurs et le transport des marchandises, elle serait morte d'ennui. Quand les femmes du rang organisaient des corvées de piquage de courtepointes, toutes étaient là, sauf elle. Souvent, les gens se réunissaient simplement pour placoter. Les femmes apportaient leur tricot et les hommes fumaient la pipe et disputaient des parties de cartes. Gustave refusait toutes les invitations. Héléna en déduisit qu'elle n'était qu'une servante pour lui, rien de plus, rien de moins, et que son mari ne l'aimait pas.

Heureusement, Jeanne, la femme de Lafleur, passait quelquefois lui faire une visite éclair.

Héléna prépara un souper à la couleur de son humeur : des œufs brouillés, des rôties et un bol de mélasse. Pour la première fois, elle boudait son mari. Elle l'entendit grogner :

— On se croirait en plein temps de carême.

Ce fut au tour d'Héléna de faire la sourde.

Après le chapelet, Héléna prit son tricot et s'assit dans la berçante. Son tricot, c'était son argument pour refuser d'aller retrouver son mari au lit.

Gustave supportait son absence. Il était trop fier pour s'abaisser à inviter Héléna à le suivre et à lui demander ses faveurs – il se contentait de la prendre quand elle était là. Et ce soir-là, elle s'entêterait à ne pas se coucher tant que les invités ne quitteraient pas la fête des voisins. À maintes reprises, elle se leva de sa chaise et, de la porte, elle jeta un coup d'œil quelques maisons plus loin. Chez les Grenon, on festoyait encore. Toutes les pièces étaient éclairées, et des ombres passaient devant les fenêtres. Héléna, entêtée dans son idée, baissa la flamme de la lampe tout juste pour pouvoir se déplacer à l'aise, sans heurter les meubles. Elle sortit de l'armoire une galette qu'elle grignota, puis elle retourna s'asseoir, les mains jointes sous son menton. Elle étouffa des bâillements jusqu'à ce que les voisins s'en retournent chacun chez eux.

Lorsqu'elle entra dans sa chambre, minuit sonnait à l'horloge.

* * *

Le lendemain, en rentrant de l'étable, Gustave trouva Héléna endormie sur sa chaise en plein cœur de l'après-midi.

— C'est tout ce que vous avez à faire ? dit-il.

Héléna ne trouva rien d'autre à dire pour sa défense que :

— Je sais pas ce qui me prend. Depuis quelque temps, je m'endors partout.

— Grouillez-vous, dit-il, Fernande nous attend pour souper.

Fernande, la sœur de Gustave, demeurait à Montréal où, depuis la naissance illégitime de son premier enfant, elle cachait sa honte. Elle n'avait jamais remis un pied à La Plaine, où certaines personnes la montraient du doigt et d'autres, plus méchantes, la traitaient de petite gueuse, de débauchée. Comme son erreur de jeunesse risquait de réveiller des discussions, on ne l'avait jamais plus invitée.

Le dimanche précédent, Fernande, curieuse de connaître la femme de Gustave, avait eu recours à son frère, l'abbé Rosaire, pour inviter le couple chez elle.

Héléna se réjouit. Enfin, elle pourrait jaser un peu si, naturellement, sa belle-sœur était plus parlante que son mari.

— Je vais sortir vos vêtements du dimanche, dit-elle gaiement.

— J'y vais comme ça.

— Vous allez pas prendre le train en salopette de travail ? On va dire de moé que j'entretiens pas mon mari.

Héléna, fébrile, enleva son tablier et passa une brosse rude sur sa robe noire. Elle détacha sa toque et peigna ses cheveux, qu'elle remonta en chignon sur sa nuque. Depuis ses années passées en communauté, elle n'avait jamais plus frisé ses cheveux sur des guenilles. La coquetterie n'était pas de mise chez les femmes mariées.

Gustave la rejoignit au bas du perron.

— Ta sœur est ben fine de nous inviter, dit Héléna. Ça va enfin me permettre de voir du monde.

Gustave ne dit rien. Il gardait son éternel air renfrogné.

— Cette Fernande, elle a des enfants ?

Après un long silence, Gustave répondit :

— Sept.

— Y ont quel âge ?

Gustave avait l'air d'avoir l'esprit ailleurs. Héléna n'insista pas.

Ils se rendirent à la gare.

Héléna aperçut Reina Grenon assise sur une longue banquette qui ressemblait à un banc d'église. La femme assistait régulièrement aux arrivées et aux départs des trains pour en apprendre davantage sur les allées et venues des gens et ainsi alimenter ses commérages. Plusieurs étrangers venaient passer leurs vacances dans ce coin perdu et la Grenon ne se gênait pas pour leur adresser la parole, les questionner gentiment et, ensuite, les nouvelles faisaient le tour du patelin. Elle se leva et s'approcha d'Héléna.

– Tiens, madame Héléna! dit-elle. Je suppose que vous allez à Montréal?

– Oui, juste pour la journée. J'aime ben prendre le train.

– On sait ben, on a toujours des tas de choses à acheter, hein?

– Comme vous dites!

Tout en parlant, Reina Grenon surveillait la taille d'Héléna et elle se décevait de voir son ventre plat. Héléna pouvait-elle être stérile?

Le train siffla.

– Arrive, lui dit Gustave en donnant un coup de tête vers l'extérieur.

Gustave fit toute la route sans dire un mot. Il fumait sa pipe et, de temps à autre, il jetait un œil à sa montre, une vieille patraque héritée de son père. Une vieille dame assise en face d'eux toussait, incommodée par la fumée. Après un bon moment à chasser la fumée de sa main, elle changea de banquette. Les gens se regardaient sans parler. Héléna fit le reste du trajet La Plaine–Montréal en silence, les yeux collés à la vitre enfumée. Elle regardait les champs qui s'étendaient à perte de vue, des fermes, un poulain galopant dans les prés verts, puis les maisons se rapprochant.

Héléna espérait que ceux qui les avaient invités à leur table soient plus ouverts que son mari.

Quand les Branchaud descendirent du train, toute la famille de Fernande les attendait sur le quai de bois.

Héléna se présenta elle-même – elle ne devait pas compter sur Gustave pour l'étiquette.

Elle serra la main de Fernande.

— Je suis Héléna, votre belle-sœur.

— Pis moé, Fernande.

Fernande était une nature joviale, criarde, mais accueillante.

Une fois bien assise dans le tramway, elle nomma tous ses enfants.

— Gustave doit vous avoir parlé de nous, dit-elle.

— Vous savez, votre frère est pas trop jasant.

Fernande parlait sans arrêt. Soudain, elle se leva et tout son petit monde descendit à sa suite. Elle demeurait à deux pas de l'arrêt. Elle courait presque.

— Entrez. Je dois sortir mon rôti de veau du four si je veux pas qu'y brûle.

Fernande retenait les petites épaules de Cécile, une enfant de six ans.

— Laisse passer la visite en premier.

Dans la cuisine, deux adolescents se faisaient un croc-en-jambe et riaient aux éclats.

Fernande leur cria :

— Vous deux, tenez-vous tranquilles ! Arthur, occupe-toé donc de tes gars, y sont pas du monde.

Léopold, un garçon de douze ans, s'assit à la table le premier. Il piqua sa fourchette dans une tranche de veau, qu'il ramena dans son assiette. Sa mère lui cria :

— Arrête de piger dans les plats, Léopold ! T'es en train de tout salir ma nappe.

Fernande regarda Héléna.

– C'est toujours comme ça, soupira-t-elle. Quand y a de la visite, y en profitent pour faire les tannants, pis leur père s'en occupe pas.

Héléna trouvait les sept enfants de Fernande plus bruyants que toute une classe d'élèves.

– T'es en quelle année, Léopold ? demanda-t-elle.

– En six !

– T'aimes l'étude ?

– Non ! C'est plate ! Je veux lâcher l'école l'an prochain pour aller travailler sur une ferme.

– Pis toé, Cécile, t'as commencé l'école ?

La fillette se collait contre sa mère l'air gêné, le bec pincé.

Fernande intervint :

– Ben répond, Cécile ! Le chat t'a-t-y mangé la langue ?

La belle-sœur avait le ton haut et aigu. Elle s'usait les cordes vocales à crier. Le repas n'était pas servi que, déjà, Héléna en avait plein les oreilles. Elle avait hâte de s'en retourner chez elle. Pourtant, quand Fernande parlait calmement, Héléna la trouvait intéressante. Elle s'informait de tout le monde de La Plaine, où elle n'avait pas remis les pieds depuis quinze ans.

Les hommes semblaient sourds aux cris de Fernande et des enfants. Ils fumaient et parlaient à voix basse.

Héléna reprit le train, désenchantée. Elle connaissait maintenant Fernande et Cordélia, les sœurs de Gustave, et elle se demanda pourquoi ces femmes, qui faisaient partie d'une famille de prêtres, avaient des manières si peu délicates.

\* \* \*

Le lendemain, Héléna attendit le départ de Gustave pour se rendre chez Jeanne. Elle en était rendue à déserter, à faire des cachotteries à son mari. Autant Gustave était muet, autant Héléna avait besoin de causer.

Elle y resta une bonne heure. Elle se confia à Jeanne, mais sans jamais dénigrer son mari.

— Je suis mariée depuis six mois et toujours rien. Je dois être stérile.

— Pis moé, ajouta Jeanne, depuis vingt-deux ans et toujours rien. Au début, Jos pis moé, on avait beau prier le bon Dieu, nous désâmer, ça marchait pas. Asteure, j'en ai fait mon deuil. On n'en parle pus, Jos pis moé. J'appelle ça la résignation. Tu vas voir, ça va te passer à toé itou, ce besoin d'enfants.

— Moé, je me résignerai jamais. Sans enfants, ma vie serait gâchée. Pis j'en veux plusieurs. Y a Agathe qui est sur le point d'accoucher. Ça va y en faire huit. Pis si tu savais comme je les aime!

— Pis si t'es stérile? Tu pourras rien contre ça.

— Toé, jette-moé pas de sort, Jeanne Lafleur!

— Mais non! Je suis pas une sorcière. Parlant de sorcière, tu connais la Cabelote?

— Non! C'est quoi une cabelote?

— C'est une femme, une femme-homme, une sorte d'épouvantail. On dit qu'un jour où elle a été reçue à une table, on a placé un plat de caillebotte devant son assiette pis elle l'a vidé à elle seule. Depuis, les enfants l'ont bapti-sée la Caillebotte, mais comme le mot se prononçait mal, il est devenu Cabelote. Cette femme passe ses étés par icitte, pis elle repart tard l'automne. Je t'avertis, elle fait peur. Elle est étrange, mais on dit qu'elle est inoffensive. Ta belle-mère t'a jamais parlé d'elle?

— Non. Elle quête de porte en porte?

— Ça lui arrive de quêter de la viande quand elle prend pas de lièvre aux pièges, mais pas de l'argent. Elle vit de noix pis de racines. En tout cas, c'est ce qu'on dit.

— Moé, je crains les quêteux. C'est des jeteux de sorts.

Héléna se leva.

— Bon! Y faut que j'y aille. Gustave doit être sur le point de rentrer.

Jeanne la suivit à la porte.

— Tu reviendras jaser, dit-elle. Pis compte pas les tours.

— Je les compte, dit Héléna.

# XIV

L'hiver trop long laissait place aux giboulées de mars avec ses éclaircies.

Gustave entra du hangar portant à bout de bras quatre pleines chaudières remplies de chalumeaux, qu'il déposa devant Héléna.

— Lavez ça, pis faites-moé quelques beurrées de creton. Je vais aller entailler.

L'arrivée du train était comme une attraction. Ses tremblements attiraient chaque fois Héléna à la fenêtre.

— Venez voir, Gustave. J'me demande ben qui sont ces grands gaillards.

Gustave ne bougea pas d'un poil.

Héléna tenait le rideau au-dessus de sa tête. Six grands garçons venaient vers la maison les bras chargés de bagages, de bières et d'instruments de musique.

— On dirait un gang de coureurs des bois avec leurs sacs sur le dos, pis y s'en viennent de notre côté. Je me demande ben qui y sont pis où cé qu'y s'en vont.

Gustave se décida à quitter sa chaise et à aller coller son nez à la fenêtre.

— C'est la gang des États, dit-il. Y s'en viennent aux sucres.

C'est ainsi qu'Héléna apprit que, depuis des années, tous les printemps, six cousins de Boston venaient passer le temps des sucres chez les Branchaud.

Héléna les regarda traîner, en plus de leurs bagages, une guitare, un accordéon à bretelles et deux caisses de bière cachées sous des manteaux.

— Y viennent pour longtemps? dit-elle.

— Deux semaines.

— Y sont six. Où cé qu'y vont tous coucher?

— Quelques-uns icitte pis les autres à la cabane.

Habituellement, les hommes se relayaient, mais Gustave préférait coucher à la cabane pour faire bouillir la nuit. Il ne se fiait pas aux Américains : le soir, en gang, les cousins boiraient et deviendraient fous comme des gamins. Ils risquaient de brûler les pannes et de perdre des coulées de sirop d'érable.

— Vous ajouterez des beurrées de creton pour toute la gang pis une boîte de manger.

— Quelle sorte de manger?

— Des œufs, des grillades de lard, des patates, du pain, du lait pis du jambon.

— Ça fait un tas de choses à me rappeler, répondit Héléna, qui n'était pas habituée à des visites de longue durée.

Les garçons montaient sur le perron. L'un d'eux cria :

— Ohé! Ma tante Augustine! C'est nous autres, la visite des États. Ouvrez-nous.

Ce fut Héléna qui ouvrit.

— Icitte, la porte est jamais barrée, dit-elle. Entre qui veut.

– Hé, les gars! Une nouvelle cousine.

Une fois les garçons entrés, Héléna se présenta elle-même.

– Je suis la femme de Gustave, la sœur d'Agathe, la femme de votre cousin Antoine.

– Tu nous avais pas dit ça, Gustave, que t'avais pris femme? Pis pas pire en plus!

Héléna rougit.

– Vous avez fait un bon voyage?

– Un peu long, répondit John. J'ai cru que nous n'arriverions jamais. Heureusement, on est venus à bout de passer notre bière dans le train sans se faire pincer.

– Vous auriez pas dû. On en vend par icitte.

– On aime mieux l'apporter de chez nous. La vôtre est trop forte.

John, un grand gaillard au front dégarni, étirait le cou à gauche et à droite, comme s'il cherchait quelque objet perdu.

– Où est passé ma tante Augustine? Pas morte, toujours?

Héléna leur apprit que leur tante Augustine et leur cousine Cordélia s'étaient retirées au village pour leur laisser la maison.

– On manquera pas d'aller les saluer.

– Elles vont sûrement venir manger à la cabane. Pendant les sucres, chaque dimanche, elles sont là. C'est comme une tradition pour elles. En attendant, installez-vous, moé, je vais aller lever les œufs pis en même temps je vais rapporter des carrés de lard du saloir.

Alcide, un grand blond, s'avança.

— Donnez-moé votre panier, je sais où se trouve le poulailler. Viens avec moé, John. À deux, on devrait y arriver. Où est votre saloir ?

— Dans la laiterie, la petite pièce collée à la maison.

Héléna n'était pas habituée à se faire servir.

— Vous aimez pas mieux vous installer ?

— On aura ben le temps.

Après le repas, Gustave avisa sa femme qu'elle devrait le remplacer au train, soir et matin.

— Vous voulez que je m'occupe des animaux en plus de ma besogne ? C'est beaucoup me demander avec du monde plein la maison.

Gustave ne répondit pas. Bientôt, il serait tenu de faire bouillir la nuit quand les érables couleraient comme des robinets et il n'était pas question de déléguer le travail aux cousins. Les pannes à sirop étaient trop dispendieuses pour risquer de les brûler.

Gustave sortit atteler Tonnerre au traîneau et trois cousins s'y ruèrent avec leurs caisses de bière. Gustave, lui, apporta la boîte remplie de victuailles qu'Héléna avait préparée. L'attelage s'engagea sur la montée Mathieu jusqu'à la grange d'en haut et, de là, il disparut dans la forêt.

* * *

Héléna ne savait que penser de cette visite inattendue. C'était un surplus de travail pour elle, mais aussi une belle distraction.

Elle sortit trois berçantes du salon.

Elle passa tout son après-midi à préparer le souper de ceux qui restaient : un potage aux carottes, du veau en sauce, des pommes de terre et des légumes, et, comme dessert, du pain et du sirop d'érable du printemps précédent.

Dans les petites paroisses, les nouvelles se répandaient comme une traînée de poudre. Déjà, tout le patelin était au courant de l'arrivée des Américains.

Un jeune prêtre vêtu d'une soutane luisante aux coudes râpés descendit du train. Il traversa le chemin à petits pas pressés et se dirigea vers la maison des Branchaud. Tous les printemps, l'abbé Jacques venait retrouver ses cousins des États. Après les salutations d'usage, le prêtre, pénétré de son importance, s'adressa à sa belle-sœur.

— Héléna, vous me préparerez un lit, ordonna-t-il.

— Les lits sont tous occupés. Y vous faudra revenir dans deux semaines ou plus tard.

Le grand John s'avança, courtois.

— Je vais coucher avec Alcide. On peut se tasser pour une nuit ou deux, hein, Alcide ?

— Je veux pas de toé dans mon lit. J'aime mieux aller coucher à la cabane.

— Tu disais que tu coucherais jamais là-bas parce que t'avais trop peur des souris.

— *Yes !* Mais j'y vais quand même.

— Tu vas pas monter là à pied ? Tu sais, c'est toute une trotte !

— J'ai des bonnes jambes.

Le souper fut très animé. L'abbé Jacques faisait les frais de la conversation.

Les cousins rassasiés, Héléna sentit une fatigue l'accabler. Maintenant que tous étaient gavés et que plus rien ne la pressait, c'était à son tour de manger. À sa grande surprise, les garçons se levaient et desservaient la table. John lavait la vaisselle, Antonio l'essuyait et l'abbé Jacques observait. Pendant que les cousins débarrassaient la table, Héléna mangeait en prenant tout son temps.

— C'est la première fois que je vois des hommes abattre une besogne de femme.

— Aux États, c'est pas comme par icitte ; le travail finit à quatre heures. Ça donne le temps aux hommes d'aider dans la maison.

— Vous êtes ben de service, Antonio.

L'abbé Jacques, tel un détective, surveillait de près la conduite d'Héléna. Il se couchait le dernier pour vérifier le comportement de sa belle-sœur. Il guettait si celle-ci ne faisait pas d'écarts de conduite, ne manquait pas à son devoir, pour ensuite rapporter tous ses agissements et les paroles échangées à son frère Gustave.

Héléna se sentait épiée du matin au soir, mais peu lui importait, elle savait tenir sa place.

Certains jours où la température était plus froide et les érables moins généreux de leur eau, les hommes venaient coucher à la maison. Héléna les regardait monter sur le perron avec chacun deux cruches de sirop d'érable au bout des bras, de beaux dollars pour Gustave. Ces soirs-là, Héléna ajoutait cinq couverts à sa table.

\* \* \*

Après le souper, Antonio sortit son harmonica et John son accordéon à bretelles. Il n'en fallait pas plus pour faire chanter la maisonnée. Entre deux reels, les garçons racontaient des histoires rocambolesques de loups-garous, de revenants et de monstres qui faisaient trembler, mais auxquelles personne n'ajoutait foi. Que de plaisir on pouvait se faire à peu de frais! Pourtant, rien ne déridait le visage de Gustave. Celui-ci laissait les cousins s'amuser sans jamais participer à leurs joies, à leurs espiègleries ou à leurs taquineries. Gustave ne savait pas être heureux. S'il supportait ses cousins qui troublaient sa tranquillité, c'est parce qu'il ne pouvait se passer d'eux. Il lui serait impossible, à lui seul, de produire autant de sirop.

Depuis l'arrivée des Américains, le soir, au coucher, Gustave apportait le petit baquet en granit dans sa chambre pour ses ablutions et Héléna reprenait sa besogne dégradante à l'abri des regards. Heureusement, tout le temps des sucres, Gustave laissait pousser sa barbe comme les cousins de Boston, une besogne de moins pour elle.

Ce soir-là, alors qu'Héléna, épuisée, s'agenouillait aux pieds de son mari pour les ablutions, celui-ci la sermonna.

– Vous ferez votre ouvrage vous-même. Les cousins sont venus icitte pour m'aider aux sucres, pas pour s'occuper des femmes.

– Vous leur direz vous-même, répondit-elle. C'est pas à moé de donner les ordres dans cette maison.

\* \* \*

Le lendemain, après le souper, Antoine, Agathe et leurs huit enfants s'amenèrent chez Gustave.

Les Américains quittèrent leur chaise et se ruèrent sur la porte en criant des saluts. Ils se serrèrent la pince et se passèrent les jeunes enfants de bras en bras.

— Comme j'ai eu vent que les cousins des États étaient par icitte, s'écria Antoine, j'ai dit à Agathe pis aux enfants : « Gréez-vous, on y va ! »

Des voisins s'ajoutaient et la fête commença, une fête tout en couleurs où la bière coulait à flots. Pendant que la cuisine était en effervescence, Agathe coucha ses deux plus jeunes enfants dans la chambre du bas, et Héléna et elle y restèrent à chuchoter jusqu'à ce que les petits soient endormis. Puis, Agathe attira Héléna à l'autre bout de la cuisine et rapprocha deux chaises.

— On va laisser les hommes jaser entre eux, dit Agathe. Regarde ! Je t'ai apporté de la laine blanche pis des aiguilles. Je me rappelle comme t'aimais tricoter.

— Avec la visite des États, je suis trop occupée. Mais après leur départ, ça va m'aider à tuer le temps.

— On devrait pas tuer le temps, Héléna, y est trop précieux.

Héléna ajouta tout bas :

— Disons d'abord à oublier mon malheur.

— T'es pas heureuse, Héléna ? Je voudrais pas être responsable de ton malheur. Au début, c'est moé qui t'ai poussée dans les bras de Gustave. Ben… disons moé pis Antoine.

— Mais non ! Je vous en veux pas, ni à toé ni à Antoine.

— Tu sais, des petites mésententes, y en a dans tous les ménages.

— Je te parlerai pas de Gustave ; je veux pas l'éclabousser puisqu'y sera le père de mes enfants.

— Ça serait-y que t'es comme ça, Héléna ? Tu sais, la maternité, ça change le caractère.

— Pas encore ! Dix mois, c'est long, dix mois, et toujours rien. Je suis peut-être stérile.

— Gus a toujours dit qu'y voulait pas d'enfants dans sa maison ; c'est pas lui qui va s'en plaindre.

— Ben moé, j'en veux. Je me suis mariée pour ça. Pis quand Gustave en aura, y les aimera.

— Je te le souhaite.

Héléna eut un sourire béat.

— Je vais y remplir sa maison d'enfants qui, j'espère, ressembleront aux tiens parce qu'y seront frérots.

— Si la laine blanche pouvait être un présage de naissance…

— Quand les cousins seront partis pis que la maison sera plus calme, je vais tricoter une robe de bébé, pis si j'ai pas d'enfants, j'en ferai cadeau à un proche.

— J'ai justement un beau patron de robe de baptême que je pourrais te passer. Tu viendras le chercher.

— Oui, dès que Gustave trouvera le temps. Bon ! Asteure, je vais préparer le café pour tout le monde.

Le grand John, toujours prêt à rendre service, sortit des tasses de l'armoire. Héléna le regardait se déplacer, de l'évier à la table, le pas incertain. Il était un peu ivre.

— Laissez, John ! Pour ce soir, Agathe va m'aider.

D'une main, John prit la taille d'Héléna, en fit demi-tour et se laissa choir sur une chaise.

Gustave, bouillant de colère, le rappela à l'ordre sévèrement :

— Toé, si t'es venu icitte pour faire du charme, retourne tout de suite dans ton coin de pays.

Alcide se leva, s'approcha de John, qu'il saisit par son col de chemise.

— Excuse-toé, John.

John bafouilla des excuses et monta se coucher.

Agathe versa le café pendant qu'Héléna déposait un plat de galettes aux raisins au centre de la table.

\* \* \*

Le soir, au coucher, Héléna avisa Gustave :

— Vos cousins sont un peu chaudasses. Y faudrait qu'y apprennent à connaître leurs limites.

— Pis vous, à repousser leurs avances.

— C'est ce que j'ai fait, rétorqua Héléna.

Les jours où les érables coulaient peu, les hommes coupaient des arbres secs ou brisés qu'ils fendaient et cordaient sous un appentis adossé à la cabane.

À la fin des sucres, les hommes portèrent vingt canisses de cinq gallons de sirop au train.

Tonnerre, le cheval de trait, boitillait. Gustave soigna ses pattes au bleu de méthylène et il les enveloppa d'un bon pansement.

\* \* \*

Le séjour des cousins américains avait laissé Héléna épuisée. À la fin des sucres, en surplus du train et des repas, elle avait dû se taper trois jours de lessive : combinaisons, bas, chemises, vestes de laine, mitaines, tuques, etc.

Maintenant, elle savourait la paix de sa maison et passait ses journées à combattre le sommeil. Ce devait être la conséquence de sa fatigue des quinze derniers jours. Les cousins partis, Héléna avait surtout hâte de revoir sa cousine Jeanne, de lui parler de ses activités des dernières semaines.

Avec l'arrivée des Américains, Jeanne avait suspendu temporairement ses visites à Héléna, se disant que la pauvre femme devait être épuisée avec une maison pleine de monde. Du Caboulot, Jeanne avait vu les hommes entrer et sortir sans arrêt de la maison et Héléna se rendre aux bâtiments matin et soir, en plus d'avoir à préparer les repas et à tenir la maison.

# XV

Au village, la vie continuait cahin-caha.

Ce jour-là, il faisait une chaleur écrasante. Après le dîner, Cordélia déposa la vaisselle du dîner dans l'évier et dit à sa mère :

— Pendant que l'eau chauffe, on va aller prendre notre thé dehors. Je laverai la vaisselle tantôt.

Les femmes sortirent siroter leur thé sur le perron. Dans la cour voisine, des enfants s'amusaient à arroser un chien avec un boyau. Cordélia se souvenait que, plus jeune, Gilbert s'était adonné au même jeu cruel.

Six fois par jour, le bedeau passait devant la maison jaune pour se rendre à l'église et, chaque fois que Cordélia se berçait sur le perron, l'homme la saluait d'un coup de chapeau. Ce jour-là, une fois le monsieur passé, Cordélia se tourna vers sa mère :

— C'est qui ça ? dit-elle, sur le ton du secret.

— Ben voyons donc ! Tu le connais ; c'est le bedeau. Tu l'as vu cent fois à l'église.

— Je le sais ! C'est son nom que je veux savoir.

C'était un homme de bonne apparence, droit comme un chêne, au visage allongé, au regard posé et qui avait à peine quarante ans. Tout ce que Cordélia connaissait de lui s'arrêtait à son métier de sacristain.

Pour dissiper tout doute chez sa mère, elle fit mine de s'intéresser à d'autres gens du voisinage.

— Pis nos voisins de droite? Vous vous rappelez? La femme vous a jasé y a quelque temps au magasin.

— C'est une dame Forest, son mari est cantonnier.

Cordélia, songeuse, entra laver la vaisselle.

Depuis que le sacristain la saluait, elle ressentait une vive sympathie pour lui. Elle en vint à surveiller ses heures de travail pour le regarder passer, mais elle devait refouler ses sentiments; ce monsieur devait être marié et père de famille. Cordélia se demandait bien comment elle pourrait en apprendre davantage sur cet homme. Elle passa quelques personnes en revue. Le curé? Elle ne saurait comment lui poser la question sans que la chose en vienne aux oreilles du bedeau; ils étaient si proches, l'un de l'autre. Son frère, l'abbé Jacques? Non, celui-ci n'en finirait plus de la questionner et de se mêler de ses sentiments. Elle démissionna.

* * *

Pendant ce temps, au fond des campagnes, Gustave rentrait de l'étable. Il aperçut le tricot blanc sur le coin de la table.

— Qu'est-ce que c'est ça?

— Une robe de baptême.

— Pour qui?

— Pour nos enfants.

Que pensait Gustave? Il restait muet.

— C'est juste en cas, le rassura Héléna.

*** 

Au cours du mois qui suivit, Héléna s'endormait partout, ses seins devenaient plus lourds et les odeurs de cuisine lui donnaient des nausées. Une grande joie venait embellir sa vie : un enfant prenait forme en elle. Désormais, Héléna ne vivrait plus que pour sa famille. Elle laissa passer un mois complet pour être bien certaine de son état avant d'annoncer la belle nouvelle à Gustave.

Juchée sur l'escabeau, elle leva le carreau du grenier pour voir si elle ne trouverait pas un lit d'enfant là-haut. Elle vit parmi les fils d'araignée un rouet et un beau ber en bois d'érable tout empoussiérés, mais, comme l'escabeau n'était pas assez haut, elle étira le bras pour le bercer doucement. « Comment a-t-on pu passer ce berceau si lourd par une si petite trappe ? » se demanda-t-elle. Au souper, elle demanderait l'aide de Gustave pour le sortir de sa cachette.

Lorsqu'elle annoncerait la belle nouvelle à son mari, Héléna se promettait de lui demander s'il entretenait des sentiments à son égard, même si une certaine gêne la retenait. Après tout, n'était-elle pas la mère de son enfant ? Elle posa la main sur son ventre encore plat, se demandant comment réagira Gustave en apprenant sa paternité. Agathe lui avait dit qu'il ne voulait pas d'enfants, mais, quand on partage la même paillasse, pensait Héléna, il faut s'attendre à d'heureuses conséquences. Malgré tout, Héléna était convaincue que Gustave, comme tous les pères, se réjouirait de la venue de son enfant.

Elle attendit d'être à la table de cuisine. C'était là qu'on discutait des choses importantes. Elle s'assit près de Gustave. Peut-être allait-il l'embrasser?

— J'ai une belle nouvelle à vous annoncer.

Gustave n'exprima aucune curiosité. Il regardait par la fenêtre.

— Vous allez être père, lui dit Héléna, radieuse.

C'était comme si sa femme lui avait dit « il pleut ». Non, « il pleut » l'aurait davantage intéressé. Était-il ému au point d'être incapable de parler? Héléna n'y comprenait rien. Sa joie n'était pas partagée. Elle ravala. Agathe avait raison. Héléna ajouta, au bord des larmes:

— Notre bébé va avoir besoin du berceau qui est au grenier.

— C'est pour quand?

— Fin de décembre, je crois.

Gustave réfléchit. Souvent, sa femme s'était retrouvée seule la nuit avec les cousins des États. Il recula dans le temps. Neuf mois, le temps coïncidait. Après un long silence, il demanda:

— Un petit Américain?

Héléna, abasourdie par les paroles méchantes de son mari, ne bougeait pas, comme prise dans un bloc. Tout se passait à l'intérieur de son âme, emprisonnée dans un corps qui ne laissait rien sortir. Cette accusation inattendue l'humiliait à un point tel qu'elle évitait de regarder son mari, comme si elle était fautive. Elle ravalait sa salive avec un effort visible, sa gorge s'étranglait, puis, quand elle sortit de sa torpeur, elle lui dit avec sa douceur naturelle:

— Que dites-vous?

Gustave croisa les bras sans répondre.

– J'espère, dit-elle, que vous pensez pas ça de moé!

Gustave, le visage de bois, semblait indifférent à sa douleur.

– Servez la soupe, dit-il d'un ton sec.

Quelques minutes de silence s'écoulèrent pendant lesquelles Héléna ravala sa peine. Elle ne faisait rien pour mériter pareille accusation. Gustave l'accusait, la traitait comme une traînée, comme si elle était la dernière des dernières, elle qui portait son enfant dans son ventre. Elle réalisait qu'elle n'était qu'une servante pour son mari et que jamais elle ne gagnerait son amour. Il ne savait même pas la respecter. Il l'écrasait comme on écrase une punaise, comme elle écrasait la larme qui roulait sur sa joue. Et dire que ce dur avait trois frères prêtres! S'ils savaient ce que Gustave lui faisait endurer, elle se demandait ce qu'ils en penseraient. Elle ne pouvait s'en plaindre à eux, leur demander d'intervenir; ils ne prendraient pas parti contre un membre de leur famille. Et puis, aller pleurer sur une autre épaule n'arrangerait rien. Gustave était irrécupérable. Depuis son mariage, jamais un sourire, jamais un mot aimable, jamais de tendresse comme dans les autres ménages! Aucune considération de sa part.

Et si elle partait? Serait-elle plus heureuse ailleurs? Est-ce que le bonheur existait en dehors de la vie de famille? Non, elle continuerait à accepter, à subir. Elle savait encaisser les défaites. «Au fond, les plus heureux sont peut-être les résignés», se dit-elle.

La soupe tiédissait sur le bout du poêle. Gustave la dévalorisait, l'humiliait, et elle continuait à le servir. Elle en avait mis du temps à comprendre que son mari ne l'avait jamais aimée, qu'il l'avait mariée pour servir ses intérêts. Elle avait accepté trop rapidement ce mariage de raison et, maintenant, il était trop tard pour faire marche arrière. Elle était prise au piège.

Héléna saisit la louche et remplit les bols de soupe. Elle n'avait pas faim. Un motton lui bloquait la gorge. Elle toucha à peine son assiette. Toutes les puissances de son être étaient anéanties.

À partir de ce moment, ses illusions tombaient, ses sentiments s'effritaient et elle se sentait comme un oiseau aux ailes brisées gisant par terre. L'important pour elle était de faire le vide pour ne penser qu'à son enfant, oublier ses rêves, ses désirs, et accomplir son devoir tout en renonçant à la tendresse de son mari. Elle ravala une fois encore. Elle faisait le deuil de ses espoirs. Il lui fallait bien se résigner, maintenant qu'elle avait dit oui. Dire qu'elle s'était mariée avec de bonnes intentions ! Comme consolation, elle allait être mère. Un enfant, c'était là la plus belle chose qui pouvait lui arriver.

Désormais, elle trouverait sa joie dans la tenue de sa maison et la préparation d'une layette de bébé. Les émotions à fleur de peau, elle ajouta d'un ton déconcerté :

— J'aurais besoin d'acheter des vêtements d'enfant, quelque chose de pas trop cher.

Gustave, très parcimonieux, possédait des principes rigoureux sur la multiplication de l'argent. Il éprouvait une vraie douleur à voir les pièces blanches sortir de chez lui et il dormait très mal la nuit suivante. Il répondit :

— J'ai pas d'argent.

– Y faudra ben l'habiller, cet enfant! En octobre ou en novembre, vous allez recevoir l'argent des récoltes.

Gustave leva le ton :

– J'ai pas d'argent, je vous dis !

– Si vous êtes à court d'argent, c'est pas votre faute, dit-elle. Je demanderai une classe au curé, ça pourrait nous aider à vêtir notre famille, un peu comme j'ai aidé mon père dans le temps.

– Votre place est à la maison, trancha-t-il, le nez dans son assiette.

Héléna ne releva pas son ordre. Elle ajouta comme ça, avec sa résignation habituelle :

– Aussi, y faudrait descendre le berceau du grenier.

– C'est pas pressant d'encombrer la cuisine avec ça.

– J'ai besoin des mesures pour confectionner mes petites courtepointes, mais si vous voulez pas, je demanderai l'aide de quelqu'un d'autre.

Le reste du souper fut silencieux. Héléna ruminait l'injure de Gustave : «Un petit Américain !» Et, sans un regard pour son mari, elle mangea son macaroni du bout des lèvres ; la nourriture lui semblait fade. Elle mangea peu.

En sortant de table, Gustave fila tout droit à la berçante. Il se souciait peu de ce que sa femme ressentait dans son for intérieur. Il délaça lentement ses grosses bottines.

Héléna commença à desservir. Elle découvrit deux dollars sous l'assiette de Gustave – celui-ci devait les avoir glissés là pendant qu'elle était à l'évier et qu'elle lui tournait le dos. Son cœur se remit à battre. Elle venait de gagner un point. Gustave voulait-il se racheter ? Il était sans doute récupérable. Mais pourquoi diable son mari ne lui avait-il pas donné cet argent en main propre? Pourquoi cette distance? Avait-il du dédain à la toucher ou était-ce l'orgueil qui l'en empêchait? Une seule fois il avait touché sa main; c'était le jour de son mariage quand il avait passé le jonc à son doigt.

— Merci! dit-elle.

— Vous avez pas à me remercier parce que ce que je fais là, je le fais pas de bon gré!

Encore une rebuffade. Héléna se laissa abattre; la tête basse, elle rentra les billets verts dans la poche de son tablier et elle reprit sa besogne.

Désormais, Héléna ne vivrait plus que pour son enfant, son rêve, et elle déverserait sur lui toute son affection.

À l'avenir, elle garderait ses mercis pour elle.

* * *

Le surlendemain, Jules Pelletier passa faire une visite éclair à sa fille.

Comme Gustave était chez Champoux, Héléna profita du fait d'être seule avec son père pour lui demander:

— Papa, voulez-vous m'aider à descendre le ber du grenier?

— Ça veux-tu dire que t'es comme ça, Héléna?

— Ben oui! Pis si vous saviez comme je suis heureuse. Ça se dit pas!

Jules ne s'aperçut pas qu'il riait.

— Laisse-moé faire. Je peux le descendre sans aide.

– Vous pourrez pas tout seul, y est trop lourd. Je vais vous aider. Je suis enceinte, pas morte!

– Toé, tu restes tranquille.

– Dans ces beaux moments, j'aimerais tant que m'man soit là. Je suis certaine qu'elle se réjouirait avec moé.

– Tu sais ce qu'elle dirait, ta mère? Que tu devrais rien lever de pesant dans ton état.

– J'ai rien à craindre avec ma ceinture de Sainte-Marguerite.

– Qu'est-ce que tu racontes là?

– C'est une ceinture de toile que les femmes portent durant la grossesse pour demander la protection à Sainte-Marguerite, la patronne des femmes enceintes. Moé, j'y demande qu'elle veille au bon déroulement de mon accouchement.

– Oui, oui, se souvint Jules. Asteure que tu parles de ça, je me rappelle que ta mère a déjà porté une affaire de même.

– C'est la sienne, p'pa! M'man l'avait donnée à Agathe, pis à son tour Agathe me l'a prêtée.

Jules dut se faire petit pour monter sous les combles.

– Pousse-toé un peu, Héléna. Je dois avoir assez de mes deux bras pour descendre un ber d'enfant.

Le dos courbé sous la charpente, Jules tournait le petit lit d'un côté et de l'autre.

– Voyons donc! Si ce ber-là est passé par ce carreau une fois, y passera encore. Bon, je vais passer les berces en premier, de travers comme ça, je pense que ça ira.

Jules, couché à plat ventre sur le sol du grenier, tenait le berceau à bout de bras.

— Asteure, replace l'escabeau vis-à-vis le trou pis tiens-le sans forcer, juste pour l'empêcher de bouger.

Héléna baissa la tête.

— Vous êtes plein de bran de scie, j'en reçois dans les yeux pis les cheveux.

— C'est un beau morceau, ce ber !

— Oui, y est finement ouvragé. Avec un bon nettoyage, y va redevenir comme neuf.

Jules descendit et referma la trappe derrière lui.

Après avoir partagé sa joie d'être bientôt mère, Héléna confia à son père sa peine d'être bafouée par son mari.

— Gustave est très dur avec moé.

— Y te frappe pas, toujours ?

Héléna ressentait une gêne, un sentiment d'humiliation à avouer la vérité à son père.

— Parfois les paroles font plus mal que les coups, dit-elle.

— Ton mari doit pas être insensible.

— Je crois qu'il l'est.

— Et si tu te trompais ? Un enfant, ça remue en dedans, ça vient vous chercher.

Héléna haussa les épaules.

— Pour ça, y faudrait qu'y ait un cœur. Gustave est pas intéressé. Agathe m'a déjà dit qu'y voulait pas d'enfants. Dans le temps, si je m'étais arrêtée à y réfléchir un peu, je l'aurais pas marié.

— Maintenant, c'est trop tard pour les regrets. Essaie de pas te faire trop de mal avec ça, ma fille. Ton mari changera ben d'idée quand le petit sera là. Tu verras. Y a pas un humain qu'a pas de sentiments. Seulement, y en a qui les cachent.

— Alors, ce serait un entêtement. Moé non plus, je l'intéresse pas, sinon que pour le servir. Des fois, papa, j'ai le goût de retourner à la maison, mais je m'en voudrais de m'imposer asteure que vous êtes remarié.

— Ma pauvre fille! Tu l'as marié, tu l'as choisi. Que veux-tu? La place d'une femme est avec son mari, Héléna. Tu serais pas plus heureuse ailleurs, mais notre porte t'est toujours ouverte. Je serai toujours là pour t'écouter si ça peut te faire du bien de laisser sortir la vapeur. Tu peux venir passer les orages chez nous. Ça le ferait peut-être t'estimer de se débrouiller seul pendant quelques jours.

— Pour revenir ensuite la maison tout à l'envers?

Héléna tenait mordicus à ce que chaque chose soit à sa place.

— Et si le coup en valait la peine?

Elle laissa échapper un long soupir. Son père avait raison. Est-ce qu'on retourne chez ses parents quand on a un mari, un enfant qui s'en vient et qui a droit à sa propre maison? Elle accepta son sort et choisit de se taire.

— J'aime pas te voir sur la débrette, ajouta son père. Y a longtemps que j'ai pas entendu ton rire clair de petite fille.

— Rire, je me rappelle pas ce que c'est. Excusez-moé, p'pa, je vous reçois ben mal avec mes jérémiades. Si on jasait d'autres choses devant un café chaud?

— C'est pas de refus, ma fille. Avant, je vais te donner un conseil: laisse-toé surtout pas mépriser.

Héléna retourna la phrase dans son esprit. Puis elle se ressaisit.

— Jeanne Lafleur me rend visite à l'occasion. Ça me fait du bien de jaser avec une autre femme.

— Si elle peut être un réconfort, lui dit son père, tant mieux pour toé !

Jules embrassa sa fille sur la joue et, comme il allait sortir, Gustave entra. Le regard de Jules s'assombrit. Héléna savait que son père n'irait pas par quatre chemins pour lui dire sa façon de penser. Il se planta devant Gustave, de façon à l'empêcher d'avancer, et le regarda dans le blanc des yeux.

— Écoutez-moé ben, le gendre, y est pas dit que vous allez ambitionner sur ma fille, ni en paroles ni en actes, parce que vous allez me trouver en travers de votre chemin.

— Pas besoin de prendre le mors aux dents.

Gustave contourna son beau-père et fila directement à la berçante.

— Ce qui se passe dans ma maison regarde que moé, dit-il.

— Quand ma fille est malheureuse, ça me regarde aussi. Je vous ai donné une fille en pleine santé pis ben sensée en plus, pis je veux qu'elle le reste, sinon je viendrai la reprendre.

Gustave ne répondit pas.

Jules sortit.

Les menaces de son père laissèrent un froid entre les deux hommes.

Jules parti, Gustave attaqua de nouveau :

— Vous allez vous plaindre à votre père ?

L'embarras riva Héléna sur place. Elle tremblait comme si elle avait peur de son mari et son embarras grandissait. On lui avait appris à se taire et elle n'arrivait pas se justifier. Elle aurait voulu lui expliquer, mais l'effort était trop énorme. La nervosité déréglait ses battements de cœur. Elle choisit de se taire.

\* \* \*

Héléna se consola en préparant la venue de son enfant. Elle y mit tout son cœur. Elle prenait plaisir à confectionner une layette. Depuis qu'elle portait des verres correcteurs, elle maniait l'aiguille avec dextérité. Ses proches disaient d'elle qu'elle avait des doigts de fée.

\* \* \*

Le repas terminé, Gustave se retira dans la berçante et alluma sa pipe. Héléna desservait la table lorsqu'elle entendit deux petits coups à la porte. Elle s'empressa d'ouvrir.

C'était Jeanne, la femme de Joseph Lafleur.

— Bonjour, Jeanne! Entre donc. Mon Dieu! T'as rien sus le dos avec ce vent frais?

— Comme je faisais juste traverser le chemin…

Héléna traîna une berçante du salon à la cuisine.

— Viens t'asseoir. Ça fait un bon boutte qu'on s'est pas vues!

— C'est que t'as eu beaucoup de visite ces derniers temps. J'osais pas m'imposer. Je me suis dit que tu devais être au bout du rouleau. Mais aujourd'hui, comme mon Joseph devait aller à Montréal faire des achats pour le magasin, je lui ai proposé de mettre la clé dans la porte du commerce. D'abord, l'après-midi, les clients sont plutôt rares; la plupart sont aux champs. J'y ai dit: «Y a longtemps que je veux faire une visite à ma cousine. Aujourd'hui, je vais aller passer tout l'après-midi avec elle, si je la dérange pas trop, comme de raison.»

La figure d'Héléna s'illumina.

— Tu me déranges pas pantoute. Au contraire, c'est une bonne idée que t'as eue là, Jeanne! Mais si j'avais deviné que j'aurais de la visite, j'aurais pas bretté comme ça, je me serais débarrassée de la vaisselle qui traîne.

Gustave se couvrit d'un gilet et sortit.

— Je vais t'aider, lui offrit Jeanne. À deux, ça va aller plus vite. Donne-moé un linge à vaisselle.

— Non, merci! Pour une fois que j'ai de la visite, la vaisselle va rester dans l'évier. Je vais juste préparer un café pis je te rejoins dans l'autre berçante. T'as apporté ton tricot?

— Oui, dit Jeanne, je me suis dit que tout en jasant…

— T'as ben faite! Je vais sortir le mien pis on va jaser tranquillement toutes les deux.

— Qu'est-ce que tu tricotes, Héléna?

— Une robe de baptême. J'attends un enfant. Depuis le temps que je jalouse les autres mères, c'est enfin mon tour.

— Toé itou? dit Jeanne, étonnée.

— Oui! acquiesça Héléna. Qui d'autre? Tu vas pas me dire que toi aussi, tu… tu…?

— Ben oui! répondit Jeanne. Ça doit être contagieux.

Héléna resta un moment bouche bée, puis elle s'exclama:

— C'est une farce, ça!

— Ben non! Tu demanderas à Jos.

— Si tu savais comme je suis contente pour nous deux. On va pouvoir parler de bébés, toé pis moé.

— À quarante-deux ans, c'était inespéré. Jos pis moé, on avait fait une croix là-dessus. On avait même arrêté de demander ça dans nos prières; le ciel nous entendait pas. Pour une surprise, c'en est toute une! Jos est fou de joie, y parle pus rien que de ça.

Le regard d'Héléna s'assombrit. Elle aurait bien aimé que Gustave réagisse comme Jos.

— C'est pour bientôt? s'informa Héléna.

— Pour le début d'octobre.

Jeanne serra sa jupe sur son ventre.

— Regarde, ça commence déjà à paraître, dit-elle, le sourire aux lèvres. Pis toé?

— En décembre, dit Héléna. Comme ça, nos enfants vont aller à l'école ensemble pis y seront dans la même classe.

— C'est pas pour demain. On va commencer par les mettre au monde, pis les bercer un peu, hein!

— Tu vas devoir dessiner de nouveaux plans de maison avec plusieurs chambres à coucher parce que quand la machine est en marche, tu sais pas quand cé qu'elle va s'arrêter.

— Ben là, c'est un fait. J'avais pas pensé à ça. J'ai quand même quarante-deux ans.

Héléna rit.

— T'as encore le temps d'en avoir cinq ou six. Y a des femmes qui accouchent à quarante-cinq et quarante-six ans, même qu'une cousine de ma mère en a eu un à cinquante ans.

— Quand même, Héléna! Je rivalise pas avec celles-là.

— Moé, j'ai le cœur assez grand pour en aimer douze.

— Ben moé, objecta Jeanne, j'en aurais pas la force. Ça me tirerait toute mon énergie. On n'a pas toutes la même santé.

— Tu manges pas assez, Jeanne. Y faut que tu manges pour refaire tes forces si tu veux avoir un bébé en santé.

— Manger ou ben dormir; je m'endors partout.

Héléna, qui voyait venir son accouchement avec appréhension, lui confia:

— J'ai peur de souffrir... pis même de mourir.

— Pense pas de même, Héléna. Nos mères en avaient à la douzaine pis elles sont pas mortes. Comme j'accouche avant toé, je te dirai si ça fait si mal que ça.

— Agathe dit qu'y a pas deux accouchements pareils.

— Assez parlé de souffrances; chaque chose en son temps.

— T'as ben raison, répliqua Héléna. J'ai des beaux patrons de courtepointes de bébé qui me viennent de mes sœurs. Je vais te les montrer. Je peux t'en passer si tu veux.

— J'ai pas de moulin à coudre.

— Tu vas devoir t'en acheter un. Avec une famille, on peut pas se passer de ça, mais c'est ton choix. Si tu veux en tailler, je peux les assembler pour toé. Comme ça, on passera plus de temps ensemble.

Un sourire complice dénotait leur entente réciproque.

— Avec toutes ces émotions, ajouta Jeanne, j'oublie de te montrer le châle de baptême que je suis en train de tricoter au crochet.

— Moé, le crochet, je suis pas capable, dit Héléna, mais à l'aiguille, personne va m'en montrer.

— Regarde comme c'est facile. T'enroules la laine autour du crochet, tu piques dans la loupe pis tu tires.

— Si plutôt je te tricotais une robe de baptême, pis toé un autre châle, proposa Héléna, on pourrait faire un échange.

— On va d'abord finir ce qu'on a commencé, pis après, on va s'en reparler.

— Ça serait plus sage.

— Dis donc, ç'a bougé icitte ces derniers temps, avec ta visite des États.

— Je te dis que je me sus pas ennuyée avec tant de monde dans la maison. Je vais probablement trouver ça moins drôle le printemps prochain avec un bébé à m'occuper.

À quatre heures, Jeanne se retira chez elle. Les femmes se quittèrent doublement contentes. Leur maternité prochaine les rapprochait. Quoi de plus attachant qu'un enfant, dans tous les sens du mot?

# XVI

Le matin du 14 octobre, Jeanne s'assit sur le côté de son lit.

— Jos, Jos, réveille-toé! Je suis trempée. Je pense que mes eaux sont crevées. Mais, y en a donc ben, je suis pire qu'un arrosoir, pis y m'en coule encore sur les cuisses.

Joseph s'assit carré dans le lit.

— Bouge pas, dit-il, les deux mains devant, comme pour calmer sa femme alors que c'était lui le plus nerveux des deux. J'attelle pis je vais aller chercher le médecin.

— Non! Pas si vite, dit Jeanne. On dit que le premier accouchement est long. Pis je veux pas rester tout'seule, insista-t-elle, le regard inquiet. Va plutôt chercher Héléna, y me semble que ça me rassurerait de l'avoir à mes côtés. Mais avant de partir, sors la cuve pis mets-la derrière la porte de chambre. Là, on me verra pas, pis moé, je vais sortir ma jaquette neuve, pis aussi, y faudra changer le lit.

— Je suis pas capable de changer un lit, avoua-t-il. J'ai jamais fait ça. Tantôt, Héléna s'en occupera.

— Y serait temps que t'apprennes.

— Peux-tu te rendre à la chaise berçante?

— Ben oui, le rassura Jeanne, j'ai pas mal aux jambes. Je suis capable de bouger.

— Je vais demander à Héléna de venir te tenir compagnie, pis je vais atteler pour que le cheval soit prêt quand ce sera le temps d'aller chercher le docteur.

Joseph sortit et oublia de fermer le magasin pour la journée.

Héléna arriva avec son gros ventre, aussi nerveuse que si c'était elle qui allait accoucher.

— Héléna, lui dit Jeanne, si tu savais comme ça me soulage de te savoir là !

— Gustave est à son train. Y va ben se demander où je suis passée. Bon, asteure, dis-moé quoi faire.

— Regarde donc dans le *boiler* du poêle si y a assez d'eau pour mon bain.

— Y est plein à ras bord.

La clochette du magasin tinta joyeusement. C'était Villeneuve qui demandait des vis.

— Servez-vous, s'écria Jeanne de sa cuve, pis laissez votre monnaie sus le comptoir.

— C'est pour faire marquer, répondit-il.

— Héléna, va donc barrer le magasin.

Cette fois, Héléna arriva face à face avec un autre client, son mari. Gustave venait acheter des pièges à ratons laveurs et une penture pour la porte du poulailler. Celui-ci, surpris de voir sa femme chez Lafleur, donna un coup de tête de côté qui signifiait : « Marche à la maison ».

Héléna ignora son geste. Pour la première fois, elle n'obéit pas.

— C'est barré pour la journée, dit-elle.

Gustave, irrité, tourna les talons.

Héléna revint à la cuisine sans un mot à Jeanne de cette visite.

— Où je peux trouver des draps?

— Dans l'armoire à deux portes, au fond de la cuisine. Pauvre Héléna, dit Jeanne, je suis là qui me fais servir comme une impotente.

— Je suis venue pour ça. Dans deux mois, ce sera mon tour, pis d'autres le feront pour moé.

Le lit changé, Héléna vint s'asseoir près de sa cousine.

— T'as pas l'air d'être trop nerveuse.

— Tout se passe en dedans. Je redoute ce qui s'en vient. Si au moins, je savais! Comme c'est de l'inconnu, je vais essayer de prendre ça comme ça vient.

Joseph entra. Jeanne ressentit ses premières douleurs.

— C'est le temps d'aller chercher le docteur, mon Jos.

Jos disparut comme un éclair. Jeanne se promenait d'un bout à l'autre de la cuisine, les mains sur son gros ventre.

— T'as choisi des prénoms? demanda Héléna. Si t'aimes mieux pas en parler, ça te regarde. Tu sais, je m'en porterai pas plus mal.

— Ce sera Henri pour un garçon, pis pour une fille, on n'a rien décidé.

— Henri, répéta Héléna. J'ai connu un garçon qui portait ce nom-là pis tout le monde disait que c'était une beauté. Moé, j'ai Marianne comme nom de fille, pis Marc comme nom de garçon.

Jeanne parlait comme si ça pouvait la calmer. Mais les douleurs se rapprochaient et augmentaient en force, tellement qu'à chaque contraction, Jeanne se retenait de crier pour ne pas effrayer Héléna, qui traverserait bientôt la même épreuve. Toutefois, elle ne pouvait se retenir de grimacer. Héléna s'en faisait pour elle.

— C'est si dur que ça, accoucher?

— Ça dépend comment c'est long. Je commence à avoir hâte que le docteur arrive.

Une autre contraction la traversa du ventre jusqu'aux reins.

— Si tu te couchais, un peu? T'as pas l'idée d'accoucher assise sur une chaise.

Le travail avançait, les douleurs se rapprochaient. Héléna ne connaissait rien aux accouchements, sauf qu'il fallait attacher et couper le cordon. Jamais elle ne pourrait poser ce geste. Juste à y penser, ses jambes mollissaient!

À tout bout de champ, elle jetait un œil impatient à la fenêtre.

— Enfin! s'écria Héléna, soulagée. Ils arrivent tous: Joseph, le docteur Coupal et une sage-femme. Asteure, je peux te laisser, tu vas être entre bonnes mains. J'apporte tes draps; je vais les laver à la maison. Tu diras à Joseph de venir me donner des nouvelles aussitôt que le bébé sera là. J'ai assez hâte de savoir si ce sera un garçon ou une fille.

Sitôt dehors, Héléna échappa un « ouf » de soulagement.

Dans la basse-cour, Gustave posait un clou à la porte du poulailler pour remplacer une penture brisée, mais rien n'allait; il tempêtait.

Héléna entra chez elle, vidée, comme à la fin d'une grosse journée de travail. Gustave avait déjeuné; son assiette était restée sur la table parmi les miettes de pain.

Héléna tira le moulin à laver près de l'évier et le remplit d'une belle eau claire. Tout en besognant, elle allait et venait de la table à la fenêtre qui donnait sur la maison des Lafleur jusqu'à ce que l'attelage du médecin disparaisse. Il lui semblait que cela avait pris une éternité.

Dans la cour de l'étable, Gustave était en train d'atteler Fanette à la voiture. Héléna se demandait bien où il allait. Il entra et lui ordonna:

— Allez me chercher une penture au village.

Aller au village voulait dire six milles pour aller et autant pour revenir; c'était toute une trotte et Héléna venait de commencer son lavage.

— Mon eau va refroidir, dit-elle.

Gustave la saisit par la manche de sa robe et la conduisit à la porte. Elle obéit.

Au retour, elle lui tendit la penture, mais Gustave constata que ce n'était pas exactement celle qu'il voulait.

— Retournez-y. Pis cette fois que ce soit la bonne! Et il ajouta: Y faut pas être ben intelligent pour comprendre ça.

Devant cette réflexion absurde, Héléna refoula sa peine. Elle se moucha, essuya ses yeux et supplia:

— Vous allez pas m'obliger à retourner au village?

Gustave faisait tourner l'attelage.

— Qu'est-ce que vous attendez? Allez! Marchez!

Héléna ravala jusqu'à la courbe du chemin et, une fois disparue de sa vue, elle arrêta sa bête pour réfléchir tranquillement. Pendant un moment, elle pleura un bon coup, puis elle se moucha et fit faire demi-tour à Fanette pour se rendre chez son père. «Si Gustave me voit passer devant la maison, se dit-elle, il va se poser des questions. Eh ben, tant pis! Qu'il s'en pose!» pensa-t-elle.

Héléna entra chez son père les yeux rougis. Deux rides amères creusaient les commissures de ses lèvres.

Jules entoura ses frêles épaules de ses bras puissants.

— Qu'est-ce qui se passe, ma fille?

Héléna n'arrivait pas à lui dire combien elle avait besoin de lui. C'était comme réapprendre à parler après s'être tue si longtemps.

— Dis-moé ce qui te fait tant de peine.

— J'en peux pus, p'pa.

Elle lui raconta les faits entrecoupés de sanglots.

— Ce soir, je vais te garder à coucher, dit-il. Pis demain, j'irai te reconduire. Ça fera peut-être réfléchir ton homme de pas savoir où se trouve sa femme. Demain, je vais y parler entre quatre z'yeux, à ton Gustave.

— Je peux pas accepter votre invitation. Les draps de Jeanne sont à tremper dans mon moulin à laver. J'ai promis d'y ramener ce soir.

— Comment ça se fait que les draps de Jeanne sont rendus chez vous? s'informa Rollande.

— Le médecin est chez elle, Jeanne est en train d'accoucher. Je suis allée l'aider, j'ai changé son lit, pis j'ai apporté ses draps à la maison pour les laver.

— Y a autre chose de plus important que des draps, reprit Jules, que la situation de sa fille préoccupait davantage.

— Gustave va ben se demander où je suis rendue pis ce que je fais! dit Héléna.

— Laisse-le s'en faire un peu, ça y fera pas de tort.

— Ça m'a fait du bien de me vider le cœur.

Héléna monta à la chambre qu'autrefois elle avait partagée avec Blanche. En bas, Rollande et son père parlaient à voix basse. Héléna déposa ses lunettes sur la commode et se coucha le cerveau vide. À son réveil, le jour transparaissait à travers les rideaux.

\* \* \*

Après un tour de cadran complet, Héléna éprouva le besoin de retrouver la maison qui maintenant était sienne.

Jules la raccompagna chez elle. Il entra le premier, suivi d'Héléna, qui était dans ses petits souliers. Il s'approcha de Gustave et lui parla nez à nez.

– Je vous ramène votre femme pis encore une fois sans votre maudite penture. Écoutez-moé ben, c'est le dernier avertissement. Abusez de sa bonté une autre fois, pis je la garderai chez moé pour de bon, mais avant, je tiens à ce que vous sachiez que, la prochaine fois, je mettrai toute la paroisse au courant de ce que vous faites endurer à Héléna. Pis vous serez le déshonneur de votre belle famille de prêtres.

Héléna tremblait dans ses souliers, elle craignait les représailles de son mari.

Gustave, immuable, n'ajouta pas un mot. Le silence était sa défense et aussi sa façon de ne pas se presser pour donner la réplique. Il sortit mener Fanette à l'écurie.

Héléna poussa un long soupir de résignation. Elle saisit un grand gobelet et, d'une main tremblotante, elle changea l'eau refroidie de sa cuve pour une belle eau chaude.

Elle put reprendre sa lessive là où elle l'avait laissée la veille.

\* \* \*

Après le dîner, Gustave dut se rendre au village acheter la penture coupable et une laque rouge-brun pour peindre le poulailler. Héléna profita de l'occasion pour visiter sa belle-mère et Cordélia. Tout le voyage se passa en silence, mais, sitôt chez sa belle-mère, Héléna s'exclama :

— Vous avez l'air radieuse, Cordélia, on vous donnerait vingt ans! C'est-y votre nouvelle peignure qui vous change de même?

— Vous me dites la même chose que votre sœur Agathe pis je vais vous donner la même réponse que j'y ai donnée à elle : « Quand on s'atrique comme du monde, ben, on a l'air du monde! » Ça vous surprend, hein, après m'avoir toujours vue atriquée comme la chienne à Jacques!

— C'est ben sûr! Pis avec votre taille de guêpe…

Cordélia, la main devant la bouche, murmura :

— Je le dirai pas devant les hommes, mais, la semaine passée, m'man m'a acheté un beau corset qui va de la taille au buste pis qu'est boutonné sur le devant. La vendeuse appelle ça un bustier. Je vous dis que ça redresse la colonne pis que ça remonte d'autres choses.

— Je peux le voir?

— Venez dans ma chambre.

Le bustier de couleur rose était agrémenté de minuscules boutons et d'un passe-ruban noirs. C'était un sous-vêtement de fine lingerie.

– Quel beau morceau! Je vous envie, Cordélia. Mais pour moé, ce serait une folie, une femme mariée a pas besoin de si belles parures.

– Moé, je suis pas mariée.

– Mais qui va voir ça?

– Moé! Moé tout'seule!

D'en bas, la vieille Augustine écoutait la conversation des femmes. Depuis qu'elle lui confectionnait de beaux vêtements, Cordélia faisait partie des filles les mieux vêtues de la paroisse et la vieille en ressentait une grande fierté, surtout que Cordélia avait une mine épanouie qui faisait plaisir à voir. Son arrivée au village l'avait transformée.

# XVII

Les semaines se talonnaient, toutes plus pressées les unes que les autres. L'hiver frappait aux portes de La Plaine. Quelques flocons légers tourbillonnaient avant de se poser au sol. Dans trois jours, ce serait Noël.

Le matin, Gustave et Villeneuve avaient fait le plein d'outils – haches, cognées, scies, godendards –, et ils étaient montés au bout de la terre bûcher leur bois de chauffage.

À la maison, Héléna, assise derrière la table, fabriquait des petites maisons en carton qui allaient servir à décorer le sapin quand les premières douleurs se firent sentir. «Déjà mon tour», pensa Héléna, la peur au ventre. En attendant le retour de Gustave, Héléna tremblait de nervosité. La totale méconnaissance du déroulement d'un accouchement l'inquiétait. Deux mois plus tôt, sa cousine Jeanne avait accouché d'une fille de sept livres et Héléna se demandait encore comment un si gros bébé avait pu passer dans un si petit tunnel.

Elle se mit à marcher dans la grande cuisine tout en surveillant la montée Mathieu. Elle vit Gustave descendre du bois avec un premier chargement de billots. Elle se rendit à la fenêtre qui donnait sur la cour de l'étable, frappa au carreau et appela son mari en faisant de grands signes des bras.

Comme Gustave ne réagissait pas, elle jeta son manteau sur ses épaules, se rendit au bout du perron et appela avec des larmes dans la voix :

– Gustave! Voulez-vous aller chercher le docteur? Mon temps est arrivé.

Héléna entra dans la maison et s'assit un moment dans la berçante pour retrouver son calme, mais il lui était impossible de rester en place. Ses douleurs lui rappelaient les grimaces de Jeanne. Si au moins sa mère avait été là! Elle lui manquait terriblement. Héléna lui adressa une prière : «Maman, j'aurais tellement besoin de votre présence. Ce serait si bon que vous soyez là pour m'aider à supporter ce qui s'en vient. Une mère, ça comprend, ça partage les souffrances de ses enfants. Juste le fait de vous savoir là serait un soulagement. Je suis seule et j'ai peur de ce qui vient.»

Héléna priait, ça l'aidait à supporter son mal. À chaque douleur, elle se pliait en deux. Elle se rappelait les paroles d'Agathe : «Plus le travail avance, plus les contractions augmentent en force, jusqu'à devenir insupportables», et elle avait ajouté : «Mais tu sais, on n'en meurt pas.»

Héléna retourna à la fenêtre. Gustave avait dételé son cheval de trait; il devait le laisser se reposer du charriage. C'était bien ce qu'elle pensait. Un moment plus tard, son mari sortit Fanette de l'écurie et l'attela à la carriole.

Héléna vit disparaître la pouliche au trot. Elle se promenait encore de long en large dans la cuisine et, à chaque douleur, elle se pliait en deux et laissait échapper un «ayoye!» qui s'étirait le temps de la contraction. Une heure plus tard, la pouliche de Gustave revint, suivie du cabriolet du médecin.

Celui-ci entra, pressé. Le docteur Coupal laissa tomber son chapeau et son paletot sur la première chaise et mena la parturiente à son lit.

Même en présence du médecin, Héléna se sentait seule. Jeanne lui avait rapporté que, pendant ses contractions, Jos lui avait tenu la main. Elle disait que ça ne lui enlevait pas son mal, mais que ça la réconfortait, comme si son mari prenait la moitié de son inquiétude. Gustave allait-il être aussi attentionné? Est-ce qu'il l'entendait crier?

— Où est Gustave? demanda-t-elle. Je veux Gustave.

— Votre Gustave est à l'extérieur. Dans ces moments, les hommes ne sont pas utiles.

Après un bref examen, le médecin expliqua à sa parturiente que tout semblait se dérouler normalement, mais qu'un premier accouchement à son âge risquait d'être long et ardu parce que les os étaient plus durs.

— Ça signifie quoi «plus long»? Ça fait quatre heures que j'endure.

— Quatre heures, c'est peu. Prenez patience, ma petite dame, certains accouchements durent jusqu'à vingt heures.

Tout en écoutant ces propos décourageants, Héléna s'accrocha des mains aux poteaux du lit, prit une longue respiration et poussa un bon coup. L'enfant naissait.

Onze heures sonnaient à l'horloge et un petit cœur tout neuf commençait à battre.

– Une belle fille, madame Branchaud! Mais toute menue, cinq livres et demie. C'est ce qui fait qu'elle est arrivée aussi vite.

– Une fille! Incroyable! répétait Héléna, ravie. C'est ce que je souhaitais intérieurement.

Finalement, l'accouchement s'était déroulé assez rapidement. Sa mère devait avoir entendu sa supplique.

– Quelle chose merveilleuse que de donner la vie! s'exclama Héléna.

Le docteur Coupal s'occupa de couper le cordon.

– C'est ce que j'appelle un bel accouchement. Vous voyez comme une naissance peut être imprévisible et varier d'une mère à l'autre. Même les médecins peuvent se tromper.

Quand Gustave entra dans la maison, sa fille reposait sur le sein de sa mère. Elle était toute menue. Héléna, impatiente de voir la réaction de son mari devant son enfant, appela Gustave.

– Venez voir votre fille, Gustave.

Mais lui mit une éternité à répondre :

– J'aurai ben le temps.

Héléna était déçue, elle qui misait sur cette naissance pour attendrir son mari. Elle n'allait pas se laisser attrister par Gustave quand sa joie frisait l'extase. Elle était maintenant mère d'une petite fille et son état d'exaltation primait sur tout autre sentiment. Héléna pensa à Jeanne qui, elle aussi, avait une fille, et, d'avance, elle savait que les petites cousines deviendraient deux bonnes amies.

Gustave régla l'accouchement au médecin : un dollar et vingt-cinq sous.

Héléna leva le ton pour se faire entendre de la cuisine.

— Gustave, y faudrait demander le baptême au curé.

— Jacques va s'en occuper, marmonna Gustave.

— J'aimerais y donner le nom de Marianne. La marraine pourra aussi en ajouter un de son choix.

Héléna s'épuisait à crier pour se faire entendre. Gustave ne venait même pas lui rendre une petite visite. Pourtant, elle venait de lui donner un enfant, le plus beau cadeau du monde. Il ne disait rien, comme si tout ce qui touchait l'enfant lui était indifférent. De son lit, Héléna devait penser à tout.

— Y faudrait annoncer la nouvelle aux familles pis prier p'pa pis madame Rollande d'être compères.

Ses demandes restaient toutes sans réponses. Gustave l'entendait-il?

\* \* \*

Cordélia entra, tout excitée. Elle venait passer dix jours dans son ancienne maison pour les relevailles d'Héléna. Elle s'exclama:

— Tout un cadeau de Noël, Gus!

— Ouais!

— «Ouais», ça veut dire quoi? Yark? Oui? Je m'en fous? C'est un beau bébé. Y a rien de plus beau pis de plus grand qu'un enfant, pis toé, tu dis juste: «Ouais!» Ton frère Antoine était plus démonstratif aux naissances des siens.

Gustave n'ajouta rien.

Soudain, on entendit comme un petit bêlement d'agneau, c'était l'enfant qui réclamait son boire.

La même semaine, l'abbé Jacques avait décidé de prendre quelques jours de vacances chez Gustave, ce qui lui arrivait régulièrement. Jacques, avec ses façons de grand seigneur, s'arrogeait le droit d'entrer et de sortir à son gré chez Gustave sous prétexte qu'il était chez lui à la maison paternelle. Malheureusement, il avait toujours le don de s'imposer au mauvais moment.

— Cordélia, tu me prépareras un lit.

Le visage de Cordélia se transforma en une grimace de dégoût. Elle trouvait qu'elle en avait assez de sa nouvelle besogne sans en rajouter, surtout que Jacques, avec son air cérémonieux, arrivait toujours en maître et roi dans la maison.

— C'est pas toé qui donnes les ordres icitte, dit Cordélia. Mais si tu me le demandes poliment, je vais en parler à Héléna, c'est elle qui mène dans sa maison.

— Toujours aussi hargneuse, la Cordélia, hein?

— Ça dépend avec qui.

\* \* \*

Cordélia se rendit à la chambre du bas.

— Si vous me le permettez, Héléna, je vais donner le bain à la petite, pis vu que ce sera la première fois, je vais le faire sous votre surveillance, au cas où j'aurais pas le tour.

Héléna, déjà affaiblie par l'accouchement, accepta d'emblée de refiler à sa belle-sœur cette tâche qui lui paraissait pénible pour une fraîche accouchée.

— Vous me soulageriez d'un gros fardeau. Tirez le chiffonnier près de mon lit, pis installez-vous dessus.

C'était la première fois que Cordélia prenait soin d'un si petit être. Aux naissances de ses autres neveux, c'était toujours sa mère qui assistait aux relevailles. Aujourd'hui, Cordélia prenait son rôle à cœur. Elle adorait déjà le bébé.

— Elle est pas plus grosse que ma poupée Sophie, dans le temps.

La nouveau-née pleurait et Cordélia, émue jusqu'à l'âme, bécotait le petit front moite.

— Passez-moé la serviette, je vais la couvrir. Un bébé nu a peur de tomber. Vous saviez ça, vous?

— Non!

— Voilà, mon trésor, dit Cordélia, la voix doucereuse. Ça va aller.

Cordélia couvrit le petit corps et l'enfant se tut net. Elle embrassa ses joues rondes.

— C'est m'man qui m'a dit ça avec ses mille recommandations.

— Vous êtes chanceuse d'avoir votre mère. Quand elle est pus là, on ressent un grand vide. La mienne est partie trop vite, elle connaîtra pas ma fille.

Cordélia lavait délicatement les cheveux fins, puis le minois chiffonné du bébé. Elle cajolait la petite et lui parlait avec douceur. L'enfant éveillait des sentiments maternels chez elle. Héléna souriait de voir sa belle-sœur si tendre, elle, une fille aux allures garçonnes.

— Quand j'étais petite fille, raconta Cordélia, je jouais à la poupée, mais Gustave arrêtait pas de m'humilier en me traitant de catineuse. Moé, j'avais le cœur gros. Vous savez, c'était un deuil de laisser ma poupée. Je me cachais pour la dorloter, comme si elle était un vrai bébé. Le soir, je la couchais à côté de mon oreiller. Mais à neuf ans, je l'habillais pus pis je jouais pus avec. Y fallait ben que tout ça finisse un jour.

— Vous auriez fait une bonne mère.

Cordélia prit le compliment comme un cadeau.

— Je savais pas que j'avais une qualité.

— Pas seulement une, Cordélia. Quand je pense à votre générosité, à votre dévouement, j'en vois ben plus qu'une.

— Y a ben rien que vous pour voir ça !

— Tout le monde le voit, mais y le disent pas tous.

Les ablutions terminées, Cordélia habilla l'enfant de sa robe en tricot blanc et d'un ensemble gilet, bonnet et chaussons en laine et soie torse. Elle colla la petite tout contre elle avant de la remettre aux bras de sa maman.

— Regardez comme elle est belle dans son ensemble de baptême et comme elle sent bon. Un amour, cette petite !

Elle lui rendit l'enfant.

Héléna regardait son enfant avec le sourire tranquille d'une mère en extase et Cordélia admirait le spectacle d'une mère tenant son enfant sur son cœur.

— Héléna, j'ai une faveur à vous demander : j'aimerais ajouter mon nom à ceux du baptême, pis j'aimerais ben que vous disiez oui.

Cordélia tressaillit, les mains croisées sur son cœur, et elle insista :

– Ce sera bientôt Noël. Dites oui, s'il vous plaît! C'est le plus beau cadeau que vous pourriez me faire.

– Je suis entièrement d'accord, à la condition qu'elle se prénomme Marianne et qu'on ajoute le nom de Luce, la sainte du jour.

– Je vous haïs, pas vous.

– Moé non plus, Cordélia, pis votre séjour icitte va nous donner l'occasion de mieux nous connaître.

Cordélia jubilait. Déjà la petite Marianne lui appartenait un peu.

– Je vais aller jeter l'eau du bain pis je reviens chercher ma petite puce, dit-elle. Ensuite, je vais profiter du temps du baptême pour envoyer un mot à Gilbert. Je veux y annoncer l'arrivée de notre bébé.

En passant devant l'abbé Jacques, Cordélia lui rappela :

– Oublie surtout pas d'ajouter mon nom à ceux du baptême. Pis tu diras au bedeau de sonner ben longtemps. Au fait, c'est quoi son nom à celui-là ?

– Fortunat Baillargeon.

– Ben tu y diras à ton Fortunat Baillargeon qu'y oublie pas de sonner les cloches ben longtemps parce que le baptême de Marianne est un grand événement.

Héléna ne savait que penser de Cordélia. D'abord, elle avait insisté pour que son nom soit ajouté au baptême, et ensuite, elle avait dit «notre bébé»! Cordélia était vraiment surprenante. C'était tout nouveau chez elle, cet engouement pour un enfant. Héléna ne l'avait jamais vue s'intéresser de la sorte aux autres neveux et nièces, les serrer dans ses bras, les bercer, les embrasser. Tous ces petits détails portaient à réflexion.

* * *

L'abbé Jacques et Gustave montèrent dans la voiture à deux sièges. Agathe était porteuse. Le parrain et la marraine, Jules et Rollande, devaient se rendre directement à l'église.

On baptisa Marianne au son des cloches et toute la communauté paroissiale sut qu'elle comptait un membre de plus.

Pendant ce temps, à la maison, Cordélia se pressait. Elle recouvrit sa robe d'un grand tablier, qu'elle attacha à son dos, et sortit tuer un chapon pour le repas du baptême. Elle attrapa l'oiseau par une patte et, d'un coup sec de hache, elle lui coupa le cou sur une bûche avant de l'ébouillanter. Le sang gicla sur son tablier. Cordélia pluma la volaille en prenant soin d'extirper les chicots tenaces et l'apporta à la cuisine pour la vider de ses entrailles. Elle lava et déposa la poule dans une rôtissoire qu'elle couvrit et mit de côté le temps d'ajouter les épices et de préparer les légumes. Puis, elle prépara une sauce au beurre et à l'oignon. Cordélia avait la main. Depuis longtemps, les dimanches, elle recevait ses frères prêtres et tout le reste de la famille.

Ce jour-là, elle avait l'intention de se réserver du temps pour écrire à Gilbert, mais elle dut remettre son idée à plus tard ; la famille devait arriver de l'église d'une minute à l'autre.

Au retour des invités, on félicita le père. Si Gustave était ému, il n'en laissa rien paraître.

Cordélia servit le repas d'Héléna à sa chambre; le médecin lui avait défendu de se lever pour les dix prochains jours.

– Ç'a l'air que notre petite Marianne a fait ça comme une grande. Elle a pas pleuré, pas même un cri.

Le repas était délicieux. Héléna félicita Cordélia pour son potage aux carottes, sa poule rôtie et son gâteau des anges accompagné de sucre à la crème.

Agathe avait insisté pour apporter le gâteau, mais Gustave avait refusé en alléguant que c'était la maison qui recevait et que cette tâche revenait aux siens.

* * *

La première nuit, la nouveau-née pleura à fendre l'âme. Elle devait être fatiguée. La journée avait été éprouvante pour un nourrisson avec le branle-bas du baptême et de la réception, où on s'était passé l'enfant de bras en bras. C'était tout un changement pour une nouveau-née, quand la veille encore, elle reposait en toute quiétude dans le ventre de sa mère.

Le premier soir, Héléna n'arriva pas à calmer son enfant, qui refusait le sein et qui emplissait la maison de ses vagissements. Elle se sentait mal à l'aise, les pleurs de la petite dérangeaient Gustave. Il y avait aussi Cordélia et l'abbé Jacques qui risquaient de se réveiller en haut, et tout cela l'énervait et lui causait des bouffées de chaleur.

– Fermez-y la boîte, hurla Gustave.

Il avait dit «la boîte», comme si sa fille n'était qu'un objet insignifiant.

– J'ai beau essayer de la calmer, dit Héléna, impuissante, j'y arrive pas. Ah, si je pouvais prendre son mal !

Héléna, affaiblie par son accouchement, se mit à pleurer avec sa fille.

On frappa à la porte de sa chambre. C'était Cordélia.

– Je viens chercher la petite, je vais m'en occuper. Je vous la ramènerai pour son prochain boire.

– Vous avez eu une journée assez chargée aujourd'hui pis une autre vous attend demain. Vous allez pas passer la nuite deboutte ?

– Pensez à vous en premier. Moé, je suis venue icitte exprès pour ça.

– Je crains que la petite réveille votre frère abbé.

– Lui, je m'en charge. Si y est pas content, y a qu'à s'en retourner dans son presbytère. Quand je vois ça ! Y vient se faire recevoir comme quand m'man était icitte, mais moé, je déroulerai pas le tapis rouge à ses pieds. Asteure, Héléna, essayez de dormir jusqu'au prochain boire.

Cordélia emporta le bébé à la cuisine. Elle changea sa couche mouillée pour une sèche, enroula la petite dans sa couverture et la tint serrée contre elle. De sa chambre, Héléna entendait Cordélia chantonner tout bas un air monotone qui se mariait aux craquements de la berçante.

Tout le temps qu'elle berçait la nouveau-née, Cordélia caressait son petit front moite, le regard accroché à sa figure fripée qu'elle trouvait parfaite. C'était une enfant comme elle qu'elle aurait voulue. Elle lui disait : « Mon petit ange à moi tout'seule ! Cette petite est à moé. J'ai trente-deux ans et je suis mère. » La petite s'endormit au murmure ennuyant de sa tante. Cordélia emporta ensuite l'enfant à sa chambre et la déposa doucement près d'elle en prenant soin de placer un oreiller sur le côté du lit pour l'empêcher de rouler au sol.

Cinq heures plus tard, la petite Marianne se réveilla, tourna sa tête et chercha à téter.

Cordélia étouffa un bâillement. Elle souleva le bébé délicatement en murmurant d'une voix tendre de mère :

— Viens, mon petit ange. Asteure que t'as fait un beau grand dodo, Cordélia va changer ta couche.

En passant dans la cuisine, Cordélia rencontra Gustave, qui sortait faire son train.

— Ta petite fille est un amour, elle a dormi cinq heures d'affilée. Cinq heures, tu y penses pas, Gus! C'est beaucoup pour un bébé naissant.

Cordélia s'aperçut qu'elle parlait seule. Le temps que Gustave se retourne, elle lui fit une grimace dans le dos et fila à la chambre, où elle rendit l'enfant à sa mère pour la tétée. Héléna embrassa sa fille sur le front.

— Je suis surprise, dit-elle, de voir comme vous avez le tour avec les enfants, Cordélia! Si je vous connaissais pas, je jurerais que vous en avez déjà eu.

— C'est parce que la petite sent que je l'aime comme si elle était la mienne.

— Y a que vous pour la calmer.

— C'est que vous êtes trop nerveuse, la petite le ressent. J'ai trouvé un truc : je la couche sur mon ventre pis elle a l'air de ben aimer ça. Bon! Vous m'appellerez quand son boire sera fini. Je laisse votre porte entrouverte pour laisser passer la chaleur.

Cordélia, les yeux lourds de sommeil, retourna à la cuisine et déposa une bûche dans le poêle. Elle profita du temps que durait la tétée pour traîner le ber sous l'escalier, le coin le plus sombre de la cuisine. Ainsi, tout en préparant les repas, elle aurait l'enfant à l'œil, comme une mère vigilante. La petite gavée, Cordélia l'emporta de nouveau dans sa chambre.

* * *

Le lendemain, même scénario que la nuit précédente : des pleurs et des pleurs. Cordélia dormait profondément. Comme sa nuit précédente avait été écourtée, elle récupérait son sommeil perdu.

Héléna tentait de nourrir sa fille, mais celle-ci refusait le sein. À son côté, Gustave rageait. Il se tournait sur un côté, sur l'autre, et respirait très fort. La petite le dérangeait, c'était évident. Pour ajouter à sa contrariété, depuis la naissance de son enfant, Héléna, alitée, n'était pas disponible pour sa toilette du soir et son confort en prenait un coup.

Héléna faisait sauter la petite dans ses bras pour la calmer, mais rien n'y faisait ; le lit branlait et Gustave avec. Elle déposa l'enfant dans son ber. Ainsi, elle serait plus loin de son père et le lit retrouverait son calme.

Exaspéré d'entendre l'enfant pleurer, Gustave sauta sur pieds et s'approcha du berceau. Il souleva la nouveau-née par un bras pour lui administrer une fessée. Au premier coup, Héléna échappa un cri terrible. Elle se leva promptement, lui prit l'enfant des mains et, dans un état d'excitation extrême, sans s'en rendre compte, elle buta contre son mari. Celui-ci, voulant lui donner une bourrade, perdit l'équilibre. Il fit un pas de travers et s'agrippa au lit en maugréant. Il donna un coup de pied sur le berceau, mais déjà, sa femme et le bébé n'étaient plus là. Héléna se trouvait au fond de la cuisine où, désespérée, elle ne voyait rien d'autre que sa pauvre petite fille qui hurlait de plus belle. Une épine au cœur, elle emporta son enfant à la berçante pour la rassurer et la consoler. C'était plus qu'Héléna ne pouvait en supporter. Elle se mit à pleurer avec son enfant et, de son épaule, elle essuyait les larmes abondantes qui mouillaient ses joues. « Je vais m'en retourner chez p'pa », se dit-elle dans une attitude perdante. Puis, elle pensa à son beau-frère qui dormait en haut. Avec son cri et les pleurs de l'enfant, toute la maisonnée devait avoir eu connaissance de l'emportement de Gustave. Peut-être l'abbé Jacques allait-il faire la leçon à son frère ?

Héléna ne se décidait pas à retourner à sa chambre. Elle irait plutôt coucher au deuxième, mais, comme elle venait d'accoucher, elle éprouvait un vertige qui faisait tourner la cuisine. Elle craignait de dégringoler l'escalier avec son nourrisson dans les bras. Le pas chancelant, de sa main libre et tremblante elle s'agrippa solidement à la rampe et monta les marches une à une. Elle se rendit à la chambre du côté du couchant, la seule pièce qui était libre, une pièce basse sous un plafond pentu. Là, elle aurait la paix. Elle s'en voulait de ne pas avoir pensé plus tôt à s'installer en haut ; Gustave n'aurait pas levé la main sur sa fille.

Héléna s'appuya le dos à une montagne d'oreillers et là, l'enfant dans les bras, la mère et la fille s'endormirent d'un même sommeil agité.

* * *

Le lendemain, au chant du coq, Héléna nourrissait paisiblement son enfant quand l'abbé Jacques, qui occupait la pièce voisine, vint frapper avec précaution à la porte de sa chambre. Héléna remonta la couverture sur la tête du bébé afin de cacher son sein nu.

Il faisait sombre dans la pièce, les rideaux étaient tirés, et Héléna ressentait une sensation de froid.

L'abbé parlait bas. Il reprochait à sa belle-sœur d'avoir déserté le lit conjugal. Héléna, somnolente, ne répondit pas.

— Vous irez en enfer pour ça, dit-il.

Héléna pliait devant son mari, mais elle n'allait pas ramper devant un beau-frère encombrant qui s'invitait chez elle quand bon lui semblait, sous prétexte qu'il était toujours chez lui à la maison paternelle.

Encore dans un état de grande nervosité à cause des événements de la veille, Héléna répliqua, le ton amer :

— Je suis dans ma maison, icitte, pis je resterai dans cette chambre jusqu'à ce que ma fille dorme ses nuits complètes, des mois et des années, s'il le faut. Pis c'est pas un tiers qui va me dire quoi faire dans ma maison.

— Vous êtes très impulsive, ma chère belle-sœur. N'oubliez pas que vous vous adressez à un prêtre, à un homme de Dieu. Peut-être que votre curé aimerait savoir ce qui se passe dans cette maison.

Héléna se tourna légèrement de côté de manière à lui présenter son dos.

— Je vous prie de fermer la porte en sortant, dit-elle, et elle ferma les yeux.

En quittant la pièce, l'abbé Jacques se retrouva face à face avec Cordélia qui, de la chambre voisine, avait tout entendu.

— Sors tout de suite de cette maison, Jacques Branchaud, sinon je vais dire au curé que je t'ai surpris dans la chambre de ta belle-sœur! Ça va t'en faire toute une réputation.

Jacques connaissait Cordélia et il se demanda si elle pouvait aller jusqu'à mettre ses menaces à exécution.

— Wo! Calme-toi, Cordélia!

— Je me calmerai quand tu seras pus là. Sors! Ça presse!

— Je suis chez mon frère ici, j'ai baptisé son enfant et je suis son invité.

— Le curé aurait pu le faire à ta place. C'est toé ou ben c'est moé qui s'en vas. Pis si c'est moé, tu t'occuperas des repas pis du lavage de couches pis de tout le tralala.

— Bon, bon! Avant mon départ, je vais te bénir.

Cordélia en avait marre des bénédictions sans cesse répétées de son frère, qui ne lui servaient qu'à se péter les bretelles en se montrant ostensiblement un dignitaire de l'Église.

— Oui, oui! dit Cordélia, impatiente, en arrêtant le bras de Jacques à mi-chemin, tu nous béniras à l'église. Icitte, t'es seulement mon frère.

L'abbé Jacques retourna à sa chambre rassembler ses effets.

Cordélia s'étonnait cependant de trouver Héléna installée dans la chambre voisine de la sienne.

— Et pis vous, qu'est-ce qui se passe pour que vous soyez là ? Vous vous êtes levée sans la permission du docteur ? Y vous a dit dix jours. Y a été assez clair, y me semble ?

Héléna passa sous silence la fessée que Gustave avait administrée au bébé. Ce serait déclencher une guerre entre son mari et sa belle-sœur. Si ensuite Gustave mettait Cordélia à la porte, elle se retrouverait sans aide. Sa voix était faible. Héléna se fatiguait vite.

— J'ai pas eu le choix. En bas, la petite empêchait Gustave de dormir.

Cordélia se moqua en grimaçant :

— Pauvre Gus ! C'est-y lui qu'a accouché ?

— Cordélia, si vous m'apportiez le panier d'osier qui sert à étendre la lessive, je m'en servirais comme berceau.

— Ce serait plutôt à Gus de coucher en haut. Comme c'est là, je vais être obligée de faire les escaliers dix fois par jour pour vos repas, votre toilette pis tout le tralala. Vous savez, ça me gêne pas, moé, d'y dire à Gus de changer de chambre.

Héléna avait pensé à cette solution, mais, en couchant en haut, elle pourrait choisir elle-même le moment où elle retournerait à la chambre conjugale.

— Non, dites-y rien, Cordélia. Je suis plus à l'aise en haut. C'est plus chaud. Je regrette cependant de vous imposer un surcroît de travail. Et s'il vous plaît, tirez un peu la porte pour que votre frère abbé me voie pas au lit.

– Jacques est en train de ramasser ses affaires, y s'en retourne à son presbytère.

Héléna respira un bon coup.

Cordélia ajouta :

– Comme ça, on va avoir la paix.

\* \* \*

Le dixième jour, Héléna se leva lentement, les mains sur son ventre mou, encore gonflé d'un reliquat de grossesse qui disparaîtrait au bout de quelques semaines. Maintenant, elle devait reprendre sa besogne sans Cordélia, ce qui lui semblait une montagne insurmontable.

Cordélia avait le cœur en bouillie. Elle laissait derrière elle la petite Marianne, qu'elle considérait comme sa fille, au point qu'elle s'imaginait être son unique mère.

– Si vous me le permettez, dit-elle, quand la petite sera sevrée, je viendrai vous la voler pour quelques jours. Je me suis attachée à elle le temps que j'ai passé icitte.

– J'ai bien apprécié votre aide, Cordélia. Quant à Marianne, je vous la laisserai pendant la grand-messe du dimanche. Entre-temps, vous pourrez venir la bercer tant que vous le voudrez. Vous avez toujours votre chambre en haut.

\* \* \*

Le dimanche suivant, Héléna sortit de la maison avec l'enfant dans les bras. Elle ressentait une grande satisfaction de pouvoir montrer à toute la paroisse qu'elle était mère, tout comme Gustave devait lui aussi être heureux de prouver sa paternité.

L'air grognon, Gustave attendait que sa femme prenne place sur la banquette. Les deux rênes dans une main et le fouet dans l'autre, il s'impatientait.

Héléna apparut enfin. Elle monta prudemment dans la voiture avec l'enfant dans les bras.

— Vous l'amenez, celle-là ?

— Je peux pas faire autrement ; je vais pas la laisser seule à la maison. Cordélia va la garder pendant la messe.

Le fouet claqua sec sur la croupe de Fanette.

La joie d'Héléna se changeait en une infinie tristesse. Gustave semblait détester sa fille. Il venait de lui enlever le plaisir de sa première sortie. Elle aurait préféré rester à la maison plutôt que de supporter les réflexions cruelles de son mari, mais elle n'avait pas le choix, la messe du dimanche était obligatoire. Héléna, muette, regardait défiler les maisons. Les cheminées perçaient les toits enneigés et crachaient une fumée blanche. À chaque porte, un bobsleigh attendait les occupants pour les conduire à l'église. Héléna bougea ses pieds pour les empêcher de geler.

— Chez nous, dit-elle, mon père plaçait des briques chaudes au fond de la voiture.

Gustave resta sans rien dire. C'était un homme silencieux qui gardait tout en dedans, sauf sa mauvaise humeur.

# XVIII

Le printemps tassait l'hiver dans son coin. Les glaçons pendus aux toits des maisons pleuraient des larmes de joie à sentir les chauds rayons du soleil. Le temps des sucres revenait, la neige baissait et un frisson parcourait la forêt.

Le train criait, la maison tremblait. Héléna se rendit à la porte de la cuisine avec son enfant dans les bras. Chaque jour, à cinq heures, elle assistait de sa maison à l'arrivée et au départ des trains. Elle serrait chaque fois la petite Marianne contre elle pour la rassurer.

Les Américains sautèrent du train sur le quai de bois. Après un an, ils débarquaient de nouveau à La Plaine avec une mallette, leur musique et leurs bières.

Cette année, John n'était pas avec eux. Héléna supposa qu'il devait en vouloir à Gustave, qui l'avait remis à sa place à cause de la petite scène où il lui avait manqué de respect. Par contre, une jeune femme, tout en beauté, les yeux maquillés de mascara, les joues fardées et les lèvres d'un rouge presque vulgaire, accompagnait les hommes. Alcide et elle traversèrent le chemin bras dessus, bras dessous.

Ce dernier fit les présentations.

— Elle, c'est ma femme, Mary-Jane. Elle remplace John, qui n'a pu venir cette année à cause d'un malaise.

Héléna se demandait si la jeune femme était une catin. Celle-ci, un peu réticente, lui tendait une main aux doigts jaunis par la cigarette.

— Je savais pas que vous étiez mariés, Alcide, toutes mes félicitations !

— On est en voyage de noces. Les parents de ma femme viennent du Québec ; ils étaient autrefois de Sainte-Marie-Salomé.

— Mary-Jane, c'est pas un nom anglais ?

— Son vrai nom est Marie-Jeanne, mais là-bas, tout le monde l'appelle Mary-Jane.

— Vous pouvez monter au bois retrouver Gustave ; il entaille depuis le matin. Mais vous, Mary-Jane, avec vos bottines à talons hauts, vous risquez de vous faire des entorses. Je peux vous prêter mes vieilles bottes à talons plats.

— Je connais rien à la cabane à sucre. Le jour, je vais rester icitte avec vous. Alcide a promis de venir me retrouver chaque soir.

Héléna resta bouche bée. Sa maison n'était pas un hôtel. Il lui faudrait supporter la présence de cette étrangère dans sa cuisine à cœur de jour, pendant deux semaines. Elle n'ajouta rien, sans doute de peur d'en dire trop.

Héléna ne savait plus que penser de cette visite qui s'imposait chez elle, année après année. Et Gustave les supportait, sans doute parce que les cousins joignaient leurs efforts aux siens. Sans leur aide, la récolte serait moins riche.

Avant la naissance de Marianne, les Américains apportaient un peu de distraction dans le quotidien d'Héléna, mais, cette année, avec la petite qui vomissait tout ce qu'elle avalait, ses forces diminuaient et son teint avait perdu son éclat. Cette fois, l'arrivée des cousins lui causait un surplus de travail et, pour comble, une femme qui n'avait pas l'air trop vaillante venait s'ajouter aux garçons.

— Installez-vous en haut, dans la chambre à gauche de l'escalier.

Le lendemain, Héléna se leva à six heures. Les hommes déjeunaient. Ceux qui ne se rendaient pas à la cabane traînaient chez les gens, soit à la forge, au garage Champoux ou au Caboulot, quand ce n'était pas au village.

À dix heures, Héléna entendit des pas au plafond. Mary-Jane se levait.

L'Américaine mettait un temps fou à faire sa toilette et à se maquiller. Elle prenait ses repas à des heures différentes des autres, comme les clients de restaurants. Elle ne mangeait pas ses croûtes de pain et elle laissait ses restes de nourriture traîner sur la table.

Héléna devait tout nettoyer derrière elle. En plein cœur de l'avant-midi, elle devait desservir de nouveau la table de madame Mary-Jane, laver le pot de confitures collant et ramasser les miettes sur le tapis. Et, pendant qu'elle courait pour joindre les deux bouts, Mary-Jane se berçait tout doucement. Héléna devait servir la jeune femme en plus de boulanger pour neuf personnes, sans compter qu'il y avait le bain à donner à Marianne.

Au repas du midi, Mary-Jane n'avait pas faim.

— Je viens tout juste de déjeuner, dit-elle.

— Vous devriez vous lever plus tôt et manger à des heures fixes, comme tout le monde, sinon je vais devoir préparer six repas par jour, ce qui aurait pas de sens.

— Je me sens paresseuse le matin.

— Moé aussi, Mary-Jane, moé aussi, mais le travail commande pis y faut aller.

Mary-Jane regardait Héléna comme une curiosité. Elle la trouvait simple, intelligente, plutôt jolie, et elle se demandait comment une femme comme elle pouvait s'imposer de si grands sacrifices et se passer de toute fantaisie.

Mary-Jane ne changea pourtant rien à ses habitudes. Héléna bouillait.

Après trois jours de ce régime épuisant à combattre une envie de pleurer pour rien, Héléna comprit que la jeune femme venait se faire servir chez elle comme une invitée de marque, sous prétexte que son mari aidait aux sucres. La présence de cette Mary-Jane lui pesait lourd. Chaque soir, Héléna frissonnait à la pensée que le lendemain tout recommencerait, et elle comptait les heures qui lui restaient à dormir avant de reprendre le collier.

Le quatrième jour, Héléna décida d'entraîner l'Américaine à la vie de ferme. «Si cette Mary-Jane me prend pour une cruche, elle va apprendre de quel bois je me chauffe», se dit-elle.

Tôt le matin, Héléna réveilla la jeune femme.

— Mary-Jane! Descendez, j'ai besoin de votre aide.

Dix minutes plus tard, la jeune femme apparut à moitié réveillée au haut de l'escalier, vêtue d'un joli déshabillé en satin rose.

— Y est quelle heure? demanda-t-elle.

— Sept heures. Je voudrais que vous débarrassiez la table.

— Je m'habille pis je descends.

Sitôt arrivée à la cuisine, Héléna l'attela à la tâche.

— Vous savez, Mary-Jane, que c'est tout un contrat de recevoir autant de monde durant quinze jours d'affilée.

Héléna déposa devant l'Américaine une chaudière de patates, un couteau qui coupait comme un rasoir et une casserole profonde.

— Tenez! Mettez ce tablier pis épluchez les patates jusqu'à ce que le chaudron soit plein à ras bord. En même temps, vous surveillerez mon bébé pendant que je vais aller à l'étable traire les vaches pis soigner les bêtes. J'en ai pour une heure.

— Pis si la petite pleure, qu'est-ce que je dois faire?

— Si elle pleure, c'est qu'elle a faim. Vous changerez sa couche et vous lui donnerez son biberon. Son lait est dans un contenant dans le puits, derrière la maison. Vous ferez chauffer la bouteille dans l'eau chaude et vous testerez la température en versant quelques gouttes sur votre bras. Pis si elle pleure encore, vous la bercerez.

Seule dans la grande cuisine où elle se sentait un peu étrangère, Mary-Jane avala un petit déjeuner du bout des dents. Après avoir desservi la table, elle se mit en frais d'éplucher les patates. Elle n'en finissait plus de peler, si bien qu'à la fin, les grosses pommes de terre se retrouvèrent de la grosseur d'un œuf. Le bébé se mit à pleurer et la jeune femme s'énerva. Elle prit délicatement la petite Marianne dans ses bras et l'emporta dans la berçante, où elle lui donna son biberon. La petite n'avait pas fini de boire qu'elle régurgitait sur Mary-Jane tout le lait qu'elle venait d'ingérer. La jeune femme jeta un œil en direction de l'étable et vit Héléna, qui, les bras raidis par le poids de deux chaudières de lait, vacillait comme un homme ivre. Celle-ci s'arrêta à la petite laiterie.

Sitôt Héléna entrée, Mary-Jane lui rendit l'enfant avec une moue de dédain.

— Pauvre petite! dit Héléna. Elle vomit tous ses boires.

— Je me demande si je veux encore des enfants! s'exclama la jeune femme, déçue.

— Vous savez, les enfants demandent pas la permission pour naître.

Mary-Jane enleva son tablier maculé de vomissures, le jeta sur un dossier de chaise et monta à sa chambre attendre le retour d'Alcide. Elle ne semblait pas comprendre que son aide ne s'arrêtait pas là.

L'heure du dîner approchait et les patates n'étaient pas cuites. Héléna souleva le couvercle de la casserole et, en voyant la taille des pommes de terre, comme équarries à la hache, elle ne put se retenir de sourire. Elle poussa le chaudron sur le feu vif et se rendit ensuite au bas des marches. De là, elle appela de nouveau:

— Mary-Jane, Mary-Jane!

La jeune femme apparut au haut de l'escalier.

— Mary-Jane! J'aurais besoin d'un coup de main pour le repas. Je dois donner le bain à mon bébé.

— J'arrive, dit la visiteuse d'un petit ton sec que seules les femmes savent prendre entre elles.

Après un bon moment, Mary-Jane descendit avec une lenteur désespérante. Elle avait pleuré. Son rimmel avait coulé sur ses joues. Héléna fit mine de ne rien voir. Est-ce qu'elle prenait le temps de pleurnicher, elle?

— Quand vous aurez fini, vous dresserez la table. Vous mettrez six couverts. À midi, nous serons six à dîner.

— Je me demande comment vous faites pour vous lever à la barre du jour pis courir toute la journée avec l'ouvrage à l'étable, les repas à préparer, un bébé pis toute votre besogne. Quand est-ce que vous trouvez du temps pour vous asseoir?

— Je veux pas m'asseoir, Mary-Jane, je veux juste joindre les deux bouts. En campagne, on apprend très jeune à travailler. On n'a pas le temps de se dorloter ni de se maquiller. Regardez, je porte toujours la même robe que je portais jeune fille. Je la lave le samedi pour qu'elle soit propre le dimanche.

— Pis vous êtes heureuse à mener cette vie-là?

— Le bonheur, ça se construit à partir de petits riens, Mary-Jane. J'ai ma fille que j'adore.

\* \* \*

Ce soir-là, les hommes descendirent du bois. La soirée, pleine de vie et de chaleur, débuta dans la joie et les rires. La musique attirait les voisins. Léandre Grenon et Champoux s'amenèrent avec leurs familles et tous chantèrent au son des accordéons et des harmonicas. C'étaient les seuls soirs libres pour s'amuser. Bientôt, les sucres commenceraient pour de bon, les hommes coucheraient à la cabane afin de faire bouillir l'eau jour et nuit et ils apporteraient leurs instruments dans les bois. À dix heures, les voisins retournèrent chez eux parce que, le lendemain, les enfants devaient se lever pour aller à l'école.

De sa chambre, Héléna entendit le ton monter entre Mary-Jane et Alcide. Suivirent des éclats de voix.

– Vous entendez, Gustave, on dirait de la bisbille en haut ? Cette Mary-Jane est une vraie tache de graisse. Je veux pus d'elle icitte. Amenez-la dans les bois avec vous autres.

Gustave ronflait.

Très tôt le matin, dans la maison endormie à peine éclairée par l'aurore naissante, les nouveaux mariés descendirent l'escalier sans bruit, traversèrent la cuisine avec une valise à la main et filèrent en douce. Ils se rendirent à la gare prendre le train de cinq heures trente. Ils repartaient pour les États.

À six heures, en sortant de sa chambre, Héléna trouva un billet sur la table. Elle lut :

*Merci pour le séjour dans votre maison. Si vous venez à Boston, il nous fera plaisir de vous recevoir.*
*Alcide et Mary-Jane*

Héléna respira d'aise.

# XIX

Depuis qu'Héléna avait sevré sa fille, celle-ci vomissait tout ce qu'elle ingérait. À six mois, la petite Marianne se retrouvait au poids de sa naissance et le fait que sa taille allongeait faisait paraître l'enfant encore plus rachitique.

Madame Therrien, venue lui emprunter un pinceau, la mit durement devant les faits :

— Si j'étais vous, madame Branchaud, je m'inquiéterais. Votre Marianne est pas normale. Si elle continue à se dessécher comme ça, elle va finir en poudre. Ma Louisette est plus jeune pis elle doit peser le double.

Héléna resta bouche bée. Deux grosses larmes roulèrent sur ses joues.

— Si je compare votre fille à la mienne, c'est pas pour être méchante. Au contraire, je pense qu'il est encore temps de la réchapper. Vous voudriez pas la perdre ?

Madame Therrien lui faisait réaliser l'urgence d'agir.

— Depuis que je l'ai sevrée, expliqua Héléna entre deux sanglots, ma petite vomit tous ses boires.

— Montrez-la au docteur. Vous verrez ce qu'y en pense. Surtout, attendez pas. Pendant ce temps, votre enfant dépérit.

L'inquiétude rongeait Héléna et ne lui laissait aucun repos.

Malgré ses malaises, la petite Marianne faisait des risettes à son père. Elle le suivait des yeux et, dès qu'elle l'apercevait, elle poussait des petits cris de joie, comme si elle cherchait à se l'approprier, mais lui restait impassible.

Après un autre boire restitué, Héléna n'en pouvait plus de voir sa fille dans cet état. Elle sentait la vie de son enfant menacée et elle était prête à tout pour la réchapper. Elle baigna l'enfant dans l'évier de cuisine puis la revêtit d'une couverture légère.

Héléna, à nouveau enceinte de trois mois, chaussa ses sabots et prit le petit chemin qui menait au bout de la terre avec sa fille dans les bras, sans savoir si elle ne faisait pas tout ce chemin pour rien. Elle ne pouvait jamais compter sur l'assistance de Gustave. À tant marcher d'un pas inquiet, la fatigue ne tarda pas à se faire sentir. Héléna s'arrêta à la grange d'en haut pour se reposer un moment sur une vieille chaise à bras, puis elle reprit son chemin à travers champs. Gustave accepterait-il de laisser son travail pour la conduire chez le médecin? Elle se doutait bien qu'il refuserait, mais elle y alla quand même, prête à tenter l'impossible pour sauver son enfant. Seule, elle ne pouvait rien. Arrivée à l'extrémité de la terre, elle s'en remit à Gustave.

— C'est pas normal, dit-elle, pour notre fille de vomir comme ça. J'ai peur de la perdre, je m'en remettrais pas. Je dois la montrer sans plus tarder au médecin pis j'aurais besoin de me faire conduire.

— Un enfant, on fait pas soigner ça, dit-il.

– Madame Therrien m'a dit que sa Louisette pesait le double de Marianne, pis elle est plus jeune de deux mois.

– De quoi elle se mêle, celle-là?

Héléna dévisagea son mari. Sa déception creusait deux petites rides au coin de ses lèvres.

– Selon vous, dit-elle, un enfant, on laisse mourir ça?

Pas de réponse.

«Gustave n'aime pas sa fille, pis encore, il la déteste», pensa Héléna.

Elle prit le chemin du retour avec un motton au fond de la gorge. Gustave se fichait d'elle et de son enfant, c'était évident. À chaque pas, Héléna ravalait. Elle souffrait d'un mal plus grand que toutes les douleurs supportées jusqu'à ce jour. Son mari se dérangeait pour assister aux chicanes de la compagnie de chemin de fer, pour participer à tous les offices religieux et aux assemblées de conseil, mais, pour son enfant, il n'était pas disponible. Elle regarda sa fille, toute frêle, qui allait mourir par manque de soins parce qu'un enfant, on ne fait supposément pas soigner ça. Héléna se demandait comment aurait réagi Henri Beaudoin dans la même situation. Dans le temps, si elle avait suivi le conseil de sa mère, qui ne voyait que ce garçon pour sa fille, elle aurait certes été plus heureuse. Sa mère aurait dû insister, l'obliger même. Devant l'autorité stricte, elle aurait plié. Mais c'était trop tard pour revenir en arrière, elle était mariée à Gustave Branchaud pour le meilleur et pour le pire.

Puis une phrase cruelle lui revint à l'esprit: «Un petit Américain.» Gustave croyait-il vraiment cette accusation gratuite au point d'accepter de perdre sa fille plutôt que de la faire soigner? Son mari était plus dur qu'elle ne le pensait. Et puis non! Elle n'allait pas laisser mourir son enfant, ça jamais! Elle mourrait avec. Si sa fille n'avait pas de père, elle avait au moins une mère.

Arrivée à la maison, Héléna pria Champoux de venir atteler Fanette à la voiture et elle se rendit chez son père.

* * *

Sitôt entrée, Rollande lui prit l'enfant des bras et l'emporta dans la berçante.

Héléna raconta tout à son père.

— Vous devriez parler à Gustave, il vous écouterait peut-être. Vous êtes son beau-père.

— Ton mari va me dire de pas me mêler de sa vie de ménage.

— C'est sauver la vie de ma petite Marianne qui est le plus important. Je laisserai pas mourir ma fille.

Rollande intervint.

— Parlez-en donc au curé. Y doit passer cette semaine pour sa visite de paroisse.

— Je me sens pas à l'aise de mêler le curé à mes affaires de famille quand son vicaire est mon beau-frère. Je voudrais pas me mettre la famille Branchaud à dos. Par contre, si j'agis pas au plus vite, ma petite risque de mourir.

Héléna soupira. Elle n'en pouvait plus de toujours remettre à plus tard. Sa fille avait besoin de soins dans l'immédiat.

Elle quitta la maison de son père, pas plus avancée qu'à son arrivée.

* * *

Jules Pelletier consulta le curé, mais celui-ci refusa poliment d'intervenir, alléguant que sa visite de la paroisse prenait tout son temps. Ce dernier hésitait à s'immiscer dans la famille de son vicaire quand celui-ci pouvait très bien régler le cas de son frère.

— Monsieur Branchaud a des frères prêtres qui pourraient intervenir dans cette affaire délicate, dit-il. Adressez-vous à eux.

— Non, c'est à vous que je m'adresse parce que vous êtes mon curé pis le sien aussi. C'est vous qui prêchez du haut de la chaire les familles nombreuses. Rappelez-vous, après une année sans enfant, vous êtes venu chez moé en personne me dire que j'avais pas fait mon devoir. Pourtant, j'en avais déjà une douzaine. Aujourd'hui, je me dis que si c'est pour laisser mourir son enfant, faute de soins, ma fille est mieux de pus en avoir parce que les maladies des enfants en bas âge sont fréquentes, pis c'est pas quand elle en aura perdu plusieurs qu'y sera temps d'intervenir. Pis là, si vous obligez pas mon gendre à faire soigner son enfant, je ramène ma fille à la maison.

— Doucement, monsieur Pelletier. Calmez-vous. Bon, dimanche, je parlerai à votre gendre et je tenterai de le raisonner.

— Dimanche, dimanche! Attendez-vous que la petite soit morte?

* * *

Héléna ne pouvait plus supporter de voir son enfant dépérir. Elle refusait d'attendre la bonne volonté de tout un chacun, sans savoir si, en fin de compte, Gustave accepterait de faire soigner son enfant.

Le midi, comme celui-ci se rendait à l'étable, Héléna traversa à la chambre pour fouiller dans son portefeuille. Elle agissait comme une voleuse, et, pourtant, elle ne s'en faisait pas de scrupules. La santé de son enfant passait avant tout et ça revenait au père de payer les frais médicaux pour sa famille.

* * *

Le docteur Coupal était reconnu pour poser le bon diagnostic, mais aussi pour être un dur qui disait platement tout ce qu'il pensait, que ça plaise ou non.

Héléna s'attendait à se faire réprimander, à se faire traiter de mauvaise mère, mais elle n'avait pas le choix, Coupal était l'unique médecin de la place.

Elle ne demandait plus rien à son mari. Elle se rendit à l'écurie détacher la pouliche. Atteler était toujours un gros problème pour Héléna. Elle installa le collier et attacha la bride sous le cou de Fanette. Elle fit ensuite reculer sa bête dans les travails de bois et l'attela à la voiture. Puis elle entra dans la maison chercher sa fille et un oreiller. Elle coucha délicatement l'enfant sur le strapontin de la voiture. Là, le soleil ne pourrait pas l'aveugler et la petite ne risquerait pas de tomber ; les jambes d'Héléna lui servaient de garde-fou.

Et hop! Fanette devait parcourir six milles pour se rendre au village. Bercée par les inégalités du chemin, l'enfant s'endormit.

Chaque fois qu'elle sortait de la maison, Héléna se sentait libre comme l'air. Elle en oubliait sa fatigue et ses soucis. Le soleil de juin la pénétrait de ses chauds rayons.

Elle était enceinte de trois mois et Gustave n'en savait rien. Comme l'enfant naîtrait encore en décembre, il pourrait l'accuser à nouveau en lui lançant la phrase qui l'avait tant blessée à sa première grossesse: «Un petit Américain.» Il apprendrait sa paternité seulement lorsque son ventre la trahirait, et ce ne serait pas de sitôt, car elle cachait sa taille sous un large tablier.

\* \* \*

Après avoir examiné l'enfant, le docteur Coupal établit son diagnostic:

— Vous avez trop attendu, madame Branchaud, mais soyez tranquille, votre fille ne mourra pas. Elle ne tolère pas le lait de vache. Commencez doucement à lui donner des céréales de riz délayées avec de l'eau. Elle peut aussi manger des légumes bien écrasés avec un pilon. Vous ajouterez trois gouttes d'Ostoco à sa nourriture et vous verrez, dans peu de temps, avec cette vitamine et une nourriture solide, votre fille va reprendre le dessus.

Quel soulagement! Héléna sentit la tension baisser. Elle paya la note et quitta le cabinet du médecin presque joyeuse.

Une fois rendue au village, Héléna passa saluer sa belle-mère et lui raconta les faits.

La vieille prit la petite Marianne dans ses bras et la berça.

— Je me rappelle qu'à quatre mois, les miens se tournaient sur le ventre.

— Gustave prétend qu'un enfant, on fait pas soigner ça.

— Vous savez, les enfants, ça reste l'affaire des femmes. Combien d'hommes mériteraient de pas en avoir? Mais ceux-là, comme y en ont quand même, la mère doit en prendre doublement soin.

— Est-ce que tous les hommes pensent de même?

— Pas tous, mais Gustave est comme ben d'autres.

— Y est pas ben parlant, votre Gustave.

— Comme ça, vous avez au moins la paix.

— Je crois que non; à mon retour, y sera pas content. Y voulait pas que je fasse soigner la petite. Je pense qu'y l'aime pas.

— Moé, reprit aussitôt Cordélia, je l'aime pour deux. Passez-moé-la, m'man. Y a pas juste vous qui avez le droit de la prendre.

\* \* \*

Au retour, Héléna détela le cheval. Elle redoutait de rentrer chez elle. Gustave devait l'attendre, furieux; peut-être même allait-il la frapper. Mais tant pis! Il ne pouvait lui arriver pire malheur que de voir son enfant dépérir. Elle entra avec son enfant dans les bras.

Gustave l'attendait, assis à la table. Le souper n'était pas prêt. Héléna sentait sa mauvaise humeur et c'est en tremblant qu'elle prépara le repas. Elle ne parla pas de sa visite au médecin parce que Gustave était contre. Pour lui, un enfant était moins important qu'un animal. Son absence parlait d'elle-même, son mari avait dû voir la stalle vide de Fanette et il avait dû deviner qu'elle s'était rendue chez le médecin. Ces derniers temps, elle ne parlait que de la faiblesse de la petite.

Au souper, le repas servi, Héléna écrasa un peu de soupe et en fit ingérer quelques cuillerées à la petite en prenant soin d'y ajouter sa vitamine. Pour la première fois, l'enfant garda sa nourriture.

* * *

Ce dimanche de juillet, à l'entrée du village, un groupe de jeunes gens et de jeunes filles occupaient toute la chaussée, laissant à peine le passage aux attelages. Gustave commanda sa pouliche et fonça dans le groupe. Les jeunes se précipitèrent dans le fossé en criant d'effroi.

Héléna en voulait à son mari pour son manque de civisme. Gustave agissait en roi et maître partout où il passait.

— Regardez, Gustave, les jeunes lèvent le poing dans notre direction.

Au sortir de l'église, un jeune homme rejoignit Gustave, qui se dirigeait vers sa voiture. Il appela :

— Hé vous, monsieur, attendez! Je vous reconnais. C'est vous qui nous avez jetés dans le fossé avant la messe.

On a dû passer tout le temps de l'office dans nos chaussures mouillées.

Gustave ne lui accorda aucune attention.

Les garçons discutèrent entre eux et proposèrent une revanche pour le dimanche suivant. En fin de compte, ils laissèrent passer deux semaines pour s'assurer que Branchaud ne les tenait pas à l'œil. Ils y allaient à qui mieux mieux pour trouver un moyen de lui faire payer cher l'insulte commise.

Ce jour-là, au début de l'office religieux, mine de rien, deux garçons surveillèrent l'arrivée de Gustave et, une fois assurés de ne pas se tromper d'attelage, ils attendirent que celui-ci entre dans l'église. Ils s'approchèrent de la stalle avec une chaudière et un pinceau et peinturèrent la croupe du cheval en rouge pendant qu'un des leurs goudronnait le plancher de la voiture. Les autres les encourageaient de leurs rires.

— Ce gros bêta va payer pour, dit l'un.

— Je voudrais ben y voir la face quand il va s'en apercevoir, dit l'autre.

— Ne faites pas ça, intervint un des garçons, c'est sa femme qui va être prise pour nettoyer ses semelles.

— Oui, mais lui va être pris pour nettoyer sa voiture pis y va voir que c'est ben pire que l'eau du fossé. Pis quant à la Pelletier, elle a voulu le marier, qu'elle paie pour! On doit le dompter, sinon y va se croire tout permis.

La messe terminée, les hommes se rendirent tous en même temps à l'écurie, derrière l'église. En apercevant la peinture rouge sur la croupe de sa pouliche, Gustave fulmina. Ses voisins de stalle riaient sous cape.

Gustave ne dit rien. Il colla sa voiture au perron pour permettre à Héléna d'y monter et mena son attelage chez Augustine pour le dîner du dimanche. Comme Héléna allait descendre de voiture, elle sentit ses souliers coller au plancher.

— Je crois, dit-elle, que les jeunes que vous avez malmenés ont pris leur revanche.

Gustave ne dit rien, il serrait les mâchoires.

Héléna retira les pieds de ses souliers, qu'elle laissa dans la voiture pour ne pas salir la maison de sa belle-mère. Elle posa le pied nu sur l'étrier et sauta agilement au sol.

XX

# XX

Le temps des fêtes approchait et Héléna cherchait par tous les moyens à égayer sa maison. Comme il n'était pas question de compter sur Gustave pour couper un sapin, elle revêtit son manteau, qu'elle n'arrivait plus à boutonner à cause de son gros ventre, chaussa ses bottes et sortit. Elle se rendit près du ruisseau couper des branches de pin et des cocottes qu'elle rapporta et, au retour, elle jeta sa cueillette pêle-mêle sur la table. La bonne odeur du pin embauma toute la cuisine. Héléna arrangea les ramures en bouquet et ajouta ici et là des pommes de pin, dont elle garnit les écailles et les aiguilles de sucre à glacer, ce qui donnait l'impression d'une neige brillante. Elle attacha le tout avec un large ruban rouge. Elle déposa ses gerbes sur l'appui des fenêtres de la cuisine et du salon puis regarda l'effet. Héléna était satisfaite de sa réalisation. Même sans arbre, tout chantait la joie de Noël dans sa maison.

On était le soir du 24 décembre, onze coups sonnaient à la pendule. Attirée par le son des grelots, Héléna se rendit à la fenêtre et gratta de ses ongles les cristaux de givre qui tapissaient la vitre. Les traîneaux des Champoux et des Therrien passaient devant sa porte et filaient vers l'église.

Héléna posa la main sur son ventre. Une douleur tiraillait ses entrailles. La jeune femme s'inquiéta, ce n'était pas le temps d'accoucher en pleine nuit de Noël alors que tout le monde était occupé à fêter.

Un quart d'heure plus tard, une autre douleur suivit. Gustave, enveloppé dans son lourd capot, le visage à demi caché par sa crémone, chaussait ses bottes de caoutchouc. Héléna s'en voulait de lui faire manquer sa messe de minuit.

— Je pourrai pas assister à la messe de minuit, dit-elle, je me sens pas ben. Y faudrait aller chercher le médecin.

— Je le ramènerai après la messe.

— Vous allez pas me laisser seule à la maison sur le point d'accoucher et en plus avec une enfant d'un an. Le bébé peut arriver à tout moment.

Silence.

Héléna refoula ses larmes.

— Demandez donc à madame Grenon de venir passer le temps de la messe avec moé.

— Leur attelage est passé devant la porte tantôt.

— D'abord, allez donc chercher Cordélia.

— Je la ramènerai en revenant de la messe de minuit.

Gustave sortit sans se soucier de sa femme.

Héléna, seule avec sa crainte et ses douleurs, resta les yeux accrochés à la fenêtre. La nuit de Noël, le prêtre chantait trois messes d'affilée : une grande et deux basses. Elle se souvint comme elle trouvait le temps de l'office interminable quand elle était gamine. Elle s'assit dans la berçante son chapelet à la main, et elle pria la Vierge de la protéger. Celle-ci dut l'entendre ; ses contractions étaient régulières et supportables. Mais le temps n'en finissait plus et son inquiétude grandissait d'heure en heure.

Alors que l'horloge sonnait trois coups, Héléna entendit le son des clochettes accrochées aux traîneaux. Les mains sur son gros ventre, elle quitta sa chaise pour regarder défiler le cortège de voitures qui revenait de l'église et, rassurée de ne plus être seule, elle laissa échapper un long soupir de soulagement.

Gustave laissait descendre Cordélia. Le docteur Coupal suivait son attelage de près.

Quinze minutes plus tard, l'enfant naissait. C'était une belle fille de sept livres qui tournait sans cesse sa petite tête et qui cherchait à téter.

Héléna tendit l'oreille pour saisir la réaction de Gustave.

– Encore une fille! dit-il d'un ton bourru.

Gustave voyait loin. L'argent était son maître. Il avait calculé d'avance l'aide que des garçons lui auraient apportée pour agrandir ses champs de culture, ce qui lui aurait permis d'acheter de nouveaux logements.

De son propre chef, Héléna prénomma l'enfant Marie-Noëlle. Elle ne demanda pas l'opinion de Gustave, celui-ci ne répondrait pas.

Marie-Noëlle se révéla une enfant douce et tranquille, contrairement à Marianne, qui avait du caractère. Une semaine après sa naissance, elle dormait ses nuits complètes.

Héléna profitait pleinement de ses filles. Elle s'amusait à leur confectionner des robes dans les vieux vêtements de Cordélia qu'elle retaillait et recousait. Elle avait la main et le goût pour les rajeunir avec un liséré de couleur tranchante ou encore un collet de dentelle blanc. Elle s'attirait ainsi les compliments d'Agathe et de Cordélia.

# XXI

Ce printemps-là, mai, tristounet, n'arrivait pas à retenir ses larmes.

Depuis une semaine, une pluie diluvienne s'abattait sur La Plaine et, ici et là, l'eau creusait sur les routes des rigoles qui couraient jusqu'aux fossés.

Pour la centième fois, la vieille Augustine alla de sa chaise à la porte à moustiquaire. Sur le chemin, deux femmes couraient sous un même parapluie.

— C'est ennuyant pas pour rire, ce temps de chien, dit-elle, pis ça arrête pas de tomber. C'est à se demander si on va avoir un été.

— Moé, dit Cordélia, j'aime mieux une pluie ennuyante que des gros orages qui mettent le feu aux maisons.

— C'est quand même pas drôle pour ceux qui sont obligés de sortir pour leur travail.

— Pour ces pauvres gens, c'est ben sûr que non.

Bien sûr, Cordélia pensait à Fortunat Baillargeon, qui demeurait à cinq maisons de l'église et qui passait pas moins de six fois par jour devant chez elle sous un grand parapluie noir.

\*\*\*

Dans l'air charnel de mai, le soleil lançait ses rayons dorés sur la paroisse, mais il n'arrivait pas à boire toutes les flaques d'eau des dernières averses.

Cordélia sortit de la maison et se rendit au bout du perron, où elle appuya ses mains à la rambarde. Elle respirait l'air pur à pleins poumons. Ce qu'elle était belle, la nature, après la pluie! Elle sentait bon le frais lavé et ses verts étaient plus vifs.

Six heures sonnaient au clocheton du village et Cordélia surveillait les allées et venues du bedeau. Chaque soir, après l'angélus, il passait devant sa porte et la saluait. Celui-ci sortait de l'église et venait lentement vers chez elle, les mains dans le dos. Cordélia sentait son cœur s'emballer. Elle décida de s'attarder sur le perron. Comme chaque fois, il allait sûrement la saluer. Devant chez elle, il ralentit le pas, souleva son chapeau et, de sa voix grave sans être sévère, il lui adressa quelques mots :

— Bonjour, mademoiselle Cordélia.

Elle répondit à son tour.

— Bonjour, monsieur Fortunat.

Surpris que chacun connaisse le nom de l'autre, ils échangèrent un sourire complice.

— Qui vous a dit mon nom? demanda Cordélia.

— L'abbé Branchaud. Et vous? dit-il.

— L'abbé Branchaud, répondit-elle à son tour.

Ils sourirent de nouveau. Et Cordélia voulut en savoir plus.

— Et qu'est-ce que mon frère vous a dit d'autre à mon sujet?

— Rien, dit-il.

– Les gens disent que vous êtes toujours de bonne humeur et que vous êtes estimé de tout le monde.

– C'est encore l'abbé Jacques qui vous a dit ça?

– Pas à moé, répondit Cordélia, mais à ma mère.

– On me prête beaucoup de mérite à ce que j'entends.

Cordélia, sans se montrer indiscrète, cherchait à connaître son état civil. Si Fortunat n'était pas libre, il lui faudrait l'oublier.

– Je trouve ça curieux, dit-elle, que vous habitiez pas dans la maison du bedeau, qui est collée à l'église.

– Je vois pas pourquoi je déménagerais quand la mienne se trouve tout près.

– J'ai jamais vu d'enfants jouer dans votre cour. Vous en avez?

Il sourit.

– Non, je n'ai pas cette chance. Je vis seul dans une maison héritée de mes parents.

Ce beau garçon n'était pas marié. Cordélia ressentit une satisfaction indéfinissable l'envahir, un état d'âme qu'elle n'avait jamais connu jusqu'alors. Elle se demandait si la vie le lui réservait.

– Si vous avez un peu de temps pour jaser, je peux sortir des berçantes.

– Non, laissez, je vais seulement emprunter votre petit escalier.

Cordélia s'assit sur la même marche. Les oiseaux chantaient dans les lilas et l'heure exquise invitait au dialogue. Cordélia avait l'impression que Fortunat cherchait à aller plus loin, à la connaître davantage, ou encore avait-il du temps à gaspiller. Il lui fit une proposition intéressante.

— Êtes-vous au courant que, dimanche prochain, y aura un souper et un bingo au profit de la fabrique?

— Oui, monsieur le curé l'a annoncé en chaire, dimanche.

— Me feriez-vous le plaisir de m'accompagner?

— Faut-y que je vous donne ma réponse tout de suite?

— Prenez le temps d'y penser. Je repasserai demain, dit-il de sa belle voix chaude.

C'était plus que Cordélia ne pouvait espérer. Elle était si excitée qu'elle n'avait plus de position. Comme une adolescente, elle bougeait, passait sa main dans ses cheveux, plaçait et replaçait sa jupe. Et Fortunat ne cessait de la regarder. Il lui dit:

— Y fait beau, venez donc me reconduire chez moé.

— Une minute, je vais avertir m'man de pas s'inquiéter.

Légère comme un papillon, Cordélia sauta sur ses pieds et fit demi-tour. Sa robe légère se souleva et effleura la joue de Fortunat. Un courant, comme un feu de joie, la traversait tout entière. C'était le coup de foudre, comme on dit. Cordélia avait maintenant la conviction que ce garçon était pour elle, celui qu'elle avait demandé dans ses prières. Elle entrouvrit la porte et étira le cou à la cuisine.

— M'man, cherchez-moé pas, je vais reconduire monsieur Fortunat chez lui; y reste à trois pas d'icitte.

— Qui?

— Monsieur le bedeau.

— Va, lui dit sa mère, du fond de la cuisine, mais je te défends ben d'entrer chez lui.

Cordélia marchait aux côtés de Fortunat, indifférente aux bruits, aux gens et aux attelages qui se croisaient sur le chemin.

De la fenêtre du salon, Augustine les suivait du regard. La lumière du soleil allongeait l'ombre de leur silhouette sur le chemin et déformait leur corps. Augustine se demandait si le cœur de sa fille n'était pas sur le point de s'attacher. Il était difficile de ne pas voir ce qui se passait entre eux. Elle se répétait que Cordélia avait de la chance ; la vie l'avait longtemps boudée sur ce rapport. Toutefois, elle ne lui laissa pas voir ses doutes.

La vieille pensait : « Cordélia et le bedeau, qui aurait cru ! » Voilà qui relevait de l'impossible. Cordélia avait toujours eu l'air d'une garçonne, quoique, depuis son arrivée au village, son apparence s'était améliorée, son pas était plus léger, ses robes, plus courtes et ses cheveux, coupés à la mode *vaguée*. Même son caractère s'était adouci depuis qu'elle n'avait plus ses frères pour se chamailler. Augustine restait aux aguets. Cordélia et le bedeau s'attardaient à jaser sur le bord du chemin. Un moment plus tard, ils disparaissaient de sa vue.

Le temps passait et Cordélia ne revenait pas. Augustine bouillait.

Unis par une sympathie réciproque, ces quelques heures d'isolement réveillaient dans le cœur de Fortunat et de Cordélia des émotions troublantes.

À la maison, Augustine pensait : « Cordélia se fiche ben de moé. Y s'agit qu'un garçon y fasse les beaux yeux et tous ses principes prennent le bord. » La vieille se demandait même si Cordélia n'avait pas déjà succombé.

Sa première idée fut d'aller chercher sa fille chez le bedeau, mais quelque chose la retenait. Si l'histoire se rendait au presbytère, le curé pourrait mal juger Cordélia. La vieille se ravisa. Elle les vit revenir au loin. C'était au tour de Fortunat de reconduire Cordélia. Au retour, l'heure sombre traînait, languissante, et, sur le bord du chemin, un souffle mourant berçait les fleurs. Fortunat prit la main de Cordélia. Ni l'un ni l'autre ne ressentait le besoin de parler. Mais quand Fortunat aperçut la vieille dans sa porte, il laissa tomber la main de Cordélia et fit demi-tour.

Augustine, furieuse, attendait sa fille sur le pas de la porte, les mâchoires serrées.

— Te v'là, toé! dit-elle. Y est ben temps! Qu'est-ce que je t'avais dit?

— Je sais pas, répondit Cordélia, jouant l'innocente.

— Fais pas semblant de pas comprendre. T'es en état de péché mortel. Tu iras à confesse pour ça.

— Arrêtez-moé ça, m'man! J'ai rien fait de mal pis vous me bombardez d'accusations pas méritées. Pis là, ajouta-t-elle sur le même ton, je vous défends ben de parler de nous deux à Jacques. Ma vie le regarde pas, pas plus que ça me regardait dans le temps quand y a choisi la prêtrise.

— C'est ton choix. T'as droit à tes secrets. Mais je tiens à ce que tu te tiennes comme y faut avec les garçons.

— Craignez pas, m'man. Y a pas encore un homme qui a vu ma bâtisse pis c'est pas demain la veille!

— Ah! On connaît la chanson.

Cordélia cherchait seulement à rassurer sa mère. En son for intérieur, elle pensait autrement. Déjà, elle était follement amoureuse de Fortunat et elle rêvait de se blottir dans ses bras. Tout changeait dans sa tête et dans son cœur avec l'éveil de ses sentiments et de sa sensualité. Toutefois, elle ne voulait pas commettre de bêtises pour le regretter ensuite. Au fond, Cordélia était une bonne fille, aux vertus solides.

Ce soir-là, elle monta à sa chambre à la noirceur tombée. Elle tenait à la main une chandelle allumée. Elle sentait le besoin d'être seule pour assimiler les plus beaux instants de sa vie. Elle s'arrêta devant la fenêtre pour se mirer, pour s'assurer de l'effet de son charme sur Fortunat. Les mains sur sa taille mince, elle tournait sur elle-même. Puis, après un bon moment à se regarder de dos, de face et de côté, satisfaite de son image, elle ouvrit la fenêtre sur un soir magnifique. La brise venait de l'ouest et mêlait l'odeur des bois à celle des lilas. Cordélia enfila sa jaquette et, langoureuse, s'allongea sur son lit et s'enroula dans son drap. Elle se laissa aller à rêvasser. Fortunat avait pris sa main et la chaleur qui s'en dégageait lui était montée directement au cœur. Ses sentiments retenus depuis le premier bonjour explosaient en mille étincelles de joie, d'enthousiasme, de rêves possibles. Une sensation inconnue jusque-là transportait tout son être. Ce devait être ça, le coup de foudre. Elle, la fille sur qui autrefois aucun garçon ne levait les yeux, était amoureuse pour la première fois. Mais Fortunat éprouvait-il les mêmes sentiments ? Tout lui laissait croire que oui, mais elle voulait en être certaine.

L'image de Fortunat suivit Cordélia jusqu'à très tard dans la nuit. Le matin, elle se réveilla au son des cloches.

Elle s'étira et bâilla lentement en entrouvrant les yeux. Le soleil était plus beau depuis que Fortunat faisait partie de son univers. Elle le savait là, au pied du clocher à tirer les câbles. Sur les murs de sa chambre, les petites fleurs dorées de la tapisserie avaient pris les couleurs du bonheur. Cordélia enfouit ses sentiments amoureux au fond de son cœur et descendit à la cuisine.

# XXII

L'hiver 1915 argentait Sainte-Anne-des-Plaines de ses verglas aveuglants.

Cette année-là, Héléna décida de recevoir les familles Branchaud et Pelletier au souper du jour de l'An.

C'était la première fois depuis son mariage qu'elle se permettait cette fantaisie. La première année, elle n'avait pas osé, puis, les années suivantes, elle relevait de ses accouchements. Ses filles avaient maintenant un et deux ans, et elle avait retrouvé sa vigueur.

En l'absence de Gustave, Héléna sortit un papier du tiroir de la table et compta les invités, famille par famille, en commençant par les aînés. Elle en compta quatre-vingt-sept. Puis, elle réfléchit, le crayon dans la bouche. Quatre-vingt-sept, c'était énorme. Elle n'aurait jamais assez de vaisselle, même en se servant de la neuve qui dormait dans les boîtes. Elle se rappela que, chez elle, sa mère faisait plusieurs tablées. Tout le reste du jour, elle mûrit son projet. Elle y pensa jusqu'au dimanche.

Après la messe, Gustave s'arrêta chez sa mère. Il fallait ramener Marianne et Marie-Noëlle, que Cordélia gardait pendant l'office religieux. Ainsi se poursuivait la tradition des dîners du dimanche.

Au départ, Héléna fit allonger les filles sur le lit de la vieille Augustine pour les habiller. Cordélia s'occupait de Marianne. Tout en prenant bien son temps, elle lui enfila un vêtement collant et chaud en mailles qui unissait bas et culotte. Héléna s'amusa à faire rouler Marie-Noëlle sur le lit dans le seul but de s'attarder dans la chambre. C'était le temps de mettre Cordélia dans le coup. Dans la cuisine, Gustave fumait et il n'entendait que le va-et-vient de sa berçante qui craquait.

— Écoutez, Cordélia, je fais tout ça dans le dos de Gustave parce qu'y refuserait net. Quand y sera devant les faits, que toutes les familles seront là, y sera trop tard pour reculer. Serez-vous capable de tenir votre langue?

— Ben oui!

— Je voudrais que vous invitiez toute la famille des Branchaud pour moé, sans oublier Fernande, Firmin pis l'autre, qui est au diable vauvert. Vous leur direz de garder ça pour eux, que c'est une surprise que je prépare à Gustave.

— Gilbert viendra pas, Firmin non plus. Les deux restent ben trop loin. Quant à Fernande, ça me surprendrait; elle ne vient jamais à La Plaine avec sa grosse famille, les billets de train coûtent cher.

— Invitez-les aussi, même si c'est juste pour leur faire savoir qu'on a une pensée pour eux autres. Moé, je vais inviter ma famille.

Avec la complicité de Cordélia, Héléna lança ses invitations à gauche et à droite, sachant bien que tout le monde ne pourrait être là.

Tout avait été bien préparé. Comme les hivers précédents, le cochon avait été tué, le saloir, rempli, les conserves étaient au frais, le ragoût et les pâtés, au froid dans la cuisine d'été.

Héléna attendrait l'arrivée des invités pour monter les tables. Dès lors, Gustave serait pris au jeu.

\* \* \*

Le 31 décembre, alors que Gustave était parti en ville collecter ses loyers, Héléna s'occupa de dégeler ses viandes, de préparer ses sauces, de peler une chaudière de patates et un chaudron de carottes, et de dissimuler le tout dans la grande dépense.

Au retour de Gustave, rien n'y paraissait. La table était mise avec la vaisselle écaillée, comme pour un jour ordinaire.

\* \* \*

Le lendemain, au souper, Héléna était sur les dents. Elle allait et venait nerveusement, le front plissé. Elle redoutait la réaction de Gustave. Avait-elle poussé un peu loin son plaisir de fêter la nouvelle année chez elle ? Fébrile, elle attendait l'arrivée des premiers invités pour commencer la cuisson des aliments : de la dinde en sauce, des tourtières, du ragoût et des petits pois en canne.

Comme convenu, Cordélia et sa mère arrivèrent les premières, accompagnées des abbés Rosaire et Jacques. Gustave resta assis dans la berçante. On se souhaita la bonne année. Héléna embrassa Cordélia sur les deux joues. Celle-ci portait un gilet de velours brun, sans manches, sur une robe beige, toute simple. Héléna pinça sa taille et recula d'un pas pour mieux la regarder.

— Encore une robe neuve? demanda-t-elle. On peut dire que vous êtes gâtée. Vous avez rajeuni de dix ans.

— Ça doit être ma peignure. J'ai fait couper pis vaguer mes cheveux.

— Vous vous payez du luxe asteure que vous êtes rendue au village.

L'abbé Rosaire, la petite Marie-Noëlle dans les bras, attendait son tour pour offrir ses souhaits à Cordélia.

— Depuis que maman est rendue au village, dit-il, elle s'amuse à lui confectionner des robes. Ma petite sœur est de plus en plus orgueilleuse.

— Et de plus en plus provocante, ajouta l'abbé Jacques. Avec l'âge, maman devient beaucoup trop tolérante.

— Qu'elle en profite, intervint Héléna, accoutrée de son éternelle robe soutane qui sentait le gros savon. Quand elle sera mariée, elle usera ses vieilleries.

Héléna se contenta de serrer la main des prêtres et de sa belle-mère. Elle refoula les arrivants au salon pour laisser la place libre pour les tables et alla déposer les manteaux sur son lit. La vieille Augustine prit la chaise berçante où, tant de fois, elle s'était assise, et il lui semblait qu'elle régnait encore au sein de sa maison rustique. Les enfants s'amusèrent à monter sur les berces et la grand-mère dut freiner ses élans pour ne pas écraser leurs petits orteils.

Gustave n'avait pas encore réagi. Suivirent Agathe, Antoine et leur famille. Et encore des vœux. Héléna embrassa ses sœurs ainsi que tous ses neveux et toutes ses nièces. Les frocs tombaient des épaules et allaient s'empiler sur le lit d'Héléna.

Ça jasait dans tous les coins de la maison et, plus les pièces s'animaient, plus la tension d'Héléna baissait. Enfin, elle avait de l'aide pour entrer du hangar les madriers et les tréteaux qui serviraient de tables. Gustave regardait tout ça sans aucune réaction. Héléna échangea un sourire complice avec Cordélia et lui chuchota à l'oreille :

— Asteure, finies les cachotteries ! Venez m'aider.

Les deux femmes transportèrent les chaudrons de la dépense au poêle. Ils étaient si lourds qu'elles devaient se mettre à deux pour les déplacer. Héléna sortit la belle nappe brodée, l'étendit sur la table des ecclésiastiques et se servit de draps pliés pour les tables ajoutées. Ensuite, elle déposa la belle vaisselle à filet d'argent sur la table d'honneur. Cordélia ouvrit des cannes de pois verts et les vida dans une casserole tout en surveillant la porte.

Gustave ne disait toujours rien, comme si tout allait de soi, mais, à l'arrivée de l'abbé Firmin, son frère qu'il n'avait pas vu depuis cinq ans à cause de la distance qui séparait Amos de La Plaine, il se leva en trombe, courut lui serrer la main et lui dit :

— Ah ben, Firmin ! C'est pas vrai ! Ça fait si longtemps. Ben, bonne année !

Pour la première fois, Héléna voyait Gustave s'extérioriser. Il semblait heureux. C'était plus qu'elle ne pouvait espérer. Mais, à bien y penser, Gustave était toujours d'accord quand il s'agissait de recevoir ou de visiter sa famille. Elle qui avait tellement craint sa réaction. Ses yeux brillaient derrière ses lunettes métalliques.

Elle fit un pas vers Firmin et se présenta :

— Je suis Héléna, la femme de Gustave et la sœur d'Agathe, votre belle-sœur.

Les Pelletier suivaient. C'étaient des gens de plaisir. Ils entrèrent tous en même temps, comme s'ils s'étaient passé le mot. Blanche, radieuse, sauta au cou d'Héléna. Les Pelletier étaient tissés serré, ils s'embrassaient librement.

— À ton tour, Jean-Guy. Tiens, un bec, toé itou. Allez porter votre butin sus le lit, pis revenez jaser.

Héléna n'avait oublié personne. De la maison, Agathe vit Fernande et sa famille descendre du train.

— Eille ! s'écria-t-elle, étonnée. Regardez qui cé qui s'en vient !

Tout le monde fut aussi surpris qu'elle. Depuis son départ de Sainte-Anne-des-Plaines, il y avait de cela un bon seize ans, Fernande n'avait jamais remis les pieds dans la place. Elle traînait le poids d'un passé tragique, la naissance illégitime de son fils aîné, et elle craignait que les gens la montrent du doigt.

Assise dans la berçante, la vieille Augustine jubilait de voir sa famille rassemblée.

— Y manque juste Gilbert, dit-elle. Je me demande ce qu'y fait à soir. Y doit se sentir ben loin des siens, dit-elle. J'espère que la nouvelle année va me le ramener, celui-là.

— Vous répétez ça à tous les jours de l'An, dit Cordélia. Si Gilbert est loin de sa famille, c'est parce qu'y l'a ben voulu.

La vieille Augustine était particulièrement fière de ses trois fils en soutane noire.

— Depuis que je reste au village, je peux pus recevoir tout le monde en même temps.

— Vous avez l'âge de vous laisser gâter, dit Héléna. Profitez-en.

Et elle ajouta :

— Pis si c'est possible, je vais me reprendre l'an prochain.

La vieille rit. Elle sortit sa petite boîte à priser et s'exécuta avec la plus grande simplicité.

Quand le repas fut prêt, Cordélia demanda à son frère Rosaire de bénir les tables. Rosaire se leva et frappa dans ses mains pour demander le silence, puis, de son bras, il dessina une grande croix dans les airs et dit :

— Mon Dieu, bénissez ce repas et ceux qui l'ont préparé. Amen.

Chaque invité se signa. De son couteau, Gustave traça une croix sur le pain et le trancha.

Les conversations reprirent de plus belle dans tous les coins de la cuisine.

Après le souper, les enfants chantèrent dans l'escalier. On ne dansa pas par respect pour les prêtres qui prônaient en chaire : « Si vous dansez, je laisserai le bras de Dieu s'appesantir sur vous. » Toutefois, on laissa aux garçons la permission de giguer. Près de l'escalier, les hommes disputèrent des parties de cartes en fumant la pipe. Un nuage de fumée flottait au-dessus des têtes. Héléna surveillait son mari, qui conversait avec ses frères, une conversation entrecoupée de longs silences.

On frappa à la porte. Héléna supposa que c'était des groupes de jeunes de la paroisse qui faisaient la tournée des maisons où il y avait des filles et où ils pourraient fêter.

— Gustave, pouvez-vous ouvrir?

Gustave ne se dérangea pas; il n'avait même pas la politesse d'un chien.

Héléna s'empressa d'ouvrir. En voyant entrer le bedeau avec un paquet ficelé à la main, la maison tomba dans le silence. Fortunat Baillargeon n'était plus un tout jeune homme et on se demandait bien ce qu'il venait faire chez les Branchaud le soir du jour de l'An.

Cordélia s'avança pour prendre son paletot. Fortunat lui offrit ses vœux et lui donna un petit bec sur la bouche.

Agathe se pencha et chuchota à l'oreille de sa sœur:

— J'ai t'y ben vu, Fernande? Le bedeau a embrassé ta sœur sur la bouche. Ça serait-y que lui pis elle?…

— Je pense pas. C'était juste un petit bec de rien, pour y souhaiter la bonne année.

— Quand même, Fernande… sur la bouche!

— Ben oui! Pis?

Agathe ne les quittait pas des yeux. Fortunat donna son colis à Cordélia.

— Tenez, c'est pour vous.

— Un cadeau pour moé?

— Oui, parce que vous embellissez chaque jour de ma vie, dit-il avec un sourire charmeur.

Cordélia le tira par la main. Les présentations furent brèves; presque tout le monde connaissait Fortunat Baillargeon, le sacristain de la place, et chacun lui serra la pince, sauf Gustave, qui ne lui accorda même pas l'ombre d'un regard.

Héléna lui offrit à manger.

— Vous arrivez juste à temps, on allait desservir. Approchez !

Fortunat déclina son invitation.

— Merci ! dit-il. Je sors de table. J'arrive de chez ma sœur Lucienne. Depuis la mort de m'man, tous les ans, c'est elle qui reçoit la famille pour le souper du jour de l'An. C'est la tradition. Sitôt la dernière bouchée avalée, je suis parti en sauvage.

— Vous êtes pas venu à pied ?

— Non, le curé m'a prêté son attelage. Y m'a fait jurer de le lui ramener pour demain midi.

— Vous prendrez ben un dessert, lui offrit Héléna. Une pointe de tarte au suif pis un café avec ça ? Y est encore chaud.

Cordélia déposa une tasse fumante devant lui.

— Buvez, dit-elle, ça va vous réchauffer.

Et elle s'assit près de Fortunat, sa hanche contre la sienne.

Les femmes desservirent les tables, que les hommes démontèrent et portèrent au hangar. Cordélia déballa son cadeau. C'était une petite armoire en bois sculpté, agrémentée d'un miroir et d'un petit tiroir avec au bas une barre à serviette. Le bedeau avait mis de longues heures à la fabriquer et elle était sa fierté.

— Merci ! dit-elle. Regardez, m'man, comme elle est ben travaillée. Elle va nous servir de pharmacie. On va la placer au-dessus de l'évier.

La belle armoire circula de main en main.

Agathe s'approcha d'Héléna et lui chuchota par-dessus l'épaule :

— Mine de rien, regarde Édouard pis notre nièce Charlotte, assis sus le banc du piano. Je gage qu'elle lui a tapé dans l'œil, y sont comme deux moineaux sur la même branche. On va peut-être avoir des noces l'an prochain.

— T'es folle ! Y sont ben trop jeunes.

Édouard tenait la main de Charlotte et ils se regardaient dans les yeux, comme s'ils étaient seuls au monde.

Fortunat sortit son harmonica et, debout, son grand corps penché par en avant, il entama :

« Envoye, envoye, la p'tite, p'tite, p'tite,

Envoye, envoye, la p'tite jument. »

Les jeunes approchèrent leur chaise. On tapait du pied et les enfants battaient la mesure en frappant des mains sur la table, et tout le monde reprenait le refrain. Édouard s'avança au milieu de la place et se mit à giguer. La maison était pleine de bruit, on ne s'entendait pas parler. Après un certain temps, la musique s'arrêta et Édouard recula jusqu'à sa chaise, où il s'effondra.

Ce fut au tour de Fortunat de monopoliser l'attention. Il s'installa au milieu de la place. On se demandait bien ce qu'il s'apprêtait à faire. Tout le monde était habitué à le voir dans sa soutane de bedeau. On ne le connaissait pas comme un raconteur, même pas Cordélia, qui se glissa au milieu du groupe en jouant des coudes pour finalement s'adosser au piano, les bras croisés, et là, le cou allongé, elle attendit sa performance.

Les conversations s'éteignirent peu à peu, jusqu'à ce qu'un silence plane sur les invités, qui ne voulaient rien perdre du spectacle.

Fortunat possédait un talent inné pour le comique et il avait à son actif un répertoire infini d'anecdotes et de chansons mimées, accompagnées de mille singeries. Sa performance dura une bonne heure avec ses ripostes amusantes et ses expressions justes et colorées. Il bougeait beaucoup, les bras en l'air, tantôt sur un pied, tantôt sur l'autre. Quel comédien! Il faisait rire aux larmes.

Tout le monde l'applaudit.

Cordélia, aussi heureuse que si les applaudissements lui étaient adressés en propre, se sentait remplie d'un bonheur irraisonné.

Agathe se pencha vers Héléna:

— Eh ben! dit-elle. Qui aurait cru ça de notre bedeau, lui qui a tant de distinction dans son maintien? C'est un comique, un original qui sait déclencher les rires.

— C'est un peu surprenant quand on l'a pas connu autrement que dans une soutane.

À minuit, on dressa de nouveau une table avec les desserts restants. Puis, le piano se mit à égrener ses notes et les chansons reprirent de plus belle.

Au petit matin, les invités se retirèrent heureux.

Héléna les réinvita:

— Demain midi, vous reviendrez manger les restes, mais, je vous avertis, ce sera sans cérémonies.

Fortunat s'agenouilla aux pieds de Cordélia, chaussa ses caoutchoucs et les agrafa. Il lui présenta ensuite son manteau. Cordélia glissa ses bras dans les manches et, pendant qu'elle le boutonnait, Fortunat relevait son col et entortillait un long nuage autour de son cou, comme pour tenir son corps et son cœur bien au chaud. Pour Fortunat, toucher Cordélia, c'était la posséder un peu. Il agissait comme une mère avec son enfant et Cordélia se laissait dorloter. Avec lui, elle retrouvait confiance en elle. Il la regardait tendrement.

— C'est le pire froid d'hiver, dit-il. Vous allez vous geler les mains avec vos gants trop courts. Mettez ça.

Fortunat lui prêta ses mitaines, que Cordélia enfila par-dessus ses gants. Sous son chaud habillement, son cœur battait la chamade.

— Pis asteure, c'est vous qui allez geler.

Fortunat ne lui dit pas que la passion qui l'enflammait le gardait au chaud.

— Moé, je suis un homme, j'ai la couenne dure.

Héléna enviait Cordélia, qui vivait une belle histoire d'amour. Elle compara Fortunat et Gustave, qui étaient deux contrastes. Elle eut alors une pensée pour Henri, qui, lui, l'aurait choyée. « Si c'était à refaire, se dit-elle, je réfléchirais un peu avant de m'engager. »

Le soleil se levait, pâle et froid. La vieille Augustine, Cordélia et Fortunat s'entassaient dans le tilbury du curé. Fortunat enleva la robe de carriole de sur le cheval et la déposa sur leurs genoux.

En passant devant la maison des Grenon, Cordélia aperçut un visage à la fenêtre. Elle chuchota à l'oreille de sa mère :

— La Grenon est sous son rideau. Si elle nous a vues avec Fortunat, demain, la nouvelle va atteindre la paroisse du nord au sud, comme une épidémie.

* * *

Chez les Branchaud, il ne restait plus que quelques invités. Avec les départs, la maison s'était refroidie. Héléna bourra le poêle de gros quartiers de bois sec. Elle cherchait par tous les moyens à se débarrasser de l'abbé Jacques, qui ne manquait pas une occasion de s'incruster chez elle.

— Fernande, couchez donc icitte, vous partirez demain soir par le train de cinq heures. On se voit si peu, ça nous donnera l'occasion de mieux nous connaître. À m'occuper de tout le monde, j'ai pas eu le temps de jaser avec ma visite.

Fernande accepta de bon cœur. Le lendemain, la fête s'étirerait. Toute la famille serait de nouveau réunie. Elle avait du temps à rattraper depuis toutes ces années où elle avait refusé de se montrer dans la paroisse.

Charlotte demanda à rester, mais sa mère refusa net. Elle l'avait vue passer la veillée la main dans celle d'Édouard.

— Non! Arrive, ton père nous attend.

Héléna dut entasser les enfants trois de travers dans chaque lit. À la fin, il ne restait plus que Fernande, Gustave et elle dans la grande cuisine.

— Cordélia nous a fait toute une surprise, dit Fernande.

Gustave laissa voir son mécontentement.

– Comme c'est là, c'est le grand Baillargeon qui va hériter de l'argent des Branchaud.

– Comment ça? demanda Héléna.

– M'man a laissé son argent à Cordélia en héritage parce qu'elle était seule. Si elle se marie, y faudra qu'elle change son testament.

– Moé, intervint Fernande, j'ai rien à redire. M'man devait avoir ses raisons.

– Pis moé, ajouta Héléna, je vais me coucher. Vos histoires d'héritage me regardent pas.

\* \* \*

Au village, Fortunat ramenait son attelage à l'écurie du presbytère.

Arrivé chez lui, la maison était froide. Il fit une bonne attisée et, dix minutes plus tard, il passa à sa chambre, se dévêtit et enfila son pyjama. Déjà, le ciel pâlissait, et pourtant, il n'avait pas envie de dormir. Il riait tout seul au rappel du souper bruyant. Quelle soirée! Et quelle créature que cette Cordélia! Son souvenir le rendait mélancolique sans qu'il ne sache pourquoi. Il s'allongea sur son lit, s'adossa à deux gros oreillers et prit un livre. Au bout d'un moment, il oublia tout de ses émotions, de ses pensées, de ses rêves; le sommeil l'emporta.

# XXIII

On était le Samedi saint. Les routes étaient boueuses. On remisait les voitures d'hiver pour celles d'été. Chez les Branchaud, on mangeait en silence, la table entourée d'une sorte de respect que le père imposait et, forcément, les enfants, même jeunes, se conformaient à la règle. On n'entendait que les fourchettes piquer les assiettes en granit. Marie-Noëlle avait deux ans. Sa mère déposa une galette de sarrasin dans son assiette. La petite la repoussa en faisant la moue.

— En veux pas, dit-elle.

Gustave saisit son bras et l'écrasa à le broyer sur la table.

— Mange ! dit-il de sa grosse voix.

La petite Marie-Noëlle regardait les doigts de son père imprimés dans sa chair et, la mine boudeuse, elle échappait des petits sanglots.

— Ferme-la, lui dit son père.

Héléna bouillait intérieurement. Elle détestait cette manie de Gustave de serrer ses enfants pour tout et pour rien. Chaque fois que son regard se posait sur les ecchymoses, son cœur de mère se serrait de pitié.

— Vous avez tort de brusquer cette enfant, dit-elle.

— Je la brusque pas, je la corrige.

Héléna se demandait si elle mettait des enfants au monde pour les laisser maltraiter par un père trop dur.

Le dîner terminé, elle conduisit les enfants au lit pour la sieste. Dans le calme de la cuisine, Gustave fumait. Héléna se mit en frais de rafraîchir les vêtements de la famille pour les fiançailles de Cordélia, qui auraient lieu le lendemain. En pressant l'habit de Gustave, elle lui dit tout bonnement :

— Cordélia pis Fortunat forment un beau couple. Votre sœur va faire un vrai mariage d'amour. Fortunat est un tendre, toujours à quatre pattes devant elle pour satisfaire ses moindres caprices, une qualité qu'on retrouve rarement chez un homme. Y l'appelle son étoile. C'est-tu assez beau !

Quand Gustave parla, c'était le regard loin devant lui. Il répondit avec dédain :

— Baillargeon est un profiteur. Je le sais, moé ! Toutes ses simagrées, c'est pour embobiner Cordélia. Ensuite, y va se la couler douce avec l'argent des Branchaud.

Gustave avait le don de faire avorter tout sentiment beau et viable. Son mauvais caractère l'emportait sur les bons côtés, jusqu'à empoisonner la vie des siens.

— Moé, ajouta Héléna, je crois que c'est par le cœur qu'y sont pris. Ça se voit à leurs regards amoureux.

Gustave ne savait pas ce que voulait dire aimer. Il n'avait jamais éprouvé de sentiments pour elle. Depuis qu'ils étaient en ménage, une distance se creusait entre eux. Héléna se demanda si elle pouvait provoquer un entretien plus doux. La cuisine était tranquille et ils avaient tout leur temps. Elle osa :

— Vous, Gustave, vous avez jamais aimé ?

Gustave secouait sa pipe, sans répondre.

Héléna insista :

— Je veux dire, une autre fille avant moé.

Il ne répondit pas. Ses silences lui servaient de défense.

— Qui sait, peut-être un béguin de jeunesse ? dit-elle. Qui n'en a pas eu ?

Comme Gustave ne répondait pas, elle changea de sujet.

— J'aimerais ben étrenner une robe pour les noces de Cordélia, une robe de couleur claire. La mienne est défraîchie, elle a perdu sa couleur.

— Ce serait une dépense inutile.

— Cordélia est toujours ben habillée, elle !

— Cordélia gaspille, dit-il.

— Mais elle est ben habillée.

Héléna renonça, comme toujours. Il lui fallait prendre son parti des choses auxquelles elle ne pouvait rien changer.

— Qu'est-ce qu'on va acheter à votre sœur comme cadeau de noces ?

— Y s'en paieront, des cadeaux, dit-il, avec l'argent de p'pa qui devait me revenir.

Héléna fixa son mari d'un air grave et appuya sur ses mots.

— Ça se fait pas, Gustave !

— Ben ça va se faire, répondit-il.

Gustave était intraitable sur la question de l'argent.

— Si c'est comme ça, dit Héléna, j'irai pas aux noces. Je serais mal à l'aise.

Gustave secoua sa pipe dans le cendrier et quitta la maison. Il était toujours comme ça. Quand il en avait assez, il fuyait. Héléna le regarda aller les mains dans les poches de son pantalon. Elle le trouvait minable. Gustave n'était pas le mari qu'il lui fallait, mais, comme elle l'avait marié, elle devait bien le supporter.

# XXIV

Au bout de la nuit, un troupeau d'étoiles vagabondes fuyait, effarouché par la lumière de l'aurore.

Dans la petite maison jaune, Cordélia se leva sans bruit et se rendit au cimetière se recueillir sur la tombe de son père, la seule personne qui, dans le temps, lui disait qu'elle était belle. Des chiens aboyaient au loin, mais Cordélia, toute à ses réflexions sur les grands changements de sa vie, ne les entendait pas.

Le matin de son mariage, elle désirait l'approbation de son père avant de s'engager pour la vie.

La rosée était si forte ce jour-là que, dès son arrivée devant le monument, ses souliers étaient détrempés. Peu lui importait ses pieds mouillés, elle se saucerait dans la cuve en rentrant.

Comme elle se recueillait, deux petits oiseaux vinrent se poser sur la pierre tombale en pépiant. Ils formaient un couple comme Fortunat et elle. Cordélia en déduisit que les oiseaux étaient des messagers, qu'ils lui apportaient la bénédiction de son père en ce beau jour rempli de promesses. Elle sourit et murmura intérieurement: «Merci, papa!»

Au retour, spécialement pour elle, le firmament, si bleu, si calme, revêtit sa robe nuptiale.

Son pèlerinage accompli, Cordélia s'en retourna chez elle d'un pas décidé.

À la maison, sa mère, déjà debout, s'inquiétait.

— D'où cé que tu viens, toé? T'as pas passé la nuite chez ton bedeau, j'espère?

— Ben non!

— Je te cré pas.

— Je suis allée au cimetière parler à papa, juste un petit aller-retour.

— Presse-toé un peu, pis marche comme du monde, pas comme un garçon manqué.

— C'est parce que je flacote dans mes souliers qui sont tout mouillés à cause de la rosée.

— Aujourd'hui, tu tâcheras de te tenir correctement. Asteure, traîne pas pour prendre ton bain, la cuve est prête dans la chambre du bas. Fais vite, tes sœurs sont à la veille d'arriver pour les derniers préparatifs.

C'était une noce villageoise. Le parvis de l'église était comble de curieux. Il ne pouvait en être autrement; toute la paroisse connaissait le sacristain.

Cordélia portait une robe en satin or, resserrée aux hanches et évasée au bas. Un chapeau de paille dorée à large bord garni de fleurs et de rubans complétait sa toilette.

Elle monta la grande allée au bras de son frère Antoine. Gustave avait refusé de lui servir de père parce qu'il en voulait à mort à Fortunat, qui serait bientôt maître de l'héritage familial. Celui-ci, disait-il, lui revenait de droit.

Vint l'échange des promesses. Fortunat regardait tendrement Cordélia, que l'émotion étranglait.

Dans le banc numéro quinze, Héléna leva les yeux sur Gustave.

— Regardez comme y sont beaux! chuchota-t-elle, mélancolique.

Il lui semblait qu'elle parlait seule, le regard de son mari était comme celui d'une statue de plâtre.

\* \* \*

Au retour, tout le monde embrassa la mariée. Le dîner fut copieux et animé de taquineries et de rires, comme chaque fois que la famille se rassemblait.

Vers quatre heures, les invités allaient se retirer quand Françoise, la sœur de Fortunat, invita le couple à se rendre à la maison de Fortunat.

La cour grouillait de monde. En apercevant les mariés, les invités crièrent: «Surprise!» et on se mit à applaudir en surveillant leur réaction.

Antoine se moqua:

— Ça fait longtemps qu'on vous attend, ça vous en a pris du temps! On sait pourquoi!

Cordélia, émue, serra la main de Fortunat. Maintenant, son mari était l'aplomb sur lequel elle s'appuyait.

— On s'est écartés en chemin, répondit Fortunat, mi-figue, mi-raisin.

Les incrédules s'esclaffèrent en chœur.

L'abbé Jacques enchaîna:

— Moi, je vous crois! On dit que l'amour rend aveugle.

Tous ces propos légers portaient à rire.

De longues tables étaient dressées à l'extérieur et toute la noce était rassemblée en essaims, ici et là. Des enfants tournaillaient autour des tables.

— Regarde, Fortunat, y ont même invité les cousins et cousines éloignés pis la parenté de la parenté, dit Cordélia.

Tout le monde les entourait et, avec eux, leurs cœurs battaient.

Françoise attira les mariés à l'intérieur où une table, recouverte d'une nappe de dentelle faite au fuseau, était remplie de cadeaux : vaisselle, verrerie, catalognes, draps, lampes, bibelots, etc. Cordélia tâtait chaque objet et le remettait délicatement à sa place. Fortunat la couvait du regard. Il prit sa main et l'attira dehors, où les jeunes chantaient des chansons d'amour.

Quelques invités s'approchaient des tables pleines de boustifailles, tandis que d'autres causaient ou chantaient jusqu'à ce que des bâillements leur rappellent l'heure tardive. Chacun rentra chez soi, le cœur content.

* * *

Le couple passerait trois jours dans la maison de Fortunat, les trois jours de congé que le curé avait accordés à son sacristain. Ils retourneraient ensuite à la maison jaune où Cordélia s'occupait de sa mère.

Le soir, Cordélia, qui avait autrefois juré qu'elle ne montrerait jamais son corps à un homme, se déshabilla devant Fortunat. Celui-ci, les mains rentrées dans les poches arrière de son pantalon, restait planté dans la porte de chambre à la regarder, du moins ce que la faible lueur de la lampe lui permettait d'admirer.

Cordélia redressa la tête et rougit.

— Vous allez me gêner à force de me regarder de même.

Fortunat desserra sa cravate et toussa pour se donner une contenance, puis il s'avança, prit sa main et, le visage illuminé d'un large sourire, il lui dit en la tutoyant :

— T'as pas à être gênée. J'ai jamais vu d'aussi beaux dessous.

— Pis des pas beaux, dit-elle, en as-tu déjà vu ?

Fortunat lui sourit tendrement.

— Non ! Je fais juste la comparaison avec les sous-vêtements de mes sœurs qui séchaient sur la corde à linge. Elles portaient pas ça, des belles fantaisies de même.

— Au début, m'man me défendait de porter une bras-sière qui tenait mes seins très droits quand les autres filles les écrasaient pour paraître moins sensuelles. M'man disait que c'était péché de s'afficher avec des atriqûres ajustées comme ça. J'ai dû y tenir tête un bon boutte pour que, finalement, elle s'aperçoive que mes vêtements tombaient mieux. Chaque fois qu'y sort une nouvelle mode, m'man en a contre. Ça y prend toujours du temps à s'y faire.

Fortunat fit un pas vers elle et passa ses bras autour de son cou.

— Sois assurée que t'es la première pis que tu seras la dernière. Ça, je te le jure, Cordélia !

Il l'embrassa sur la bouche et dans le cou et, n'en pou-vant plus de dompter ses sens, il la souleva dans ses bras et la conduisit au grand lit de cuivre. Assise sur le côté du lit, elle dégrafa son corselet, puis elle se leva et souffla la lampe.

\* \* \*

Le lendemain matin, dans les draps en désordre, Fortunat glissa son bras sous la tête de Cordélia, mais celle-ci, histoire de rire un petit brin, s'en tira par une culbute qui fit rire Fortunat.

Cordélia avait gardé sa candeur d'enfant. Après quelques ébats désordonnés, elle se laissa choir d'émotion. Elle offrit à son mari ses lèvres gourmandes. Elle savait reconnaître son désir et répondre chaque fois à ses attentes jusqu'à ce que leurs deux cœurs battent au même rythme. Et l'émoi chaque matin renouvelé semblait inépuisable. C'était le paradis sur terre.

Les trois jours passèrent trop vite. Le couple retourna finalement à la petite maison jaune.

# XXV

L'été s'en allait cahin-caha, cédant sa place aux jours gris, aux temps humides.

Dans la cave des Branchaud, on avait rempli les parcs de patates, de carottes et de navets. Les céréales engrangées, les agriculteurs commençaient leurs labours d'automne.

On était le 18 septembre 1915. Héléna donna naissance à un troisième enfant. Cette fois, c'était un garçon de neuf livres, Marc, un bébé joufflu aux yeux bridés.

Cordélia assista encore une fois aux relevailles. Fortunat l'amenait chaque matin après la messe et il venait la reprendre le soir après l'angélus.

Héléna se réjouit, pour elle d'abord et aussi pour Gustave ; les papas sont toujours fous de joie de voir arriver un premier garçon. Elle surveilla la réaction de Gustave quand on lui apprit qu'il avait un fils, mais rien ne semblait l'émouvoir.

— Le nom des Branchaud va continuer sa marche, dit-elle pour le dérider.

Gustave ne laissa pas voir ses émotions ; ç'aurait été inconcevable. Après cinq ans de mariage, il était toujours imperturbable. Il faut dire qu'il venait de subir une défaite cuisante. Après avoir milité aux côtés du curé Coursol contre le projet de l'abbé Alphonse Dugas d'ériger une nouvelle paroisse, il venait de perdre la partie, ce qui le mettait en rogne. Déjà, on commençait l'érection de la nouvelle église qui se trouvait à deux arpents de chez lui. Le temps que durerait la construction, la grande maison du forgeron servirait de chapelle.

Gustave, toujours fidèle à ses principes, se promit de ne jamais mettre les pieds dans la nouvelle église. Il s'entêtait dans son idée de faire baptiser son fils à Sainte-Anne-des-Plaines, qui se trouvait à une distance de six milles.

\* \* \*

Cette année-là, septembre était menaçant avec ses orages violents. Sous le ciel du petit bourg, des éclairs zigzaguaient, redoutables.

Jeanne courait en traversant le chemin. Elle tirait par la main sa fille Josette, âgée de deux ans.

— Vite, avant qui se mette à mouiller! dit-elle.

La femme frappa chez les Branchaud.

Héléna lui ouvrit. Toujours aussi heureuse de revoir sa cousine, elle reçut Josette dans ses bras et, sur le pas de la porte, elle lui donna une tape affectueuse sur une fesse.

— Va jouer avec Marianne pis Marie-Noëlle.

Sitôt à l'intérieur, Jeanne échappa un «ouf» de soulagement.

Héléna lui offrit la berçante.

— C'est pas le beau temps qui t'amène, hein! dit-elle.

— Si tu savais comme je redoute les orages d'automne, quand le ciel a l'air enragé ben noir. Mais j'avais assez hâte de voir ton bébé que je tenais pus en place. Comme t'as accouché en pleine nuit, j'ai pas eu connaissance de rien. Mais, le dimanche suivant, quand j'ai vu que t'étais pas à la messe, je me sus dit : « Ça y est ! Héléna doit avoir accouché. »

— T'en as mis du temps ! Quinze jours.

— J'attendais que tu sois sur pied.

— Viens. Passe à ma chambre.

La pièce exhalait une odeur d'ange. Jeanne avançait sur le bout des pieds. L'enfant dormait, les bras au-dessus de la tête, les petits poings fermés, les pieds nus.

Héléna s'approcha du berceau à pas de loup et se pencha sur son fils avec une adoration dans le regard.

— Y a encore enlevé ses petits chaussons. Cet enfant-là, y endure pas une couverture sur lui, y pioche jusqu'à tant que tout revole en l'air. Après ça, y dort comme un ange. Je l'entends pas, sauf quand y a faim.

Jeanne s'extasiait devant l'enfant.

— Y est beau comme un cœur. Si c'était de le réveiller, je le bécoterais à mon goût. Son papa doit en être fier.

Héléna n'osa pas lui dire que, comme aux naissances de ses filles, Gustave était resté fermé devant son premier garçon. Elle aurait bien aimé qu'il lui fasse le même compliment, surtout que, pour les hommes, un premier fils devait incarner toutes les espérances.

— Tu peux le bercer, si tu veux, Jeanne. Ça me surprendrait qu'y se réveille, c'est un gros paresseux.

Jeanne le souleva délicatement et l'apporta à la cuisine. L'enfant bâillait et frottait ses yeux de ses poings dodus.

— Raconte-moé ton accouchement.

— Y a rien de ben drôle là. Je peux juste te dire que ça été ben long. Mais tu sais ce que c'est, sitôt l'enfant né, les mères oublient leurs souffrances.

— Avec trois enfants, tu dois pas t'ennuyer. C'est beaucoup d'ouvrage. Quand on pense, trois !

— Pas plus d'ouvrage qu'un ou deux. Disons que j'ai appris à mieux m'organiser, mais là, je devrai me procurer un lit d'enfant pour mon petit dernier. Va me falloir encore quémander de l'argent à Gustave. Y va ben grogner.

— Y me semble que si j'étais toé, je ruerais dans les brancards. Moé, je pourrais pas ramper à quatre pattes devant un homme qui me refuserait le nécessaire.

Après un temps de réflexion, Héléna ajouta :

— Ce serait la guerre dans le ménage.

— La guerre ou la victoire, ajouta Jeanne.

— C'est pas moé qui va changer l'ordre des choses, dit Héléna sur le ton d'une femme résignée.

Héléna craignait de briser la maigre harmonie qui existait entre eux.

— Quand le mari tient le portefeuille sans sortir un sou pour les siens, une femme doit se sentir une moins que rien. Mais là, je me mêle de ce qui me regarde pas. C'est pas à moé de dicter la conduite des autres. Écoute, je peux te passer le lit de Josette. Il y sert pus asteure qu'elle couche dans un lit simple. Je demanderai à Jos de te l'apporter.

— C'est pas de refus. Toé, si je t'avais pas…

— Regarde donc comme le temps se cochonne, dit Jeanne.

Une pluie lourde comme des clous de quatre pouces s'était mise à marteler les vitres et à clouer les feuilles orangées au sol.

– J'espère que ça durera pas. Y faut que je m'en retourne à la maison.

– T'es pas dehors, icitte.

– Je sais ben, mais je voudrais pas te déranger asteure que t'en as trois.

– Même si j'en avais dix, j'aurais encore besoin de jaser entre femmes.

Une heure passa en pluie et en vent, puis, doucement, le ciel retroussa sa calotte violette pour laisser passer les premiers rayons de soleil.

Jeanne put s'en retourner chez elle.

\* \* \*

Chez Héléna et Gustave, comme dans toutes les maisons de l'époque, les chambres d'en haut se remplissaient rapidement. Le ventre d'Héléna n'avait pas eu le temps de reprendre sa forme qu'un autre enfant y faisait son nid.

Treize mois après la naissance de Marc, soit le 2 octobre 1916, Héléna accouchait d'un deuxième garçon, Émile. Cette quatrième naissance venait équilibrer la petite famille, qui comptait maintenant deux filles et deux garçons.

– Après mes relevailles, proposa Héléna à Gustave, j'aimerais ça faire le tour de la famille pour leur présenter notre bébé.

– Y le verront au jour de l'An.

— Cette année, avec l'arrivée du petit, je recevrai pas les familles, ce serait trop m'en donner. Je vais laisser le tour aux autres. Peut-être Fernande?

— Un fricot en ville, c'est pas un vrai fricot!

— Pourquoi pas?

Gustave n'ajouta rien. Héléna aurait bien voulu entendre ses pensées.

Sur ces entrefaites, l'abbé Jacques entra sans frapper. Celui-là, il arrivait toujours comme un cheveu sur la soupe. De son lit, Héléna le vit enlever son paletot, qui laissait à découvert une soutane luisante aux coudes râpés.

— Je peux voir mon neveu? dit-il. Je veux les bénir, lui et sa mère.

— Vous pouvez entrer, lui dit Héléna.

L'enfant était enveloppé dans une couverture de laine qui ne laissait voir qu'une partie de son visage. Héléna découvrit la petite figure plissée.

— Celui-là, souligna l'abbé Jacques, il est plus blond que son frère.

— Les cheveux, c'est comme les yeux, ça change au bout de quelques mois. Mais dites donc, le questionna Héléna, Cordélia est pas avec vous?

— Non! J'arrive de chez maman. Cordélia peut pas laisser la maison, y a maman qui file mal avec son arthrite.

— En plus, ajouta Gustave, elle est sourde comme un pot!

— Vous êtes dur, Gustave. C'est votre mère.

— Je dis ce que je pense, rétorqua Gustave.

— Pis icitte, demanda Héléna, qui cé qui va s'occuper de la maison pendant que je suis clouée au lit?

— Maman a laissé entendre qu'Agathe va vous laisser Jeannine pour quelques jours, dit l'abbé Jacques. Elle devrait arriver bientôt.

Héléna, déçue, se demandait comment la fillette se débrouillerait avec une pleine maisonnée.

— Jeannine a pas plus de treize ans. Comment voulez-vous qu'elle prenne la besogne avec quatre enfants?

Ce problème semblait n'affecter qu'Héléna.

Gustave se leva d'un bond.

— Moé, dit-il, y faut que j'aille à Montréal. J'ai un locataire qu'a déménagé en pleine nuite, pis je veux voir dans quel état y a laissé le logement.

— T'auras pas de misère à trouver un remplaçant, reprit l'abbé Jacques. T'as des grands logements avec des beaux balcons en avant.

— Si je peux mettre la main au collet de Jutras. Celui-là, y me doit huit piastres que je veux pas perdre. Dire qu'y pétait plus haut que le trou! C'est ben ceux-là…

Héléna appela Gustave de sa chambre.

— Y faudrait me rapporter deux douzaines de couches toutes faites de Montréal. Les vieilles sont tout effilochées, même que plusieurs sont trouées.

— J'ai pas d'argent.

Héléna connaissait la chanson.

— Laissez faire, dit-elle, j'en achèterai au Caboulot.

* * *

Une grande adolescente au ventre plat et aux longues jambes se présenta chez les Branchaud. Sitôt entrée,

Jeannine jeta son manteau sur une chaise et fila directement à la chambre voir bébé Émile.

— Oh, ma tante, qu'il est beau ! C'est un bébé comme ça que je voudrais !

— Tu vas devoir attendre un peu parce que t'es encore jeune, Jeannine.

— J'ai treize ans et demi, pis j'ai un chum.

— Un chum à treize ans ?

— Et demi, la corrigea Jeannine.

— C'est vrai que tu parais plus vieille que ton âge. Ta mère est au courant ?

— Non, pis surtout, allez pas y dire. Elle est assez sévère.

— Sois sans crainte, Jeannine, mais tâche d'être sage, sinon, tu le regretteras plus tard. Tu sais, la réputation des filles, c'est sacré.

— Craignez pas, ma tante.

La fillette s'attela à la tâche. Ces filles issues de familles nombreuses, presque femmes, savaient travailler. Jeannine était une débrouillarde qui ne demandait rien à Héléna. Elle décidait tout par elle-même. Elle commença par ranger son manteau et ses bottes dans la penderie, puis elle se mit à fouiller dans les armoires avec l'intention de préparer le dîner, un macaroni aux tomates et un gâteau blanc dont elle connaissait la recette par cœur. De sa chambre, Héléna entendait les coups de cuillère racler le bol.

Dès qu'elle avait un moment libre, Jeannine berçait Marc, qui n'avait qu'un an. Elle chantait et ses chansons emplissaient la maison.

Jeannine préparait toujours ses repas avec une heure d'avance pour ne pas avoir à se presser au dernier moment. L'après-midi, pendant la sieste des petits, elle savonna les couches dans une cuve posée sur deux chaises puis elle les étendit sur une corde qui traversait la cuisine sur toute sa longueur.

— Ce soir, ma tante, ce sera une omelette avec des grillades de lard pis des patates au four. Pour dessert, y mangeront le reste de gâteau du dîner. Je vais commencer par étendre les couches pis après ça, si y me reste du temps, je ferai un peu de sucre à la crème.

Héléna sourit.

— T'es une perle rare, Jeannine. On te l'a déjà dit ?

— Je suis pas venue au monde les deux pieds dans la même bottine. Moé, j'aime ça aider m'man dans la maison. Anne me dit que je le fais juste pour lécher m'man, pour qu'elle m'aime plus qu'elle. Pourtant, c'est Anne sa préférée. M'man y fait des belles robes tandis que, moé, je dois user ses vieilleries.

— C'est comme dans toutes les familles. La plus grande passe ses vêtements à la suivante et, rendus à la plus jeune, y sont usés à la corde. Chez vous, Anne est la plus grande.

— Surtout la plus précieuse. Anne aide jamais dans la maison sans rouspéter.

— C'était comme ça, chez nous, dit Héléna. Blanche était le bébé de la famille et les parents y passaient tout. Je pensais qu'elle serait pas capable de rien faire dans une maison, pis aujourd'hui, si on la regarde aller, je pense que c'est elle qui se débrouille le mieux. Tu sais, Jeannine, j'ai toujours eu ben de l'affection pour vous autres, les enfants d'Agathe.

— Quels enfants d'Agathe? Anne ou ben moé?

— Les deux. J'ai pas de préférée.

— Y en a dans toutes les familles.

— Tu demanderas à ta mère. Asteure, Jeannine, le temps que Marc fait sa sieste, j'aimerais que tu déménages mes affaires. Je vais m'installer dans la chambre d'en haut.

— Vous avez juste à me dire quoi faire.

— Commence par monter le bébé. Dépose-le sur le lit de la chambre au-dessus du salon. Ensuite, tu iras porter le petit cabaret qui contient ce qu'y faut pour sa toilette.

— Chez nous, ma mère couche avec mon père.

— Icitte, Gustave supporte pas que le bébé pleure la nuite. Tu comprends, ça dérange son sommeil, lui qu'a déjà son travail.

— Chez nous, ça se passe pas de même.

— C'est pas pareil dans toutes les maisons, Jeannine. Tu comprendras plus tard.

# XXVI

Depuis son mariage avec Fortunat, Cordélia vivait les heures les plus intenses de sa vie. Fortunat était aux petits oignons pour elle, et Cordélia, de son côté, savourait sa chance d'être autant choyée.

Tôt le matin, prise d'un malaise, la jeune femme se leva sur un coude. Elle eut à peine le temps de se pencher hors du lit qu'une nausée lui déchira l'estomac. Elle régurgita sur le plancher.

— Pouah ! dit-elle en grimaçant.

Fortunat était parti sonner les cloches et sa mère dormait. Cordélia surmonta sa répugnance et nettoya son dégât avant le retour de son mari. Le pas traînant, elle prépara le café, sortit le pain et les confitures et, une fois la table mise, elle se retira dans la berçante avec le bol à mains sur les genoux. Ce matin, il lui semblait que tout lui répugnait, qu'elle n'avait le cœur à rien. De la fenêtre, elle jeta un œil sur la rue principale. La Cabelote entrait au magasin général. Cordélia se demandait bien où cette femme prenait son argent ; elle ne travaillait pas. Dans la place, on disait l'avoir vue de rares fois quêter de la viande de porte en porte, mais jamais de l'argent. Soudain, Cordélia se pencha sur son bol ; encore cette envie de vomir qui la reprenait, mais, comme elle n'avait plus rien dans l'estomac, ses efforts restèrent vains. Sa bouche gardait un goût aigre, un peu suri. Elle se gargarisa par deux fois. Enfin, les gens sortaient de la messe. «Fortunat ne tardera pas», se dit-elle. Et pourtant, il tardait, lui toujours si ponctuel! Ça faisait exprès, ce matin quand elle avait spécialement besoin de lui parler de ses malaises et de se faire consoler, cajoler.

Enfin, elle le vit s'échapper de l'église par la porte de côté. Il venait d'un bon pas. Cordélia déposa son bol sur une chaise et, sitôt Fortunat entré, elle se jeta en pleurs dans ses bras, comme une petite fille capricieuse.

Fortunat ne comprenait pas ce qui lui faisait tant de peine. Peut-être s'était-il trop attardé à placoter avec le curé ou encore l'avait-il blessée sans le vouloir? Il releva son menton et lui bécota le bout du nez.

— Je suis malade, dit-elle, je fais une grosse indigestion.

En parlant, Cordélia retenait des haut-le-cœur que Fortunat prenait pour des hoquets.

Il la caressa comme un enfant qu'on console, puis il prit sa main et l'entraîna à la chambre.

— Repose-toé un peu. Je vais te servir ton déjeuner au lit.

Il s'assit sur le côté de lit et caressa son front.

— J'ai pas faim, dit-elle. Oups! Donne-moé vite le bol à mains, j'ai encore envie de vomir.

Il le lui donna ainsi qu'une serviette.

— Veux-tu que j'aille chercher de l'aide?

— Ce serait mieux.

— Attends-moé deux minutes, dit-il. Je vais faire un saut chez le docteur. Y doit ben avoir un remède.

Fortunat fit un aller-retour rapide. Le matin, les clients étaient rares.

— Le docteur Coupal fait dire qu'y va passer te voir tantôt. Y dit qu'y aime pas soigner les gens sans les voir d'abord. Tu sais, avec cette grippe espagnole qui court! La nuit passée, un des enfants d'Adalbert Marion est mort à quinze ans. C'est le deuxième enfant que les Marion perdent en quinze jours, l'autre allait pas encore à l'école. Tous ces décès, c'est à virer fou. Des fois, je me dis que j'aime mieux pas avoir d'enfants plutôt que de les perdre.

— Pourvu que le docteur m'apporte pas le microbe de la grippe espagnole, dit-elle. J'ai pas envie de mourir.

Un peu plus tard, après un bref examen, le médecin établit son diagnostic.

— Ma petite dame, vous êtes enceinte.

— Quoi? Un bébé à trente-trois ans?

À SUIVRE...

# REMERCIEMENTS

Merci à : Lise Gauthier, Lise Dupuis, Marie Lise Émery, France Dalpé, Marie Brien, Jean Brien, Élaine Lortie, Raymonde et Nelson Tessier, Irénée Brien, Jean Crépeau.

**MARQUIS**

Québec, Canada

Achevé d'imprimer en juillet 2013
sur les presses de l'imprimerie Marquis Gagné